RHWNG DAU ...

RHWNG DAU LANW MEDI

Aled Lewis Evans

Argraffiad cyntaf: Mai 1994

*Rhif Llyfr Safonol Rhyngwladol:
0-86381-298-8*

*Dymuna'r Cyhoeddwyr gydnabod
cymorth Adran Ddylunio
y Cyngor Llyfrau Cymraeg.*

Clawr: Wyn ap Gwilym

*Argraffwyd a chyhoeddwyd gan Wasg Carreg Gwalch,
Iard yr Orsaf, Llanrwst, Gwynedd.
☎ (0492) 642031*

I gofio Mam annwyl
— Iola Ann Evans (Atkinson), Corwen
— ei chwaeth, ei dawn, ei naturioldeb a'i hiwmor.
Ac yn bennaf am ei chariad mawr bob amser.

Cyflwynedig i'm Tad, Lewis Evans, gyda diolch ac edmygedd.

"Wherever I go . . . and whatever I am . . . this is me."
(Hannah Hauxwell yn sôn am Low Birk Hatt, Baldersdale.)

Diolchiadau

Carwn ddiolch i Adran Olygyddol y Cyngor Llyfrau Cymraeg am eu ffydd yn y gyfrol.
Hefyd i Elena Morus a Myrddin ap Dafydd am eu gofal yng Ngwasg Carreg Gwalch.
Diolch i Wyn ap Gwilym am glawr trawiadol.

Hydref

Roedd Ardudwy'n wlad ar wahân. Roedden nhw'n gwneud pethau'n wahanol yno. Byddai amser o hyd yn treiglo'n arafach yn y Bermo. Yn enwedig felly pan oedd yr hydref yn galw eto ac afon Mawddach yn ymarfogi'n ddistaw ar gyfer brwydrau ffyrnig y gaeaf yn y bae gorffenedig. Teimlai Gareth yn ddiogel yma, fel pe bai dim ond y Bermo yn bod. Paradwys oedd y dref yn y gaeaf i'w darganfod, i anturio ar ei llechweddau a cherdded rhimyn y môr. Câi bywydau dros ddwy fil o bobl eu cywasgu i'r llain tir rhwng môr a mynydd, yn ymestyn o afon hyd dai cyngor, cyn cyrraedd plwyf Llanaber. Yn y wlad hon roedd plentyndod yn fythol a dim byd yn rhy hen i Eleri Ogwen weiddi am hanner awr wedi saith y bore ar ei chath: 'Dodo, lle fuest ti drwy'r nos?' yn union fel pe bai ei gŵr wedi bod allan ar y teils.

Bu'r haf yn un hir eleni gyda ffrwd amrywiol o bobl yn tyrru i'r dref i lenwi bob stafell ym mhob gwesty neu dŷ gwely a brecwast. Gaeaf y trigolion cynhenid fyddai'n dod cyn hir, gydag ambell i dderyn brith sefydlog yn swatio yn y bythynnod ar ochr yr harbwr. Gan mwyaf, pobl na allent ddygymod â'r byd mawr cas i'r dwyrain oeddent, rhai oedd wedi eu hudo gan fwynder y bae ganol haf ac wedi dewis bywyd hunangynhaliol y dref.

I'r gogledd o'r Bermo ceid bro gwreiddyn yr hil. Yno y cronnai holl galedi y dyddiau o'r blaen, ac am y mannau hynny y clywsai Gareth hanesion am ei hen daid oedd yn amaethwr uniaith yn crafu bywoliaeth gydol ei oes o'r erwau diffaith. Er mai dim ond wyth oed oedd Gareth, a'i bod hi bellach yn 1968, fe wyddai fod ei orffennol yn y pridd.

Teimlad braf ond chwithig yr un pryd oedd gweld y ffair lan y môr yn cael ei datgymalu a'i pharselu'n dwt yn barod i geisio trigfan newydd. Dynodai hyn ddiwedd ar brysurdeb y tymor gwyliau. Byddai pob warden trafnidiaeth yn diflannu dros y gaeaf gan adael i bawb barcio lle y mynnai dros y misoedd llwm tan Basg y llyfr tocynnau ffres. Erbyn hynny, byddai arfau'r swyddogion wedi eu miniogi i ddal mwy o bobl Birmingham. Gwelid ambell gwch pleser yn ei chyfeirio hi tuag adref heb ymddiried yng ngerwinder gaeaf glannau Mawddach, wedi'i bachu ar gefn y car. Roedd cabannau gwerthu hufen iâ slwts wedi cuddio eu posteri dengar yn gorliwio gogoniannau'r cornet. Byddai'r siopau sglodion yn peidio â phlicio ac yn newid saim y misoedd twym; y bowlio yn diflannu o lawnt y parc, a'r gwylanod yn mynnu'r glannau gweigion iddyn nhw eu hunain. Cyn hir gwyddai Gareth na chywid chwerthin di-baid peiriannau'r neuaddau difyrrwch, dim ond cysondeb y tonnau'n rhuo'n gefndir, a chloc yr eglwys yn mynnu hen awdurdod, ac amser cywir drwy'r gaeaf. Yr orsaf reilffordd a welodd gyrraedd a ffarwelio'r misoedd poeth, fe fyddai hon yn derfyn unig i daith trên ffenestr stêm y gaeaf; Ynys y Brawd ynghanol yr aber — byddai'n fan i fentro iddi mewn cwch yn hytrach na llechfan i bysgotwyr amyneddgar yr haf ar y morglawdd. Roedd yr hydref yn adeg i dynnu'r masg, i blisgo'r ddelwedd ymaith, ac yn gyfle i'r Bermo ymlacio.

★ ★ ★

Roedd llond lle o bethau wedi mynd o chwith i Sybil Dodd y bore ene. Buasai'n ffitiach petai hi 'wedi twmblo'n d'ôl i'r gwely. Dwi'n llardie.' Llosgodd y tost a bu'n rhaid iddi redeg nerth ei thraed o Arafa Don. Safai'r tŷ fel yr un olaf ar y stad gyngor ac roedd ganddi olygfeydd gwych o'r môr — ymhlith y gorau yn y Bermo. Hoffai gysgu i gyfeiliant y tonnau bob nos. Teimlai pawb fod yr enw Arafa

Don yn datgelu rhyw ochr farddonol i'w chymeriad heb wybod mai er cof am Don Hannaby a'i cludodd hi ar gefn ei feic modur drwy'r pumdegau yn y Ponciau oedd y 'Don' yn yr enw — a'r Arafa i gofio am angerdd ambell i noson bellach wedi hen chwythu ei phlwc.

Gwraig ynghanol ei thridegau ydoedd yn dilyn y ffasiwn. Un o genod y Rhos a aned yn sŵn cloc y Stiwt. Er ei bod hi bellach yn alltud, credai'n gryf os oedd yna unrhyw obaith i Gymru reoli ei hun mai'r Rhos fyddai'r brifddinas. Gadawodd y Ddinas Sanctaidd ynghanol y pumdegau i chwilio am waith ac ni ddychwelodd i fyny Allt y Gwter — dim ond ar ymweliadau o raid i weld ei thylwyth cythryblus. 'Bu bron i mi â chachu yn fy nghlos yn King Street yn dal bws y tro diwethaf. Gweld Mary ni, a den ni heb siarad ers pum mlynedd.' Ond rywsut roedd hyd yn oed hynny'n cael ei sancteiddio yn y Ddinas Sanctaidd.

Ar hyn o bryd roedd ei gwallt ar ffurf cwch gwenyn — ychydig o flynyddoedd ar ôl Dusty Springfield, ac fel yr arferai Cilla Black ei wisgo fo. Cofiodd iddi hoffi'r gwallt byth ers iddi fynd efo'i hen ffrind ysgol i weld Cilla yn y *Cavern*.

Rhuthrodd allan drwy'r drws gan dynnu crib drwy'i gwallt, a bu bron iddi faglu dros Carlo — ci yr Arwisgiad o lawr y ffordd. Roedd wedi ei enwi'n barod ar gyfer Gorffennaf 1969.

Chwarter awr yn ddiweddarach roedd Sybil, fel goruchwylwraig y cinio ysgol beunyddiol, yn curo ei dwylo ac fe dreiddiai'r sŵn i gorneli pellaf y cantîn swnllyd. Ar ddydd Mercher arferol deuai allan o'i thŷ cownsil ar gwr y lli, efo'i ffag yn ei cheg, gan atgoffa'i hun gydag arddeliad mai 'Heddiw oedd diwrnod y baddonau i blant Safon 3 a 4. Uffe'n o ddiwrnod uffe'n.' Ac wedi i'r plant gael rhyddid y bws a phwll nofio Harlech drwy'r bore, deuent yn ôl yn rhwysgfawr gan gredu ẏ caent estyniad i'r rhyddid hwn — yn enwedig a hithau'r wythnos gyntaf wedi gwyliau'r haf. 'Ma isio tawelu'r diawled ffŵl. Iste arnyn nhw.' Brys munud olaf oedd gan Sybil wrth faglu dros riniog y cantîn yn ei *stilletos*, funudau cyn y gloch ginio. Dros yr haf bu'n glanhau toiledau'r merched ar y prom fore a nos. 'Mae hi fel y black hole of Calcutta ene,' meddai, gydag awdurdod un oedd wedi bod yno lawer gwaith. Dim ond ei wneud

11

o fel ffafr i Beti Bog yr oedd hi beth bynnag.

'Dros ben llestri. Ma nhw isio hws iawn. Gwranda di Owain Williams — paid ti â meiddio taflu'r cyllyll 'ne. Dim syrcas ydy fa'ma ond lle i fyta.' Ond doedd dim, meddyliodd, na fedrai ffag arall ei glirio ynghyd ag ychydig o awyr iach y prom wedyn. 'Rhaid i mi gofio galw yn nhŷ *George Mason* a thŷ *Woolworths*, a chael sgows iawn efo hwn a llall. Ia, uffe'n, *nothing better*.' Hyn, wedi gweld dros gant o blant bach yn difrodi eu bwyd.

Edrychai weithiau ar y bwyd heb ddangos unrhyw deimlad allanol.

'Faswn i ddim yn rhoi hwn i'r ci, tase gen i un. Fyse'r ffŵl ci Carlo 'ne ddim yn cael hwn gen i.' Ond ei swydd hi oedd gwenu o gylch y byrddau gan argyhoeddi pawb mai i lawr y lôn goch yr âi pob briwsionyn a chlirio plât oedd y nod. Roedd hi'n hoffi Safon Tri Cymraeg ac fe gâi Gareth winc ganddi'n reit aml. 'Y Saeson 'ma 'di drwg — sôn am *forward*.' Arweiniai'r adrodd cyn y bwyta mewn dull oedd ymhell o fod yn delynegol. Roedd o fel cystadleuaeth am y gorau i grochlefain. 'O Dad! yn deulu dedwydd' neu '*Thank you for the food we eat*.' Weithiau byddai un o'i chlustdlysau anferth yn syrthio wrth iddi chwifio ei breichiau'n frwdfrydig i'r awyr.

Amrywiol fyddai natur ac ansawdd cinio yr hen gantîn hefo'i baent yn plicio oddi ar y to. Mins fyddai ar ddydd Mawrth, a byddai Alex yn o agos at ei le wrth ddisgrifio'r 'llond powlen o wynt' oedd yn siŵr o ddod yn bwdin unwaith yr wythnos. Yn y baddonau newydd yn Harlech, bu criw bywiog *Standard Three English* yn cyflawni bob math o erchyllterau — *belly flops*, neidio i mewn, a goglais o dan y dŵr hyd yn oed, pan nad oedd yr arolygydd yn gwylio. Bu'r cyfan yn ormod i stumog un hogyn ddygymod ag o, er bod 'na *Melting Moment* yn bwdin. Digwyddai Sybil sefyll gerllaw gan edrych yn geryddgar obeithiol uwchben y bwytawyr. Yn sydyn llanwodd y blât a fu'n gwagio'n addawol yn ôl hyd ei hymylon, a chlywid sgrech neu ddwy yn atsain o'r bwrdd.

Petrusodd Sybil am eiliad neu ddwy gan fyseddu y breichledau rhad o *Woolworths* o gylch ei garddwrn. 'Uffe'n.' Gafaelodd yn y bowlen llawn chwd ac fe frasgamodd yn ofalus i gyfeiriad y gegin, fel pe bai'n cario ennaint gwerthfawr dros garped newydd sbon. Gafaelodd un o'r babanod yn sgert mini Sybil ar ei thrac rhwng y byrddau, a thywalltodd dipyn o'r cynnwys i ganol bwrdd oedd newydd gael ei sychu. Cafodd hyn yr un effaith â gollwng llygoden i ganol te parti'r *W.I.*

'Mae 'na rhywun wedi chwydu llond powlen ar hyd y blydi lle yn barod.' Ai iaith toiledau merched yr haf oedd yn byrlymu? Effaith sobreiddiol gafodd y frawddeg ac aeth pawb yn fud. 'Ma 'nwylo i'n grest i gyd.' Gwelwyd Anti Sybil yn suddo ei breichiau mewn powlen o *Fairy Liquid* a dŵr poeth. Rhoddwyd fflîch sydyn i'r llestr i sinc y dŵr budr i'w guddio o'r ffordd.

Erbyn i'r olchfa fawreddog derfynu, a'r breichledau *Woolworths* gael eu rhoi yn ôl yn eu lle, a'r clustdlysau wedi eu hail-sefydlogi, roedd olion arferol cyflafan cinio plant bach yn greithiau ar fyrddau'r gwledda. Roedd hogyn mewn llesmair poeth yn y caban meddygol a'r prifathro ar y ffôn efo'i fam, a'r cof am y cyfog yn cael ei foddi gan baned goffi stiff Sybil wrth y sinc, rhag ofn iddi hithau chwydu.

Câi ffag cyn bo hir, ac un arall wedyn gan ei bod hi wedi bod yn ' . . . llardie heddiw'r bore. Cinio a hanner, uffe'n. Ac os daw'r Sioni Winwns 'na o gwmpas heddiw, ddeuda i wrtho fo lle i roid 'i nionod', a chwarddodd pawb yn y gegin.

★ ★ ★

Roedd Gareth wedi sylwi ar enw Florence Brown ar y gofeb lawer tro. Darllenodd ei henw droeon ynghanol y parc bach meinciau ychydig yn uwch na'r eglwys ar ochr y mynydd. Gosodwyd y garreg ger Gellfechan, er cof amdani, am ei bod hi'n mwynhau'r olygfa gymaint. Wel, roedd yntau yn ei mwynhau hefyd, a hoffai feddwl am Florence Brown a'i hanes yn dod yno. Gellid syllu gan lenwi'r ysgyfaint dros Fryn Mynach a Hendre Mynach i'r dde, yna at yr hen linell wen ffyddlon ar doriad y tonnau ar y traeth. Yna i'r chwith, draw dros olion y ffair at Ynys y Brawd.

Heddiw rhedai dagrau'r glaw i lawr y llythrennau cywrain ar y gofeb, ac yn wir, cyflawnodd Gareth dipyn o wrhydri yn dod am dro i ben yr allt ar ddiwrnod o Fedi gwlyb. Daeth heibio i Graig y Nos, cartref Aintoinette Hughes — un o'r criw drama lleol. Dynes ddramatig, dal, a fu'n crwydro'r byd. Wrth ddod i lawr y llwybr tolciog o'r ardd gofeb, gwelodd Gareth y brodyr Knight oedd i fod yn Ysgol Ardudwy drwy'r dydd. A hithau bron â bod yn bedwar o'r gloch synhwyrai bod y ddau yn dod i lawr o'r mynydd i gymryd arnyn eu bod nhw'n dod oddi ar drên yr Ysgol Fawr ar yr adeg priodol. Yn waeth na chuddio yn y mynydd drwy'r dydd roedd y ddau yn smocio. Roedd Dad yn smocio pibell ond fe ddywedai ef fod hynny'n wahanol iawn.

Roedd gan hyd yn oed hogiau caletaf y dref ofn y brodyr Knight.

'*Ere, you!*'

a chyn y gallai ymateb gafaelodd y brawd arall yn siwmper a chrys Gareth.

'*Not a word, right?*' Nodiodd Gareth ei ben yn wyllt, wyllt ac fe aethant, drwy drugaredd, yn eu blaenau. Clywodd rhai o'r bobl mewn oed yn dweud mai hen bobl od oedd y bobl ddŵad 'ma.

'*I'll duff your 'ead in*' a '*Fancy a knuckle butty sandwich?*' oedd rhai o'r brawddegau a ysgydwai berfedd y parc chwarae o bryd i'w gilydd. Brasgamodd y ddau frawd yn dalog tua'r dref islaw. Beth fyddai Florence Brown wedi ei ddweud?

* * *

Doedd hi ddim yn noson calan gaeaf am amser eto, felly mae'n rhaid fod Ceri, chwaer Gareth, a'i ffrindiau yn cellwair! Roedd Ceri ar fin dychwelyd i'r coleg i wneud ei hail flwyddyn o gwrs ymarfer dysgu. Roedd yn berson poblogaidd, sgarffiog a chwim ei hiwmor.

Gwrthodai Gareth gredu'r peth. Doedd yr un o hen dai ochrau'r Bermo erioed yn llechfan i ysbrydion a bwganod? Fe'i cipiwyd, cyn iddo fedru holi gormod o gwestiynau yng nghysgod cyfeillion ei chwaer, hyd un o'r lonydd culion y tu ôl i'r Stryd Fawr, ac roedd hi'n dechrau tywyllu hefyd. Anwybyddwyd unrhyw holi.

Aeth y criw parablus drwy ryw hen ddrws yn y rhes tai, ac i fyny stepiau duon heb lygedyn o olau mor rhwydd â'r gwynt, gan adael Gareth i stryffaglu y tu ôl iddyn nhw. Ceri oedd ar flaen y gad ar y cyrch am dŷ ysbrydion, ond rhywsut, wedi cyrraedd brig Dinas Olau doedd fawr ddim yno. Aeth yr osgordd heibio i bob tŷ amheus yr olwg tra oedd y gorwel yn llwydo, ac yna llifodd fel arian byw i lawr ochrau'r hen lwybrau baglog, troellog at noddfa'r harbwr, gydag ambell olau cefn yn taflu ei lewyrch croesawgar ar y grisiau, ac yn cynnig cyfannedd i wynebu'r gaeaf.

Cyrhaeddodd y criw Gaffi Fflat Huw Puw wrth lanw uchel y porthladd. Roedd yr harbwr yn tincian canu a'r cychod cimychiaid yn soniarus ar lanw uchel y nos — llanw Medi. O amgylch safle'r Tŷ Gwyn hynafol clywid sŵn pobl ifanc yn llawn asbri, ac oducha'r amrywiaeth diodydd a byrbrydau gwelid hwy yn eu hafiaith. Bloeddiai cân *Those Were The Days* o'r sgrechflwch a soniai pawb am y Gymraes Mary Hopkin a'i record ar frig y siartiau. Ac am y tro roedd Gareth wedi cael ei dderbyn yn llwyr y tu mewn i'r caffi, hyd yn oed ymhlith yr hogiau tedi, a'r hogiau o gefn gwlad Dyffryn a Thal-y-bont a'u breuddwydion am fod yn James Dean. Dyma'r fan lle llyncid delweddau llencyndod.

Roedd yno ferched hefyd yn smygu efo'u hysglytiaeth. Eisteddai Ceri yn rhan ganolog o'r cyfan — dyna sut y cafodd o y fath groeso. Noson o lanw Medi, a'r Bermo'n setlo'n ôl i'w wynebau cyfarwydd. Deuai ei thrigolion eto'n feistri'r glannau am sbel, a swanc brethyn cartref ei hieuenctid yn ôl i'w bri.

Cyn hir byddai Caffi Fflat Huw Puw yn cau ei glydwch tan y gwanwyn, a'r ychydig Sadyrnau cyn hynny oedd y cyfle olaf am ryddhad cyn dyfod y gaeaf. Ymfalchïai Gareth yn yr hwyl ac yn ei ffrindiau newydd, ac fe gafodd winc gan ei ffefryn — Jennifer. Er na siaradodd air efo fo ar yr achlysur hwn, byddai'n rhoddi gwerth hanner pwys o *fudge* iddo yn *Woolworths* bob pnawn Sadwrn, ac yntau ond yn talu am chwarter. Dyna beth oedd cyfeillgarwch!

★ ★ ★

Canodd cloch yr hen Ysgol Fictorianaidd a fu'n ysgol fawr i Taid Ardudwy cyn ei throi yn ysgol gynradd. Roedd Gareth wedi clywed enwau fel Eithinfynydd a Dolwreiddiog, enwau a roddai wreiddiau iddo yn nhir y fro, y gornel hon o'r byd, ac roedd o wedi clywed am y dyddiau gynt yn yr ysgol. Safai Gareth yn syllu ar y môr ym mhellafoedd twyni tywod iard yr ysgol fach. Deuai Barry ato cyn hir — hogyn tipyn yn llai na Gareth, ac eiddilach, a doedd o ddim yn siarad llawer. Ar adegau carlamai o dwyn i dwyn fel anifail gwyllt a phoer hyd ei geg, a'i drwyn yn rhedeg.

Fel y mae drygioni yn gallu meddiannu byd y plentyn, cofiai Gareth â chywilydd fel y byddai'r hogiau yn gwneud hwyl am ben Barry ac yn ei ddyrnu a'i gicio ar lawr. Bu Gareth yn rhan o garfan yr 'hwyl' yma tan y dechreuodd Barry feichio crio'n boenus ar y llawr un tro, wylo'i enaid. O'r funud y gwelodd y dagrau llawn yn llifo i lawr y bochau brechlyd, fe ildiodd i'r meddalwch y tu mewn iddo a cheisio deall y dryswch yn y llygaid digalon.

Roedd chwarae'n llawer iawn mwy o hwyl efo Barry o'i gymharu ag undonedd y gêm bêl-droed ac yntau ddim yn cael cyffwrdd â'r bêl trwy'r amser chwarae. Byddai rhedeg ar y twyni yn dynwared trên yn llawer iawn mwy pleserus. Fel niwl yn disgyn ar y môr daeth y dadrithiad i dreiddio'n ddistaw ond sicr. Cofiodd. Roedd Barry wedi symud i ysgol arbennig tua Bangor, at blant bach tebyg iddo fo, lle câi fwy o chwarae teg, yn ôl yr athrawes. Teimlodd Gareth chwithdod mawr o beidio â'i weld o eto. Gadawyd bwlch yn ei amser chwarae a theimlai ei lygaid yn llenwi. Tybed lle'r oedd yr hen Barry? Tyngodd Gareth lw y byddai'n garedig bob tro o hyn allan, rhag ofn y collai ei gyfeillgarwch gwerthfawr. Canodd y gloch i roi taw ar y gêm bêl-droed a'i fyfyrion.

Y noson honno, fel pe bai'r elfennau yn deall ystyr cydymdeimlo â'i chwithdod, bu haul yr hydref yn gwmni ar y daith hyd y prom, a'i gochni'n gwrido'r goleuadau. A thros y traeth a thros y tonnau, suddai'n belen goch gyfrin, yn ddigon eglur iddo syllu arni a gwerthfawrogi ei chyfanwaith crwn. Suddo, ac ambell gerddwr ar y traeth yn talu gwrogaeth i'r gwres o'r gorllewin. Roedd rhyw chwithdod mawr wrth ffarwelio â'r wyneb cynnes yn suddo i'r môr. Dysgodd Gareth gân yn yr ysgol efo Mrs Alaw am yr haul yn gwisgo'i het. 'Hip, hip, hip hwrê.' Byddai Mrs Alaw yn byrlymu drwyddi efo'r gân, fel pe bai'n gwybod y byddai'r haul 'nôl yn tywynnu drannoeth.

* * *

Ar ei ffordd adref y prynhawn canlynol, trodd Gareth am y môr o giât yr ysgol a heibio'r stondin hufen iâ, bellach wedi'i barselu dros y gaeaf. Yna, dros y promenâd at y llwybr cerdded. Arwydd arall o dymor yr hydref oedd fod y tywod unwaith eto'n dechrau chwythu i gilfachau'r wal, a byddai'n cael cronni yno nes y deuai peiriant y Cyngor i'w dwtio cyn y Pasg.

Prin y credai Gareth ei lygaid ar brynhawn mor oer — gwynt miniog a chymylau duon o'r dwyrain.

'*Cum on George chuck. We've gorra get in before it starts bucketing down.*' Prin fod yr ystyriaeth hon yn un synhwyrol o wybod beth oedd y ddau am ei wneud. Ni allent weld Gareth yn syllu arnynt o ben y wal. Dadwisgent yn drwsgwl, ac awel y môr yn esgyn yn ei anterth.

'*This wind is worse than the Mersey, Dolores.*'

'*Don't be a tatty 'ead.*'

'*You know that we're the talk of the town with this 'ealth lark of yours.*'

'*Urry up o'r I'll reduce ya to a blackhead.*'

Wrth gwrs! Dyma'r taid a'r nain, George a Dolores, y bobl ddŵad a ymdrochai bob dydd o'r flwyddyn waeth be' fo'r tywydd. Bu eu llun yn creu cryn gynnwrf yn y *Cambrian Chronicle*. Cofiodd iddo glywed rhywrai'n dweud wrth Anti Cerys yn llyfrgell y dref:

'Synnwn i ddim y byddan nhw yn ei wneud o yn y niwd.'

Ni wyddai Gareth lle'r oedd y lle hwnnw.

'Y peth ola 'dan ni isio yn y dref ydy *naturalist beach, let's face it*,' meddai Mrs Aintoinette Hughes, Craig y Nos. 'Dan ni'm isio bob Tom, Dick a Harry yn *letting it all hang out.*'

'*Dolores, let's step in it together.*'
Wedi'r anogaeth annisgwyl ac adfywiad sydyn gan George, rhuthrodd y ddau dros y tywod gwlyb caled am y tonnau, ac i mewn â nhw ar eu hunion hefyd. Dolores â het rwber am ei phen. O weld trôns nofio y gŵr yn ei ogoniant — roedd bathodyn o liw coch, gwyn a glas arno, beth bynnag oedd hynny yn ei ddynodi — nid

arhosodd Gareth i weld eu campau yn y dŵr, ond rhaid fod 'George chuck' wedi plymio'n anrhydeddus i'r tonnau. Pan welwyd ef wedyn yn cerdded drwy ganol y dref roedd ei wallt yn wlyb ac anhrefnus wedi'r drochfa iachusol feunyddiol.

* * *

Bore Sul yn y Bermo — bore o glychau gorfoleddus o Eglwys Sant Ioan yn boddi'r gwylanod ennyd, ac yn cystadlu â'r gweinidogion ym mhulpudau Siloam a Christ Church, ac yn deffro Mama Menna yn ei garej wrth y cei hyd yn oed. Roedd Caersalem yn lwcus, fel Eglwys Dewi Sant, gan fod eu lleoliad yn nes at Ben y Cei a heb gystadleuaeth uniongyrchol â'r clychau — er eu bod i'w clywed. Ond hoffai Gareth ddawns y clychau. Biti na chaent ganu bob dydd o'r flwyddyn a chadw'r hen dref yn llon.

Byddai mynychu Capel Caersalem yn hwyl garw weithiau; dro arall yn fater o eistedd yn syn a syllu ar hen ŵr yn y pulpud yn parablu. Deuai gosgordd fywiog o Gartre'r Plant rhai boreau Sul, ac fe fyddai sbri wedi ei sicrhau, yn enwedig os y tynnai Eleanor wynebau yn ystod y bregeth.

Cyn dweud adnod byddai'n rhaid rhuthro i'r tu blaen, ac weithiau fe fyddai'r gweinidog yn glên ac yn dweud rhyw stori fach dwt, hawdd ei deall. Dro arall byddai'r genadwri'n rhy ddwfn, a hyd yn oed gwep y plant mawr yn datguddio na ddeallent affliw o ddim.

Daeth y pregethwr y Sul hwn â sgerbwd mawr ar stand o'r festri, a dyna blant yr adnod yn cael pyliau o chwerthin. Ond cyn hir daeth hogyn diarth o'r cefn yn dawnsio a gwneud campau a hoelio sylw Gareth.

'Pa mor aml mae rhywun yn dod i'r capel yn farw fel yr ysgerbwd hwn pan ddylwn ni fod yn llawn bywyd a dawns fel yr hogyn hwn?' Hoffodd Gareth y syniad yna yn fawr, ac edrychai ymlaen at ymweliad y pregethwr *mod* hwn o dro i dro. Byddai'n galw yn yr ysgol weithiau hefyd.

Pan fyddai pawb yn gweddïo roedd hi'n demtasiwn i'r plant edrych o gwmpas er mwyn gweld pwy oedd yn gweddïo go iawn a phwy oedd yn smalio. Roedd amryw ohonynt yn smalio. Roedd Mam a Dad yn reit dda — dim ond unwaith yr agorodd Mam ei llygaid i syllu ar y cloc. Ni allai gofio'n union pryd y rhoddodd y cig i mewn yn y popty. Efallai ei bod hi'n gweld lwmp drud o gig eidion yn golsyn. Roedd 'Amen' yn dynodi y gallech godi eich pen, ond roedd un Dad yn dal i fod wedi ei blygu i lawr. Rhoddodd Gareth bwniad iddo.

'Be sy'?'

'Dim ond eich deffro chi. Mae'r weddi drosodd rŵan.'

'Dim cysgu oeddwn i,' taerai yntau, ond ni allai Gareth fod yn siŵr. Byddai'r cyhoeddiadau yn dipyn o newid cywair chwarae teg, pryd y câi pawb wybod am yr hyn fyddai'n digwydd yn ystod yr wythnos: 'Clwb y Plant. Bydd y Clwb yn ailgychwyn.' Bob tro y crybwyllwyd y Clwb, byddai'r oedolion yn troi at y plant, fel petaent yn cofio eu bod yno mwya sydyn. Âi'r plant yn hunanymwybodol o gael y sylw.

Syllai Gareth fry ar un neu ddau yn y galeri — byddai o hyd yn eiddigeddus ohonynt yn cael yr olygfa banoramig, y darlun cyflawn. Yn wir, caent blesio eu hunain i fyny fan'no, ond sut oedden nhw'n medru cael eu casgliad i lawr? I lawr staer fe deimlai Gareth yn ymwybodol wrth symud ei goes hyd yn oed yn y seddau swnllyd, yn arbennig yn anterth y bregeth. Weithiau fe fyddai'r pregethwr yn canu, a byddai hynny'n hwyl. Fel y deuai'r frawddeg glo i'r bregeth, 'Er mwyn Ei enw,' roedd traed y gynulleidfa eisoes yn y gêr iawn. Yna deuai'r crafangu yn angerdd yr emyn olaf am gau'r llyfr emynau, a gobeithio fod pob cig wedi'i wneud yn iawn.

Cyn i bawb ymadael, gofynnodd y gweinidog ifanc i bawb yn y capel ddal dwylo â'i gilydd. 'Uffe'n,' meddai Sybil yn ei bol, gan estyn ei llaw at dad Gareth.

'Dim ffiars,' meddai Gareth wrtho'i hun. Doedd dim awydd ganddo i ddal llaw rhywun — rhywun o'r sedd nesaf. Beth bynnag, roedd ganddo ei olygon ar Katie Cheedle, ac efallai y byddai hi yn ei garu — yfory.

* * *

19

Roedd hi'n chwarter i dri cyn i rywun fedru dweud 'Cerrig y Gorllwyn'.

'Gareth.' Gwaedd o waelod y staer.

'Ia, Mam.'

'Wyt ti'n barod i fynd i'r Ysgol Sul?'

'Dwi wrthi'n newid.' Bu'n ras a hanner y bore hwnnw, a dim ond yn awyrgylch mwy hamddenol y prynhawn y cafodd Mam gyfle i boeni am ei ymddangosiad.

'Ddim yr hen ddillad chwarae 'na, plîs.'

'Nage,' meddai yntau gan fyseddu'n ansicr benglin tyllog yr hen drowsus a fwriadai ef fynd i'r capel ynddynt. Dyna beth oedd penrhyddid, pan nad oedd Mam a Dad yn dod efo fo i'r capel!

Tynnodd yr hen bethau oddi amdano yn sydyn a'u stwffio i fag plastig a gafodd o *George Mason* pan oedd Anti Cerys yn talu ei phres wythnosol i'r Clwb Nadolig. Bu Gareth yn meddwl ar sawl achlysur beth fyddai Anti Cerys yn ei gael ar y diwedd am dalu'r holl bres? Fyddai hi'n cael rhai o'r diodydd a sgleiniai islaw yr arwydd *'Xmas Club Here'*? Ta waeth, i mewn i'r bag â'r trowsus, y *pumps* a'r siwmper *Mighty Moth*. Yr unig drueni oedd fod y siwmper druan yn edrych yn reit dyllog erbyn hyn mewn mannau, ac yn ymddangos fel petai'r cymeriad lliwgar hwnnw o *T.V. Comic* wedi bod yn cnoi ei siwmper ei hun.

Erbyn i Mam gyrraedd y llofft roedd y dillad dydd Sul yn ôl hanner ffordd amdano.

'O! Da iawn ti.'

Ond ni wyddai Mam y tro hwn am gynnwys y bag plastig a sleifiodd allan efo'r *Detholiad* drwy'r drws ffrynt. Cyn i'r drws gau yn llwyr, llais Mam eto, 'Oes gen ti gasgliad?' Rhoddodd ffling i'r bag i'r ardd a gwenodd 'Nag oes' mewn pryd.

Bu'r daith drwy dref y Bermo y Sul hwnnw yn un o artaith meddwl, a phrin y sylwai Gareth ar y siopau arferol. Y tu allan i'r capel, y tu ôl i un o'r pileri mawr, tynnodd Gareth ei drowsus gorau oddi amdano'n gyflym, ac ailosododd yr hen rai bratiog am ei gorff. Mynnodd ffordd i'w draed i mewn i'r *pumps* heb ddatod y careiau, a newidiodd y siwmper rwystredig gostus am un hyblyg cyfarwydd *Mighty Moth*. Aeth i mewn i'r capel ac eisteddodd efo plant y Cartref — roedd hwyl i'w gael efo nhw.

Gwasgarodd y plant i'w dosbarthiadau ar ôl ymgais sigledig i ganu emyn o'r *Detholiad* newydd sbon. Ebychodd un o aelodau hynaf yr Ysgol Sul 'Amen' swnllyd ac annisgwyl ar draws y capel ar ei ddiwedd. Ni fyddai 'Amen' ar ddiwedd unrhyw emyn fel arfer, ac fe aeth pawb i chwerthin, gan gynnwys yr athrawes Ysgol Sul.

'Dene iti dwll o emyn,' meddai Sybil eto yn ei bol.

Dotiodd Miss Owen at wisg un aelod o'i dosbarth, wedi iddi golli rheolaeth yn llwyr.

'Wel, Gareth, dyna siwmper smart. *Mighty Moth* amdani.'

Teimlai Gareth yn argyhoeddedig erbyn hyn fod chwaeth dillad Mam yn hen ffasiwn, ac mai yntau a Miss Owen oedd â'u bys ar y pyls ffasiynol. Mwynhâi Gareth gael y sticeri bach yn y llyfr am fod yn ffyddlon yn yr Ysgol Sul. Roedd yna stori wahanol bob wythnos. Yn ffodus, ar ddiwedd yr Ysgol Sul doedd neb wedi dwyn ei ddillad gorau o'r bag plastig a guddiwyd y tu ôl i biler allanol Caersalem.

Ar y ffordd adref dechreuodd sylwi ar yr hyn oedd o'i gwmpas unwaith eto, a daeth hydref yn ei ôl. Eisteddai'r ymwelwyr olaf fel delwau yn llwydni ffenestri ambell fflat ffarwel haf. Gwagiodd y meysydd parcio a chafodd y mwyar duon eu hel. Ffarweliodd y trên gwyliau olaf fel hiraeth alltud am ei Gollgwynfa dros y Morfa, dros y bont ac ymhell i ffwrdd. Gonestrwydd noeth y gorllewin oedd yn wynebu rhywun dros y gaeaf, ac ni ellid amau unplygrwydd y bae.

★ ★ ★

Cochai'r rhedyn gan ledu ei rwd i ddail y coed, a'r haul hwyr arno yn tanio'r mynydd. Roedd ambell gaffi ar agor yn yr hwyr ar y Sul, mewn gobaith am Ha Bach Mihangel o ymwelwyr penwythnos i gloi'r tymor. Fel y trigolion lleol yn paratoi am y gaeaf, diflannai'r gwylanod i lochesu yn nythleoedd bras y llethrau gerllaw yr hen dref. Daethai chwythiad annisgwyl o dywod i lygaid unwaith eto gan daro côt fel siffrwd amser. Hen gastiau'r gaeaf yn trio amlygu eu hunain cyn eu pryd. Clöwyd y rhwydi tenis am dymor neu ddau, cyn dyfod y Pasg, a daeth taw ar lais digofaint Cilla Sue, y ddynes Bingo; diffoddwyd y goleuadau fflach i gyd, a dim ond drws cefn y neuadd ddifyrrwch fyddai'n agor bellach i blant y tonnau. Swatient o amgylch clydwch y sgrechflwch drwy'r gaeaf, yn gwrando ar y seiniau a myfyrio ar eu tynged.

Deuai'r haul i ffurfio'i batrymau ariannaidd olaf rhwng y cymylau ar y dŵr, a'r wybren yn sefyll ar bileri o oleuni. Bron nad goleuadau pyrth Tir na n-Og oeddynt yn gwenu ac agor drysau, a'r cymylau wadin cotwm ar Gader Idris fel castell hud. Deuai ambell noson fwyn, wyntog i'ch twyllo — fel darn o haf a aeth ar grwydr. Ar noson dywyll deuai Craig y Gribyn i'r golwg yn ddistaw, a siglo dŵr a siffrwd yn gefndir i'r dadorchuddio tawel yn y nos. Ond byddai nosau felly â thro yn eu cynffon ambell waith wrth i'r storm nesáu a chwyrnu. Gwreichionai'r taranau yn ffrwydradau uwchlaw y bae, ac os digwydd i chi ddeffro yn y nos wedi'r dymestl, caech weld wynebau cyfarwydd lampau'r stryd yn gwenu arnoch o dan y sêr, ac ambell aderyn yn canu gan feddwl ei bod hi'n fore yn barod. A sŵn y môr wrth gwrs, bob amser sŵn y môr.

Roedd min i'r awel erbyn oedfa'r hwyr y Sul hwnnw a phrysurai Eurgain Aintoinette Hughes, o roi ei henw llawn iddi, allan o'r capel yn y gobaith o gael pas gan rhywun a fyddai'n debygol o drafferthu i fyny ffordd Gellfechan at ei thŷ enfawr, Craig y Nos. Gwisgai siwt newydd a brynodd yn *Marie et Cie* yn Llandudno.

'Diolch yn fawr, *you're a love*,' meddai wrth dad Gareth, Emyr Lewis. 'Fydda i'n cael lifft yn ôl gan Beti weithiau, *but she's a most peculiar woman you know*. 'Oriog' *is the word*. Weithiau mae hi'n eich gweld chi, a weithiau, wel . . . *Anyway, she's dangerous behind the wheel*.' Erbyn i'r geiriau hynny gael eu hyngan roedd Megan '*you know*' Williams yn gweu yn y ffenest, yn gobeithio creu brodwaith cyfeillgarwch â llygaid rhai a âi heibio ar nos Sul. Ond tywyll yw'r ffenest heno, ac eithrio cip ar y machlud arian dros wlad Llŷn.

Gwyddai Emyr fod Aintoinette wedi dychwelyd i'r Bermo at ei

gwreiddiau ar ôl crwydro'r byd, a cholli gŵr cyfoethog rhywle rhwng y Q.E. 2 a Broadway.

'Sut ydech chi'n setlo'n ôl yng Nghaersalem?' mor ddiplomatig.

'O, yn iawn diolch, *darling*. Er mi welais i Meirion Owen yn cerdded adref yr wythnos diwethaf mewn dagrau. *Awful mess. I didn't know what to make of him.* Wedi cael gair croes efo'r Gw'nidog neu rywbeth. Ac mae ymddygiad yr hogyn bach ar y sêt o 'mlaen i yn *most annoying* — mae o'n rhoi sbectol ei frawd ar ei drwyn ac yn gwneud ei wyneb bob siap o 'mlaen i, ac yn anghofio'i gasgliad. *Cheeky little brat.* Ond dyna fo. Fy hun, dwi'n gweld y Gw'nidog newydd ifanc 'ma'n *delightful. He's quite a charmer.* Dwi wedi bod â blodau i dŷ'r Mans i lonni'r lle. Ond am y bregeth heno 'ma — *don't ask me* Mr Lewis bach. Dech chi'n gwybod, dwi ddim callach be ddudodd o — y cennad modern 'na o Dalsarnau? *Call me old fashioned, but I completely switched off*, a dyna i chi gyfaddefiad o enau un o'r selogion — wel, y selogion newydd. Ddeudwn ni felly, ia? Dwi'n gwybod 'mod i 'di bod allan o'r tŷ heno, ond fedra i ddim cofio gair. Roedd o braidd yn *way out, eh Mr Lou?*'

Pesychodd 'Mr Lou' yn ymwybodol ar y trac tyllog ac onglog am Gellfechan.

'Sôn am yr apostolion oedd o yntê, ac fel y dylem ninnau gael yr un ysbryd brwdfrydig â'r Eglwys Fore.'

'*Well I'm sorry darling, but it went completely over my head.* Rhaid i'n Gw'nidog ni wylio hefyd rhag iddo fo drio gwneud gormod. *Stress they call it* rŵan yntê? Ydech chi 'di sylwi fod o'n gwynnu Lew bach? *Yes, I know, it's amazing, even at his age*, a fynta ddim ond yn *spring chicken*. Bydd raid iddo fo ddod â *Grecian Two Thousand* efo fo i'r oedfa, y cr'adur. Mae 'na rai yn troi yn wyn neis yn does, fatha chi, a'r cyfan yn troi yr un adeg, ond mae poeni yn gallu gwneud i ran o'r gwallt droi. *Take mine for instance* — mae un finna fel pupur a halen yn tydi Mr Lou? Ond dyna fo, dach chi'n gwybod be dwi'n feddwl hefyd. Rhywle'n fan hyn *darling* wnaiff y tro. A diolch am ddod allan o'ch ffordd.'

★ ★ ★

Nosweithiau llanw Medi pan groesawyd y ci yng Ngwesty Gors y Gedol yn ôl i'r bar i gymryd lle'r ymwelwyr. Roedd diotwyr selog y gaeaf, rhai ohonynt, fel pe baent yno ers yr agoriad yn 1795. Ceid nosweithiau tawel a'r glaw yn camu ar flaenau'i draed i mewn o'r môr, a chyfle i eistedd yn y gysgodfan a gweld y glaw yn chwythu'n gawod ysgafn dros y to o dan lifoleuadau'r cei. Yna nosau clir, a Chricieth a Llŷn yn fraich eglur wedi ei britho â goleuni crynedig, a thrwy'r cyfan sŵn pell y môr yn torri ar 'benrhyn tragwyddoldeb' a'r bae yn llaeth o dan y lleuad llawn.

Ar hyd y Stryd Fawr gellid clywed seiniau bydoedd bach y bobl yn eu goruwch ystafelloedd, a thrydar a symudiadau adar ac anifeiliaid yn y siop anifeiliaid anwes dywyll, a llais giangstar y ffilm hwyr yn peri braw yn y cysgodion. Ceid ambell unigolyn yn ffenestri'r gwestai ffarwel haf, fel adar y morfa a'u hwyrgan hydrefol yn nüwch y nos, cyn dyfod y dyddiau blin.

Ar ambell noson dawel arall, roedd fel pe bai'r Cread wedi dod i ben a'r dŵr yn y cei yn llonydd a llyfn fel bwrdd. Ond ni hoffai Gareth yr eithriadau rheiny. Pan oedd popeth arall yn y dref yn dawel, byddai llepian ymdrechgar y môr yng nghilfachau yr harbwr yn sicr — fe hoffai Gareth eu cysondeb. Ond ni fyddai byth yn siŵr pa mor uchel y dringai'r llanw. Deuai'r goleuadau ceir fel llifoleuadau hyd y tywod at Ynys y Brawd, gan daflu'u llewyrch sydyn ar y dyfroedd, ac aflonyddu ambell griw o gariadon oedd yn credu eu bod yn ddiogel yn nüwch corneli'r gysgodfan.

Gyda'r hydref troai'r lawnt bowlio yn frown-wyrdd heb ei thrin, a deuai ambell dwll o rhywle a'r pry llwyd i atgoffa fod gaeaf ar y ffordd — mor anorfod â'r niwl o'r môr. Cronnai'r deiliach coch yng nghonglau'r ffordd, a deuai'r môr i ganfod ei hen lwybrau crwydredig unwaith eto ar lanw uchel, rhai llwybrau a anghofiwyd ers y llynedd. Rhain fyddai hoff nosweithiau Gareth i grwydro cyn gorfod noswylio — y tonnau'n ffrio ar eu dychweliad drwy'r cerrig mân fel tywallt sglodion i saim y siop wrth y cei, a mwynhau blas heli ar dafod ar ôl i anterth y don dorri'n ewynnog ar y morglawdd. Neu dro arall y don yn taro'n ôl o'r mur gan ddal un arall yn ei hanterth a chreu sŵn cymeradwyaeth. Ond ar frig y llanw byddai'r cerrynt ffyrnicaf yn dofi a gwastatáu, fel pe mewn brwydr i fyw neu farw, cyn ildio'n drai anorfod.

Adnewyddid hen addewid oesol wrth wal y môr gan ddeffro adlais yn y tywod o'r hyn a fu yn yr hen hydrefau. Llyfai'r tonnau uchaf y ffordd ar ben y cei, gan gosi gwaelodion y cewyll dal cimwch segur, ac ar gornel Tŷ'r Baddon gadawyd addewid o flaenffrwyth i ymddangos dros y gaeaf — yr olion cyntaf o waddod tywod. Wrth gerdded yn ôl tua'r dref deuai'r llanw at ben y wal fel adnewyddu cyfeillgarwch a fu am flynyddoedd ar chwâl. Wedi creithiau'r tymhorau a'u natur amrywiol, roedd llanw Medi yn dechrau eto, yn golchi'r cyfan yn lân.

Ac ar y llwybr adref gwelid golau'r hwyrnos yn y clinic lle'r oedd Anti Meleri'n gweithio — y gofal diddiwedd dros drigolion y dref a sicrwydd diogelwch yr ambiwlans gwyn. Byddai'n prysuro â rhai mewn argyfwng o'u cynefin i'r ysbyty, fel diddosrwydd y tywod yn canfod ei hen gysur yn wal y promenâd. Hoffai Gareth chwilio am ddawns y tywod, fel dawns ysbrydion ar y rhodfa.

O fewn mater o ddyddiau rywsut, byddai'r dail yn troi eu lliw ar ddechrau'r hydref fel adwaith i ddiflaniad yr ymwelwyr. Roedd coed Hendre Mynach yn newid eu lliwiau yn gelfydd dan law yr artist oesol, ac yn disgwyl am noson stormus pryd y chwythid y dail fel saethau i'r awyr i fod yn bypedau i ffawd y gwynt. Cuddiai adar yn y perthi rhag wynebu gaeaf, a chywain wnâi'r gwenoliaid yng nghoed Eglwys Llanddwywe'r Dyffryn cyn dechrau ar eu taith bell.

Byddai hydrefau'r Bermo yn wlad o foreau coffi parhaus. Bob bore Sadwrn byddai cacen gan Mam yn mynd ar ei siwrnai at ryw achos neu'i gilydd. Ond prin fod yna fore coffi yn hanes y dref oedd yn debyg i'r un pan ymunodd Sybil ac Aintoinette Hughes efo'i gilydd yn Festri Caersalem am y tro cyntaf. Roedd yn ddechrau ar gyfeillgarwch teyrngar.

Cyn i gwpanau Caersalem ddechrau clincian, eisteddai Sybil yn swp o nerfusrwydd yng nghaffi *Rendezvous*. Er gwaethaf y teitl, nid cyrchfan i bawb yn ddiwahân yn y Bermo oedd hwn. Fe glywid ryw sŵn ym mrig y morwydd rhyw haf ymhell yn ôl am lygod mawr yn y cefn, ond nid amharodd y fath ddamcaniaethu ar y llif pobl a ddeuai yno i roi'r byd — pawb a phopeth lleol a rhyng-genedlaethol — yn ei le. Roedd Aintoinette Hughes wedi gweld gwaeth *dives* ym Morocco.

Byddai Sybil wedi glân syrffedu ar goffi erbyn diwedd y bore — hon oedd ei hail baned blygeiniol cyn wynebu bore coffi Caersalem. 'Fydda' i 'di gneud hi.' Wel, roedd y gweinidog ifanc neis 'na wedi gofyn iddi am ei gwasanaeth, ond byddai coffi neu dri, a sigaret neu ddwy yn anhepgor i wynebu'r festri a'i chymeriadau y bore hwn. Be ddaeth dros ben y ffŵl hurt yn gofyn iddi hi o bawb? Wel, oedd, mi roedd hi wedi arfer gweinyddu a gweini a sodro plant yn yr ysgol, ond 'wnaiff rhywbeth-rhywbeth ddim mo'r tro i'r bobol ene yn y festri' — dyna ddeudodd un o ferched y gegin ' . . . a dwi'n edrych yn ddrych ffŵl. *Have you gor a light? I'm dying for a fag'*.

Nid iaith festri Caersalem mo iaith *Rendezvous* ar yr wyneb beth bynnag.

Diffoddwyd y drydedd ffag ar waelod olion yr ail baned. Cododd Sybil a rhoi rhyw lun o drefn ar y sgert fini.

'Ti'n meddwl fod hon yn mynd dros ben llestri yn y festri?' Dim sylw gan weinyddwr bore Sadwrn. Clinciodd allan o *Rendezvous* yn anterth ei *stilettos*. Soniodd neb am loriau pren baglog a thyllog festri Caersalem. Lloriwyd y mawr a'r mân yno yn eu tro.

'*See you* uffe'n. *I'm making coffee for the God Squad now.*'

Cerddodd Sybil yn hyderus i lawr Stryd y Brenin Edward — yn wir ni fu neb yn ei osgordd frenhinol yntau mor dalsyth a chymesur. Byddai'n falch o'r hen Sybil pe'i gwelsai. Wrth ddynesu at Gaersalem daeth Aintoinette Hughes i'r golwg yn llamu dros y ffordd.

'*Darling*, dach chi'n edrych yn *fetching* iawn, fel rhywbeth o glawr *Vogue*.'

'Uffe'n, dwi'n falch mai chi sy'n fy helpu i efo'r coffi neu mi faswn i wedi mwydro. Gais i mi â chael twtch pan ofynnodd y dyn — ond mae'n achos da iawn, ac fe ofynnodd y Gw'nidog ifanc yn neis iawn. Maw'n gocls yntydi?'

'*I know, he's a* cariad *isn't he?* Maen nhw'n deud ei fod o'n dda efo'r ifanc, *strumming their guitars and all that.* Fedrwn i mo'i wrthod o. *He adores me you know, literally idolises me.* Roedd o ar y stepan drws — *pleading with me* — 'Wnei di helpu yn y bore coffi Aintoinette?' Wel, os nad oes gen ti ddim byd gwell i wneud ar ôl y *stunt* yma, mi gawn ni baned a *post mortem* yn y *Rendezvous.*

'Iesgyn, maw di hel dwy ddafad golledig yn d'ôl i'r gorlan uffe'n.'

'*You have such a way with words.* Wyddwn i ddim eich bod chi mor *sound* yn eich gwybodaeth Feiblaidd. Efallai ei fod o'n meddwl ein bod ni'n dwy wedi cael trawsgyweiriad. *We're two of a kind* — llawer iawn o dan yr wyneb. Dyle dy fod ti'n actio Sybil. Dan ni eisiau mwy o ferched yn y Bermo Dramatics *treading the boards.* Chwiorydd gyda'n gilydd.'

Diflannodd y ddwy ddafad ddwyieithog yn ôl yn ddiogel i gorlan Caersalem, wedi eu gwyriadau mynych oddi ar lwybr bywyd, ond â'u presenoldeb yn fytholwyrdd yn y llyfr aelodaeth. Parhaodd yr wrn i ffrwtian er pob awel groes am oriau, a selogion y festri yn croesawu'n ôl yn llawen iawn y ddwy a fu'n gweinyddu'r coffi, ac yn y diolchiadau tua'r diwedd, cafodd y ddwy gymeradwyaeth am eu sirioldeb.

'Wel diolch i chi am ddiolch i ni,' ebe Sybil er mwyn bod yn foesgar.

Ond ar waethaf y diolchiadau doedd penllanw'r bore heb gyrraedd. Rhuthrodd Sybil â phaned ffres i'r gweinidog. Ond ar ei ffordd fe lithrodd sawdl fain ei hesgid rhwng dwy ystyllen, a chymaint oedd ei brys fel y disgynnodd y coffi chwilboeth yn dwt ar lin y gweinidog. Gellid yn hawdd dybio fod ei ymateb yn rhan o ryw sêl efengylaidd aruchel, ond doedd yn ddim mwy na dim llai na chlôs ar dân.

Ac yn ei nerfusrwydd sleifiodd iaith Feiblaidd Sybil yn ôl dros y gwrych i weld ei gymar — iaith y *Rendezvous.*

'*Bullseye*, uffe'n,' meddai gan chwerthin yn ddwfn dros y festri nerfus o dawel erbyn hynny. Diflannodd y gweinidog â llygaid dyfrllyd i nyrsio'i glwyfau. Gwasgwyd pob wrn, a dychwelodd y bugail efo'i gôt yn cuddio 'pob staen a chraith!'

'Sybil,' meddai Aintoinette, 'Ro'n i'n teimlo mor rhyfedd yn gofyn i bawb oedden nhw isio prynu *strip* o'r hen docynnau raffl 'ne. *Getting all hot and bothered*'.

★ ★ ★

Cyrhaeddodd Noson Calan Gaeaf go iawn, a daeth llu o brofiadau yn ei sgil i ysgwyd y Bermo. Rhoddodd Katie (ei anwylyd) andros o fraw i Gareth pan agorodd o y drws ffrynt, a'i gweld wedi ei gwisgo fel *mummy* mewn bandej. Ac yna'r cyfarchiad:
> 'Trick or treat?
> Trick or treat?
> Give me something 'yum' to eat.'

Edrychai'n drawiadol hyd yn oed fel *mummy*. Ni wyddai Gareth beth i'w ateb, dim ond 'Sgenna'i ddim byd'. Pathetig.

Fe gafodd rhai o blant y dref eu dawns ffansi yn y Clwb Ieuenctid. Cyrhaeddodd pawb yno yn eu dillad racs neu hen sioliau; hynny, ar ôl amrywiaeth o ddigwyddiadau — hel calennig, taflu wyau at rhyw gar a chwistrellu preswylwyr un tŷ â dŵr oer gan y bonheddwr hynaws Dracula. Bu eraill yn gwledda ar fysedd gwrachod i de, a rhai yn ceisio codi braw yn y maes gwersylla ger y prom. Dim ond un broblem fechan oedd yna — doedd dim gwersyllwyr ar ddiwedd hydref, a llwyddasant i roi mwy o fraw i'w gilydd na dim arall.

A dyna gyrraedd y ddawns. Roedd Gareth yno efo'i ddannedd plastig o'r *Bazaar* — dyna'r oll oedd ganddo. Ond dacw Linda yn ei gwisg ysgerbwd a chôt drosti, tywel sychu llestri am ei phen a sôs coch o amgylch ei cheg — 'fel taswn i wedi bwyta rhywun'. Doedd ymadroddion o'r fath ddim yn gweddu i gynfrenhines Carnifal y Bermo, meddyliodd Gareth.

Deuai Tachwedd â'i ias g'lan gaeaf yn ei sgîl er ei bod dipyn tirionach yn Ardudwy, fel popeth arall. Machlud prynhawn yn gwrlid tawel dros afon Mawddach, yn rhoi rhyw arwydd i'r sawl a wrandawai. Roedd o fel byw ym mhendraw'r byd a phob machlud haul wedi'i greu ar eich cyfer chi yn bersonol. Byddai mor grwn a pherffaith yn disgyn yn dawel. Ac o fewn munudau wedyn, dim ond dotiau o oleuni fyddai bythynnod Arthog a llethrau Cader Idris — yr unig olau yn y foryd ac eithrio'r sêr, ceidwaid y 'golau arall'.

Ymddangosai'r mwyar duon olaf ar y perthi anghysbell ac roedd yr eithin yn ceisio gwasgaru peth o'i aur dros fygythiad y gaeaf. Câi'r cewyll dal cimychiaid wyliau segur ac anhrefnus ar ben y cei, a deuai awelon y gaeaf i yrru eu ffresni drwy'r barrau. Roedd rhyw ffarwelio terfynol ym mhrynhawniau Sul Tachwedd a'u gwawr ariannaidd ar strydoedd a morfa. Ac ar ôl bod yn dipyn o dref dros yr haf, deuai'r pentref yn ei ôl, a deuai ei gymeriadau yn ôl i'r amlwg ac i'w safleoedd yn barod am ddrama pentan y gaeaf. Ar brynhawniau Sul byddai cwmni Morus y Banc ar bont y Bermo yn well nag unrhyw bregethwr. Câi'r gŵr mwyn egwyl o fyd y ffigurau i syllu ar aur afon Mawddach. Gŵr bychan o ran corff ydoedd ac edrychai fel pe bai wedi ei blygu bob amser, ond gwyddai sut i blygu ei gymeriad hynaws i ddealltwriaeth ddofn o'i gwsmeriaid a phobl y dref hoff.

'Dwi wrth fy modd efo plant — mae 'na ormod o bobl yn poeni am faint yr wyau maen nhw'n brynu, yn lle dod yma fel ti a fi i fwynhau hyn Gareth.' Ac wrth ddweud 'hyn' cyfeiriodd ei freichiau ar foryd Mawddach yn ei ehangder y tu ôl iddo.

'Wyddost ti, mi ddeudodd yr arlunydd Ruskin mai dim ond un olygfa well oedd yna na honno o Ddolgellau i'r Bermo — ia, honno o'r Bermo i Ddolgellau.' Ond fe ddeuai dydd Llun 'run fath.

Prynhawn cyfnewid oedd hi yn yr ysgol y prynhawn hwnnw — yr unig adeg yn yr wythnos pan âi'r dosbarth Cymraeg i ddwylo athrawon y ffrwd Saesneg — y genethod i wnïo a'r bechgyn i wneud rhyw waith llaw. Roedd fel byd arall. Weithiau fe adewid i bawb ddewis llyfr o'r llyfrgell oedd yng nghornel stafell ddosbarth arferol y Saeson, ond gan amlaf, gwaith llaw efo'r athro hwnnw oedd yn debyg i sarjiant major a gafwyd. Os oedd hi'n wers ddarllen, anelai Gareth am lyfr yn y gornel, ei ffefryn *Television and Radio Stars*. Rhwng ei gloriau ceid rhyw ddihangfa o oerni'r stafell ddieithr. Byddai pawb yn gwenu'n barhaus ac yn hapus ym myd y llyfr hwn. Edrychai ar wyneb cantores yn y llyfr — Shirley Bassey — dro ar ôl tro, gan ei bod yn edrych mor wefreiddiol. Byseddai ei ffordd yn ôl at y llun bob cyfle gâi. Teimlai yntau yr hoffai berfformio a diddori rhyw ddydd, a phan ganai'r gloch fe fyddai o hyd yn gyndyn i roi'r llyfr heibio.

Mater cwbl wahanol oedd y dosbarth crefft gan fod Gareth yn anobeithiol efo'r pwnc hwnnw, ac roedd yn rhaid gwneud rhyw gerdyn cadw'r dudalen a chael mesuriadau union iddo, heb ôl bysedd budron na marciau pensil ar ei hyd. Wedi'r ymdrech yr wythnos ddiwethaf, gwingai Gareth yn erbyn ei gysgod ei hun wrth ddisgwyl y gwaith yn ei ôl. Cofiai iddo fethu â'i orffen. Ond pan ddosbarthwyd yr ymdrechion gollyngwyd enghraifft berffaith o'i flaen.

'*Very good. That was of a very high standard.*'

Doedd Gareth ddim yn un am godi stŵr, ond roedd ei gerdyn cadw'r dudalen wedi disgyn o flaen hogyn arall. A sôn am strach! Yn ffodus doedd enw Gareth na'r hogyn ar eu gwaith.

'*Why can't you make one like Gareth?*' Roedd gan Gareth ofn tan yr oedd yn rhydd o afael y dosbarth am wythnos arall — ofn y byddai Syr yn sylweddoli ei gamgymeriad. Daeth bendith y gloch ymhen hir a hwyr a llwyddodd Gareth yn gam neu'n gymwys i osgoi llach y llinellau '*You must always be obedient*', y bu copïo arnynt amser chwarae'r pnawn gan arall.

Roedd hi wedi bod yn ddiwrnod hir, a'r cyfan a fynnai Gareth oedd cael mynd ar lin Mam a swatio'n dynn ati, a gafael amdani fel nad oedd o wedi gwneud ers amser maith — achos ei fod o'n hogyn mawr i fod rŵan. Ac eto doedd o ddim. Er fod y teledu ynghynn aeth Gareth ar lin mam bron heb yn wybod iddi, a dechreuodd grio. Crio perfedd.

'Be sy'n bod 'y nghariad i?'

Ni allai ateb yn glir, ond nid esgus oedd yr esboniad. 'Mam, mae'r emyn 'dan ni'n ei chanu hi yn yr ysgol mor dda —

    Iesu Geidwad Bendigedig,
    Ffrind yr egwan a'r methedig
    Tyner ydwyt a charedig,
    Rho dy ras yn nerth i ni.

La la la la la la la la — ydech chi'n ei wybod o? Mae o mor dda.' A'r dagrau'n ailgychwyn.

'Pam wyt ti'n poeni am hynny 'nghariad gwyn i?'

'Mae o'n hyfryd yntydi? Fedra i ddim stopio meddwl amdano fo.'

'Dwi'n gallu ei ganu o hefyd,' meddai Mam gan ddechrau canu'r emyn i gyd. 'Ond dwi ddim yn gwybod pam wyt ti'n crio chwaith.'

'Iesu da, bydd di'n Arweinydd
Hwyr a bore i mi beunydd,
Ac os daw tymhestlog dywydd,
Rho dy ras yn nerth i ni.'

Teimlai Gareth ei bod hi'n braf cael ymollwng i grio ac i ymryddhau yng nghysur breichiau cynnes ac ystyriol Mam oedd yn deall yn ddyfnach na'r dagrau. Ni fyddai Mam yn damnio breuddwydion cyn eu blaguro. Efo Mam heno roedd lle i syndod, ac i bethau fod yn hollol newydd.

* * *

'*Remember, Remember the fifth of November,*' oedd sibrydiad direidus Katie Cheedle yng nghlust Gareth wrth iddo ddisgwyl ym mhorth atseiniol y cantîn ysgol, ond yr unig bethau cofiadwy oedd glaw, glaw ac ychydig o fflachiadau cyndyn. Roedd Guto Ffowc hyd yn oed angen ei gôt law yn nhân gwyllt Hendre Mynach. Llwyddodd olwyn Catrin i wasgaru ei chynnwys ar hyd tad Daniel, a chlywyd clec dila gan un o'r tân gwyllt cyn i bethau neis ffrwydro ohono. Sicrhawyd pawb na fu farw unrhyw un yn y Bermo oherwydd rhyw *fanger* a aeth ar grwydr, neu roced a ffrwydrodd heb esgyn. 'Cerwch i nôl bwced o ddŵr ar fy mhen ôl i' oedd yr uchel gri gan dad Alex medda fo, a bron iddo fo lithro i mewn i'r tân.

Er gwaethaf y glaw, fodd bynnag, llwyddodd pawb i fwynhau eu hunain. Cafwyd dipyn o gythraul tân gwyllt, a sôn fod un y Bermo bedair gwaith maint unrhyw gystadleuaeth debyg ar hyd yr arfordir! Roedd i bob un ei ergydion a wnâi i'r dorf sgrechian; sathrwyd ambell sbarclyr afradlon dan draed a daeth amrywiaeth o rocedi lliwgar i esgyn. Yna, ar ôl codi, torri'n ddarnau mân a disgyn i'r llawr a diflannu.

A beth am yr hen Guto ar noson lawog? Boddi yn y fflamau ynghyd â'r fatres a'r amrywiol betheuach fu ei hanes ac wrth i Gareth noswylio roedd ambell fflach yn dal i herio'r nos, a'r awyr uwchlaw coed Hendre Mynach yn dal yn goch. Cyd-ddigwyddiad llwyr oedd i Aintoinette Hughes yng Nghraig y Nos fod yn trafod llwyfannu rhyw ddrama yn Theatr y Ddraig — rhywbeth reit uchel-ael.

'Tipyn o Brecht. Fasa'r Gw'nidog yn hoffi cael blas ar Frecht. *Note the* treiglad.'

'O, ia dwi'n siŵr,' meddai Huw Dyls, un o hen lawiau'r cwmni amatur lleol ers degawdau — un a fu'n colli ciws, cymysgu llinellau a rhygnu arni yng nghynyrchiadau'r blynyddoedd oedd yn trio dysgu darn wrth drin y ffordd. Ond roedd ganddo lais da mewn ambell i finalé.

Wedi yngan enw Brecht, clywyd ffrwydrad yn yr ardd. Yn ddramatig addas rhuthrodd Aintoinette i fyny i'r stafell wely, un o bump, i gael golwg gliriach. Arhosodd Huw Dyls i lawr grisiau.

'Lle dach chi?'

'Yn y stafell wely. Mi aeth na *banger* i ffwrdd yn yr ardd, ac nid fi oedd hi!'

'O, ia . . .'

'Huw — dech chi'n gymaint o *gentleman* yn aros i lawr fan'na. *Any other man would have just thrown me on the bed,*' meddai gyda thinc o siom yn ei llais.

* * *

Bore drannoeth roedd hi'n Sadwrn gwyntog, a'r tonnau yn ewynnol gyson rhwng y pren a geisiau dorri eu hasgwrn cefn a'u hysbryd. Doedd Llŷn ddim yn bod heddiw. Ymddangosai Trwyn y Gwaith fel pe bai'n cael cryn ysgytwad gan y tonnau, ac roedd ei swyddogaeth o rybuddio llongau rhag Ynys y Brawd yn edrych yn bur sigledig. Edrychai tonnau'r lan, ger y neuadd ddifyrrwch yn gamarweiniol o nerthol o'r promenâd. Ond doedden nhw ddim yn prysuro cymaint erbyn iddynt gyrraedd ôl troed Gareth. Wrth gamu dros un o'r prennau daeth rhywbeth i'w olwg a'i syfrdanodd.

Am eiliad, credai mai'r *Little Girl Eater* oedd yno. Darllenodd am yr anghenfil hwnnw yn llyfr storïau arswyd ei chwaer. Taflu cerrig ato wnaeth merch y stori. Craffodd arno eto — edrychai fel rhyw greadur o lagŵn. Yna camu'n wyliadwrus yn nes, ac erbyn deall roedd yn amlwg mai gwylan oedd yno gyda rhyddid ei hadenydd wedi ei gaethiwo gan olew trwchus, fel triog.

Cafodd Gareth gymaint o fraw fel y rhedodd oddi yno rhag ofn i bobl feddwl mai ef oedd wedi gwneud y llanast. Ond wrth gerdded ar hyd y promenâd, ni fedrai beidio â challio a thosturio dros aderyn caeth y glannau. Ar ben y cei daeth o hyd i Robert, un o ffrindiau ei chwaer. Fe wyddai Robert beth i'w wneud bob amser efo pethau ymarferol fel hyn. Tywysodd Gareth ef yn ôl i'r union fan, a gwir y gair! Wedi llithro i'r gwely olew, doedd gan yr wylan ddim cyfle o gwbl i ddianc rhag y du; roedd fel clais ar ei gwynder. Ac mi roedd yna bocedi o ddu wedi ffurfio hwnt ac yma ar hyd y traeth. Tybed beth oedd y rheswm am y pla du? Sisialodd Robert rhywbeth am esgeulustod ryw ddynion yn rhywle, ac yna golchwyd y du i ffwrdd ganddynt mewn bath *turpentine*. Prin y deallodd yr aderyn fwriadau ei hachubwyr gan y manteisiai ar bob cyfle i frathu a phigo. Ni lwyddwyd i gael gwared o'r olew i gyd fodd bynnag, cyn ei gollwng i benrhyddid gwyllt y Fawddach ar drai ger Bont y Bermo.

★ ★ ★

Bore Sul arall, a'r dref â golwg wyntog, wag, arni fel set ffilm o'r gorllewin gwyllt cyn tanio'r ergyd gyntaf, neu wedi'r gyflafan. Chwibanai'r gwynt o amgylch bob cornel gan gynnig ei gyfeiliant i faterion y dydd. Crogai'r gwylanod yn yr awyr gan hofran yn ôl y chwa. Roedd y môr yn ferw gwyn a'r llwyni ar y llethrau i gyd yn crynu. Y gwylanod fyddai buddugwyr y glannau bellach.

Llifai'r fflyd arferol o bobl i'r sgwâr ymgynnull dan do porth Caersalem, ac allan o'r oedfa foreol. Dipyn o holi sut oedd pawb, gresynu am absenoldeb un sâl, sylw ynglŷn â phosibilrwydd fod cinio dydd Sul yn llosgi yn rhywle, ond y prif sgwrs oedd: 'Do, mi wnaeth o ei wneud o'n neis iawn. O un ifanc sy' ddim yn cofio yntê?' neu hyd yn oed 'Dwi rioed wedi'i weld o'n cael ei wneud mor effeithiol, ac mae eisiau cofio yn does?' Yna canmol côt aeaf newydd Mrs Owen, a brynwyd ar eiliad wan, bwrpasol, yng Nghaer. 'Mae ei hangen hi arnoch chi heddiw.'

'Ydech chi'n mynd i'r parc?' gofynnodd Mrs Owen. Beth yn enw'r Tad oedd yn y parc i ddenu hen bobl ar fore Sul gwlyb o Dachwedd? Yna cofiodd am wasanaeth yr ysgol — a phwrpas y pabi coch.

Oedodd Gareth y tu ôl i griw a oedd yn bendant yn eu bwriad o fynd i'r parc doed a ddelo. Aeth un ohonynt i nôl torch o flodau coch o'r festri. Syllodd Gareth yn ymwybodol o hir ar ffenestri'r siopau ar Ffordd y Brenin er mwyn cael dilyn yr osgordd. Syllodd yn hir ar drowsusau yn cael eu harddangos yn ffenestr *Beehive*. Daeth dirprwyaeth i lawr o'r Bryn, a hwythau hefyd ar eu ffordd tua'r parc o Eglwys Sant Ioan. Cododd Gareth law ar Gerallt yn gorymdeithio. I'w ddilyn, daeth criw o hen ddynion efo medalau yn cario baner coch, gwyn a glas. Ond yna, hoeliwyd ei sylw gan Katie Cheedle oedd yno efo dirprwyaeth o Brownies, a diflannodd ei ansicrwydd i gyd.

Erbyn i bawb gyrraedd y parc, gwelodd Gareth eu bod wedi ymgasglu ar y graean gerllaw y cerflun yn y canol, ac roedd tad Gwynedd yno efo'i drwmped yn barod i seinio tôn. Ond o wrych y lawnt bowlio y gwrandawodd Gareth ar y dôn drist. Enwyd llawer o bobl, a sylwodd fod pawb mwy neu lai yn gwisgo pabi coch. Yna canwyd *Hen Wlad Fy Nhadau* — dysgodd hon yn yr ysgol — ac yna cân Saesneg yn gofyn i Dduw achub y Frenhines. Cofiodd y geiriau 'Nid ânt yn angof', a'r eiliadau o ddistawrwydd a ddilynodd pan oedd pawb fel y bedd ymhell ar ôl iddo redeg adref.

'*Two minutes' silence for the National Debt*' oedd y poster a welodd ar ei ffordd i'r parc. Cyn mynd i gysgu y noson honno, edrychodd allan dros y parc o'i stafell wely. Ni allai weld y torchau hyd yn oed a osodwyd i wywo ar y gofeb. Heno roedd y cyfan mor ddu, a'r gofeb fel siâp aneglur milwr wedi i'r llygaid gynefino â'r nos dros y parc. Prysurodd i gladdu ei ben dan dywyllwch.

* * *

'Mi fydd hi'n braf cael mynd i'r pwll nofio heddiw,' meddyliodd Gareth wrth estyn ei wisg nofio a'i dywel o'r man arferol. Cofiodd am Brian Walls o'r dosbarth Saesneg yn dod â thywel gwlyb i sychu ei hun — pawb yn rhy brysur yn rhedeg gwesty heb gofio am anghenion Brian ei hun. Ond gobeithiai Gareth na fyddai'n dangos ei graith apendics i bawb gyda'r fath frwdfrydedd y tro hwn.

Roedd y pwll nofio yn hardd cyn i neb neidio i mewn i'r dŵr a'i wneud o'n hyll. Newydd agor oedd o, ac roedd bws yr ysgolion am ddim. Arswydai Gareth rhag gwarchodwyr y pwll oedd yn gweiddi ar y plant yn eu Saesneg clapiog, ond yn siarad Cymraeg â'r athro a'u hebryngodd. Byddai blas eu tymer ddrwg weithiau'n miniogi, weithiau'n tyneru.

Rhennid pawb yn dri grŵp — y rhai lleiaf yn edrych yn sigledig braidd, yr ail grŵp ynghanol y pwll yn disgwyl eu tro, a'r rhai da fel Brian Walls yn y pen dwfn.

Mentro herc a nofio efo'r byrddau polisteirin fyddai'r rhai lleiaf, ac weithiau caent warchodwr ifanc a winciai arnynt gan ddweud nad oedd ots sut y byddent yn nofio, dim ond eu bod yn trio. Roedd rhoi'r pen o dan y dŵr yn ormod o brofiad i rai, ac er dal y trwyn i fynd lawr, roedd y llygaid bach yn llosgi. Doedd trwyn Tomos prin yn cyffwrdd y dŵr heb sôn am roi ei ben oddi tano. Rhynnai ambell un wrth ddisgwyl y cam nesaf ar ochr y pwll. Wrth i lais un o'r gwarchodwyr geryddu rhywun, edrychai Gareth dros y twyni bendigedig drwy'r ffenestri. Byddai rhai bychain Safon Un a Safon Dau yn cael llawer mwy o ymarfer wrth stryffaglu, a'r rhai gwell yn gorfod aros eu tro yn amyneddgar i arddangos eu doniau.

Roedd Gareth yn y grŵp canol rhwng y rhai ofn mentro, a'r rhai oedd yn cael dysgu technegau a strociau newydd ym mhen draw'r pwll. Roedd y gorchmynion yn ddigon i godi ofn ar y gorau: 'cyflymach', 'cadw'r bol i fyny', 'cicio'n galed', 'y coesau 'na', 'tyrd 'laen, allan.' Gwaeddid hyn fel gan ddyn o'i go, a'i lais yn eglur i'r gyrrwr bws oedd yn disgwyl yn y caffi a tu ôl i'r gwydrau. *'Come on Lisa, you can do it!'* a Lisa'n amlwg yn cael trafferth wrth iddi nofio i bobman yn wyllt. Medrai Gareth wneud lled y pwll yn reit hyderus, a chafodd gyfle i drio gwneud hyd y pwll. Bwriodd iddi, ond hanner ffordd i lawr medrai glywed yr hyfforddwyr yn ei drafod. 'Dydy'r strôc heb ddatblygu,' a stopiodd. Gafaelodd yn yr ochr.

'Pam 'ti 'di stopio? Pam nad es di ymlaen? Ti bron â chyrraedd y lan.' Ni fynnai Gareth ei ateb, ond y gwir oedd ei fod o'n siarad mor anystyriol o bopeth wrth iddo drio'i orau. Nofiodd o fyth yr un fath wedyn, ac fe'i gyrrwyd yn ôl at grŵp y dechreuwyr. Roedd yn falch o hynny gan fod hynny'n golygu y câi fod yn grŵp Martin eto, yr unig hyfforddwr oedd ddim yn gweiddi'n afreolus. Byddai ef yn cael hwyl efo'r plant, a hwythau'n mwynhau ei anwyldeb annisgwyl mewn lle o'r fath. Plygai i lawr atynt ar ochr y dŵr, yr unig un i wneud hynny. Ef oedd arwr pawb — hogyn ifanc tal a hyderus, â'i ffordd ei hun o drin y byd. Ni cheryddwyd Gareth ganddo am ailymuno, dim ond ei dderbyn i'r gweithgarwch, a byddai Gareth yn trio'n llawer caletach o'r herwydd.

Ar y diwedd ceid cyfle swyddogol am ddau funud i wneud yr hyn yr hoffent yn y dŵr — yn gwbl rhydd, caent gicio a neidio a phlymio. Edrychai ffrindiau cyfarwydd mor wahanol yn y dŵr — rhai mor wahanol fel eu bod yn anodd eu 'nabod. Ceid neidio a throchi anorfod ar y diniwed wrth eu hochr. Ac yn fuan dyna'r wers ar ben am wythnos arall, a'r plant yn diferu eu ffordd i'r lle newid, rhai hogiau herfeiddiol yn ei sgramio hi i mewn i'r lle 'Dynion'. Peth rhyfedd, ond y rhai mwyaf eu trwst oedd y distawaf a'r tirionaf wrth ymgodymu â'r pwll. Gadawai'r gwarchodwyr i'r dŵr setlo yn y tawelwch, cyn dyfod rhyw giwed arall i aflonyddu a chreithio'r dydd. Ac yna doedd dim crychdonnau ar y pwll, a dau warchodwr ifanc yn chwilio am eu breuddwydion chwâl yn y dŵr glas golau.

Ar y ffordd droellog yn ôl yn y bws drwy Lanfair a Llanbedr, Dyffryn a Thal-y-bont roedd gwalltiau yn hongian yn rhydd a gwlyb, heb eu sychu. Plant y pentre, plant y tonnau, nid rhyw blant soffistigedig oedd criw yr Ysgol Gynradd, nid fel y rhai a âi i Ysgol y Bobol Fawr. A sôn am hwyl ar y ffordd adre o'r ysgol efo Brian Walls yn stwffio'i fag dillad nofio o dan ei ddillad fel petai o'n feichiog, a cherdded i lawr Marine Road yn fawreddog chwyddedig. Roedd y dyn glanhau ffenestri yn chwerthin nes iddo golli'i gydbwysedd ar ei ysgol, bron! Ac roedd y byd i gyd yn hwyl.

* * *

'Noson i'w chofio' oedd y geiriad ar y poster yng nghyntedd Caersalem — 'Dowch â'ch anifeiliaid anwes i gyfarfod y milfeddyg.' Un o nosweithiau plant y festri oedd hon, i'w cadw'n ddiddan ddiwedd Tachwedd a hithau'n dywydd miniog, pigog.

Cychwynnodd y noson fel unrhyw noson arferol efo Mr Williams y blaenor yno i'w croesawu'n hael a'i law ar ben pob un. Ond cafwyd neges gan Siôn na fyddai Gwenith yn gallu dod am ei bod hi wedi dal 'tonsils letus'. Roedd rhieni'r Eglwys yn dda am gefnogi noson o'r fath yn eu tro. Heno, tro mam Gwen oedd hi, a ryw ddau funud cyn i'r cyfarfod gychwyn fe gyrhaeddodd yn fawr ei ffwdan.

'Mr Williams bach. Fues i rioed yn falchach o'ch gweld chi. Dydy'r milfeddyg ddim yn gallu dod. Mae o'n swp sâl yn ei wely — newydd ffonio.'

Erbyn hyn roedd sŵ fechan wedi dechrau ffurfio yn y festri — tair cwningen yn eu bocsys cyfyng gan gynnwys yr enwog ddanheddog Llwydyn, ci yn sniffian pawb a phopeth, a chath yn troedio'n dalog ofalus o amgylch. Daeth Jane â'i bochdew yn ddi-focs a di-fag ac yno y bu yn crafangu ar ddillad pawb a gafodd y fraint o'i gwmni yn eu dwylo. Roedd yna hefyd bysgodyn aur mewn powlen yn edrych yn bur gymylog a dryslyd ar y cyfan.

Er ceisio dyfeisio gêmau ar y pryd i lenwi'r bwlch o golli'r fet chawson nhw fawr o hwyl arni, ac fe gychwynnodd yr anifeiliaid ar eu triciau. Fe aeth y bochdew i'r toilet sawl gwaith ar hyd ddwylo a dillad amrywiol aelodau'r cynulliad, a bu'r ci yn mwynhau'r miri ac yn llyfu trwynau pawb yn fodlon ei fod yn cael y fath sylw. Ar waethaf pob ymdrech, yr anifeiliaid a enillodd y dydd. A choron i'r cyfan oedd i Chippy'r ci godi coes ar Mr Williams y pen blaenor; ar hynny daeth y cyrtens i lawr ar y sioe. Ac erbyn i bawb yn y dref orffen siarad am y noson daeth Rhagfyr i deyrnasu!

Dechrau Rhagfyr, ac roedd y môr i'w glywed yn uwch o'r mynydd, fel petai'r dref islaw yn taflu ei heco i fyny a hwnnw'n diasbedain yn ôl, a'r hen Fermo yn dal ychydig o'r ddau fel cragen. Pledai'r tonnau bendraw y prom yn gynt nac arfer ac yn fwy cyson, heb eiliad i gael eu gwynt atynt. Gyda'r nos yn hel cysgodion, edrychai gwesty Rhagfyr yn lle diddorol — rhyw ddau neu dri o gwmpas y tân yn hel straeon, ac wrth i Gareth lithro heibio Siop Pentre Bach am gip ar donnau'r môr, cofiai fel yr arferai giang o blant fynd yr un ffordd yn union yn anterth yr haf i dreulio dydd ar y traeth. Roedd y tonnau yn peri i Gareth adfywio drwyddo ac yn golchi ei ben yn lân o'i ofnau. Dywedodd Dad unwaith fod y môr yn creu cymeriadau sydd heb ofni wynebu sefyllfaoedd, a wynebu'u hunain. Allai neb sy'n cael ei fagu yng ngolwg y môr, fod yn ffals yn ei dyb ef. Un da oedd Dad am fyfyrio pan oedd o yn ei bethau.

Deuai ambell goeden Nadolig i ffenestri'r tai o amgylch y parc i daflu eu sglein ar y lawnt fowlio, a dipyn o eira ffug i ffenestr siop *Cadwaladr* ac addurniadau ar draws y ffordd yn *Smiths* a'i lloriau pren. Cyhoeddai *Woolworths* a'i phapur yn sgleinio yn y ffenestr, mai hi oedd y Nadolig.

* * *

Bore Sadwrn yn y *Rendezvous* a'i ffenestri wedi stemio'n gynnar, a chlecs y dydd yn dechrau cynhesu a chael eu dosbarthu.   'Ro'n i'n meddwl ei bod hi'n gynnes tan es i allan.'

'Sgen 'chi rhyw *news*?'

'Mi ddaw 'na rhywun â rhai yn 'munud.'

Yna sôn am wahoddiad i barti Nadolig yr henoed, a thrafod a fyddai'r *Rendezvous* ar agor drwy'r dydd ar y dydd Mercher yn dilyn y Nadolig. Rhywun arall yn canmol y mil o bunnau a gasglwyd yn y dref at ryw '*Christmas*' rywbeth. Daeth Aintoinette Hughes i ganol y cyfan, er na ddeuai i'r *Rendezvous* ym mhob tywydd. Wrth ddod i mewn, rhoddodd help llaw i hen wraig ddall a ddeuai yn selog yno ar y Sadwrn i ddal i fyny â chymeriadau ei hwythnos dywyll. Yna, wedi gosod ei hun efo'i choffi yn dwt wrth un o'r byrddau, chwiliodd am un o chwiorydd Caersalem i gael bwrw'i bol. Ond doedd neb yno, ac aeth i siarad efo merch oedd yn yr ysgol efo hi yr holl flynyddoedd yn ôl.

'Dwi'n cael *hot flush daily, guaranteed,* y dyddiau yma. Dyna i chi'r gath. Mae hi'n siarad efo fi. *Yes I know it sounds as if I'm losing my marbles,* ond dydw i ddim cariad *I can assure you. I'm not doolally.* Mae hi'n agor ei cheg fach a dweud mewn hanner miaw *'Hello Aintoinette'. It literally talked to me,* ac wedyn mi aeth hi i grafu'r popty a dweud *'chicken', and you know what? She was absolutely right.* Mae hi'n gath ar ei phen ei hun. Os ydw i'n dweud y drefn wrthi, mae hi'n cnoi y planhigion i gyd i dalu'n ôl.' Yna cripiodd y sgwrs at y Nadolig. *'No, I know* cariad, dydy'r Nadolig ddim 'run fath yn fy nhŷ i chwaith heb *'Quality Street'. I'll have to get some in.* Fe fydd Sybil yn dod ata i Ddydd Nadolig er ei bod hi weithiau yn anghofio fod gen i fy mywyd fy hun,' ac ochenaid yn disgwyl adwaith. Ond dwi ddim yn disgwyl iddi fod yn Arafa Don ar ei phen ei hun dros y Dolig.'

Bu trafod cyfyngder y toriad diwethaf yn y trydan. 'Roeddwn i'n graplo o gwmpas yn y gwyll, *how about you?'*

Hefyd faint o ddiod gellid ei gymryd heb gael effaith andwyol ar yrrwr car: 'Cariad, mi fydda i'n mynd yn chwil ar ôl mince pie, felly peidiwch â gofyn i mi.'

Ac yna'n ôl at dywydd neithiwr, a'r ffaith eu bod nhw'n anghywir, gan nad oedd angen blanced ychwanegol at gorpws Aintoinette.

'Be 'dach chi'n ei feddwl o'r Gw'nidog newydd 'ma te, a'i *hair brained ideas?'* Aintoinette yn gofyn.

Un o'r gorlan yn ateb: 'Dwi'm yn cael gafael arno fo a deud y gwir.'

'Nac ydech gobeithio,' a chwerthiniad theatrig yn atseinio hyd olion saim waliau'r *Rendezvous.*

'A'r Sul dwytha, glywsoch chi rhywun yn agor drws, a bang mawr ynghanol y bregeth? *Hooligans. I could have throttled them.'*

Ar hynny daeth Sybil i mewn. 'Sut wyt ti uffe'n?'

Yna soniodd un am berthynas newydd ddechrau nyrsio yn y 'Maelor' yn Wrecsam.

'Dwi'n nabod y portars i gyd, ffŵl. Maen nhw i gyd yn dod o

Rhos-y-glo.'

Ond yn fuan fe aeth y sgwrs yn fwy preifat a phenodol rhwng Sybil ac Aintoinette. Credai Aintoinette fod pethau'n mynd 'dros ben llestri'; dyna oedd ei hunion eiriau.

Ar ôl llwyddiant y Bore Coffi roedd y Gw'nidog ifanc yn awyddus i'w gweld yn chwarae rhan amlycach ym mywyd y capel.

'Be ddudodd o amdana i? Dim byd? *Thanks a bunch* uffe'n.'

'Ond mae'n amser hollol dwp i gael cyfarfod, jyst cyn y Gwylie. *He was grovelling at my feet* — oedd — dyn yn ei oed a'i amser. Dylsech chi fod wedi'i weld o. *I know he's a darling* ond Sybil bach, ymbwyso'i hun tuag ataf, yn ceisio dwyn perswad arna i. *Most men would have had me on the bed.*'

Cornelwyd Aintoinette nid yn unig i ddarparu cacennau ar gyfer cyfarfod y Chwiorydd, ond i gymryd rhan yng 'Ngwasanaeth Chwiorydd y Byd'.

'Mae'r teitl yn ddigon â llethu y cryfaf yn tydi, *it really does take the biscuit.*'

Ond rhyw sbecyn o fawl o bob cornel o'r byd fyddai cyfraniad chwiorydd Caersalem, a rhywsut fyddai rhwydwaith dirgel Duw ddim yn gyfan hebddynt. Roedd cymaint wedi dweud mor braf oedd ei gweld hi'n ôl yn y cysegr, ac felly 'ar eiliad wan' fe gytunodd i wneud. '*In for a penny, in for a pound*, ond dydw i heb berfformio'n gyhoeddus yn y capel ers *donkey's years*. Mae gen i ofn drwy nhin a deud y gwir. *Is that how you say it?*'

'*Yes* uffe'n. Watsia dwmblo ar y ffordd i'r pulpud.'

'Mae fy Nghymraeg i'n gwella Sybil.' Edrychodd yr hen Sybil yn bur ddiymadferth yn ôl arni hi.

Bu rhai diwrnodau o ddistawrwydd yng Nghraig y Nos wrth i Aintoinette Hughes ddygymod yn feddyliol â'r ymrwymiad a wnaeth i herio Chwiorydd y Byd! Ond pan gafodd wybod manylion yr hyn oedd yn ddisgwyliedig ganddi, bu'r trafod a'r poeni yn fater o bwys cyhoeddus y tu allan i'r *Rendezvous*, ar balmant y dref.

'Cyfarfod Gweddi cariad. *I'm responsible for the whole cufuffle. I haven't taken it all in yet* — dwy emyn, darlleniad, gweddi. Lle andros mae chwiorydd eraill y capel na fuasen nhw'n helpu? A fi sy'n gwneud y bwyd! *I'm running the whole show.* A chwarae teg, newydd ddod yn ôl ar y *scene* ydw i. Dio'm yn deg *really* yn nac ydy cariad?'

Aeth rhai dyddiau heibio, a lleddfu wnaeth holl densiwn chwiorydd capelgar y fro wrth i fframwaith gwasanaeth Aintoinette syrthio i'w le.

'Mi ddaeth y weddi i mi ganol nos. *Like a flash, a bolt from the dark.* Roedd rhaid i mi roi'r golau ymlaen a'i sgwennu hi lawr yn y fan a'r lle. Dwi 'di bod yn darllen y Beibl bob nos i gael darn addas. *You'd think it was the* 'Trawsgyweiriad' *at* Craig y Nos *if you called*, fel Mari'r Golau erstalwm ynde?' A thinc o hiraeth gwirioneddol am ryw sêl a fu. 'O! Diwygiad ydy'r gair! Yn y gwely, yn y bath, ymhobman, dwi 'di bod yn darllen y Beibl. Dwi 'di cael emynau ro'n i'n cofio Mam yn eu canu nhw — ti'n gwybod?' ac ôl deigryn bach hefyd.

Daeth y cyfarfod, a goleuodd y ffurfafen oducha'r Bermo wrth i gyfarfod gweddi Aintoinette blygio'i hun i mewn i rwydwaith dirgel Duw. A da ydoedd.

Gaeaf

Doedd yna fyth ymdeimlad o ddedwyddwch amgenach y cae nesaf yn y Bermo — hyd yn oed pan ddeuai Rhagfyr a'i wedd oer i deyrnasu. Disgleiriai coeden Nadolig yn awyr y tai cownsil fel llawenydd oedd o fewn cyrraedd pawb. Deuai'r ffilmiau cartŵn i'r ysgolion i ddiddori'r plant cyn eu partïon, ac i warantu chwerthin lluosog ar amrantiad, ac yna'r hwyl o weld y ffilm yn cael ei ddirwyn yn ôl ar yr hen daflunydd trwsgwl yn well na'r ffilm ei hun. A chyn dechrau bwyta, daeth Samantha o'r Babanod â chyhoeddiad i'r buarth i gyd ei bod hi wedi gweld Santa Clos yn dŵad efo'r ceirw, pan nad oedd neb arall yn sbio. Roedd Mrs Alaw wedi dweud wrth bawb am fod ar eu gwyliadwriaeth, ac roedd hi wedi ei weld o, ac roedd o wedi glanio o Wlad yr Eira i ddweud wrthi hi, Samantha fach, ei fod o'n dŵad yn y munud.

Edrychai Geraint yn syn ar ôl y cyhoeddiad achos roedd o wedi trio ffonio Santa y noson cynt ac roedd o'n 'siarad fel robot, a deud petha Saesneg'. Roedd ffydd Geraint yn dechrau simsanu yn 'hen daid y simdde ddu'. Ond na, roedd Samantha wedi ei weld, ac wedi clywed clychau'r ceirw.

Parti, a phawb am y gorau yn agor y cracer cyn i'r boliau ddechrau cynhesu, a chyn i'r dwylo ymestyn at y rhyfeddodau a'r danteithion. Pawb â'i gap fel brenin. A noson y ddrama, roedd Mam Gareth yn y gynulleidfa wrth gwrs a rhaid oedd codi llaw. Roedd hyn yn bwysicach nag unrhyw drefn y dylasid cadw iddo, ac

42

yna roedd y gorchudd pen yn llithro. Bugail neu ŵr doeth oedd Gareth o hyd — doedd o rioed wedi cael ei ddyrchafu'n Joseff.

Ac wedi'r ddrama, y canmol a'r cau ysgol, llithrai'r dref i'w Nadolig bach ei hun.

★ ★ ★

Clywodd Gareth rywbeth y tu allan i ffenestr ei lofft. Agorodd hi ac edrych allan i'r düwch. Roedd o'n iawn. Clywodd eto chwiban glir yn torri'r nos tra llifai'r oerni i'w lofft.

'Ia?'

'Helô,' meddai llais geneth, ac yna chwerthiniad gan rhyw ddwy neu dair arall a oedd fel mur gwarcheidiol o amgylch y prif lais. Wedi i'w lygaid ddygymod â'r düwch, gwelodd y rhyfeddod gerbron ei lygaid yn niwl y nos — Katie Cheedle.

'Katie sydd yma.'

'Ow,' a llyncu poer.

'Dan ni ar ein ffordd i *Brownies* yn tydan?'

'Ydan.' Parti cyd-adrodd.

'Meddwl y baswn i'n dweud helô, wrth basio.'

Gigls, mwy o gigls.

'O dwi'n gweld.'

'Wyt ti?' ebe'r gonestrwydd plentynnaidd yn ôl.

'Dan ni'n mynd i chwara *Murder in the Dark*. Hwn 'di'r *Brownies* olaf cyn y Nadolig.'

'Mae hi'n dy ffansio di,' meddai llais unigol arall o'r giwed. Llais newydd. Cafodd bwniad go eger yn ôl i drefn gan y foneddiges Katie. Doedd Gareth heb ddygymod â'r sôn cynharach am lofruddio.

Sythodd gan sylweddoli mor oer oedd hi a tharodd ei ben yn y ffenestr. Llwyddodd i osgoi brathiad gilotîn y ffenestr cyn iddi daranu i'w chlo swta. Er iddi gau'n glep medrai Gareth glywed sŵn traed y genethod yn rhedeg, ac yng ngolau pŵl lamp y stryd gwelai hwy yn dianc yn eu harswyd am y *Brownies*.

Dechreuodd Gareth rolio chwerthin — chwerthin nes oedd o'n sâl. Daeth sŵn y ffenestr yn disgyn fel clec o wn. Mae'n rhaid fod y genod yn credu iddo saethu ei hun, neu bod ei fam neu ei dad efallai yn ceisio cael gwared ohonynt efo gwn. Beth fyddai Katie yn ei ddweud rŵan?

* * *

Ar y dydd Sadwrn cyntaf o'r gwyliau byddai clychau Nadolig y Bermo yn seinio'n bêr gan foddi pob bref aeafol o'r mynydd a chri gwylan o'r dreflan islaw. Unai'r moliant a'r gorfoledd efo'r adar a cheid cyfannu'r darlun ar gyfer gŵyl i dystio bod ceinder yn parhau yn yr hen fyd 'ma. Teimlai Gareth fod y clychau yn canu iddo ef y bore hwnnw, a bod y Nadolig go iawn yn y tir wedi'r cyfan. Yn y *Rendezvous* roedd hi'n ddiwrnod parti — sŵn ffrïo a'r til yn tincial. Ac i ychwanegu at y rhialtwch roedd criw'r caffi wedi gwisgo mewn gwisg ffansi — un fel dewin, un arall fel gwraig Ffrengig, roedd yno ferch o'r Swisdir, ac un efo gwallt porffor. Yno'n gwisgo syspendars du, cynffon flewog a brat arbennig roedd gweinyddes newydd. Wedi i'r haf a golchi'r toiledau ddod i ben, dyma waith rhan-amser newydd y gaeaf i un a roddai sbarcyl i'r bore — ia, Sybil, ac roedd hi'n fwy cartrefol yma nac efo coffi festri Caersalem.

'Dwi'n edrych mwy fatha *French tart* na *French lady* ffŵl.'

'Sut wyt ti cariad?'

'Dwi'n iawn — y gweddill 'ma sydd ddim, uffe'n.' Atebion parod i bob cwmser; amser cinio yn yr ysgol roedd yn rhaid iddi gau ei cheg.

'Pan gychwynnais i yma ro'n i'n chwe troedfedd . . . Pan dwi'n cyrraedd *four foot eight* dwi'n 'madael . . . Dwi'm yn dy fwydo di, fe ges di fwyd wsnos dwytha.' Roedd Sybil yn blodeuo o flaen ei chwmni a'i chynulleidfa newydd.

'Dwi'n olreit rŵan ffŵl, ond gais i mi gael bradgyfarfod yn cerdded yma wedi gwisgo fel hyn. Bobol yn chwislo arna i. Y tro cynta ers blynyddoedd. Hei, roedd o reit neis ffŵl. *Do it again.*'

A suddodd Sybil yn ôl i ganol y sŵn a'r miri. Roedd hi'n awyrgylch ffair yn y parti, a hwnnw fel petai'r parti cyntaf erioed — pawb wedi eu coluro a'u cyffroi. Anghofiodd Sybil ei hun yn llwyr a rhuthro i'r ffenestr i ddangos ei choes ddengar i'r byd a'r betws. Dros y ffordd i'r caffi, yn *George Mason's*, roedd y gweinidog ifanc wrthi'n prynu ei bwdin plwm; tybed am beth roedd o'n ei feddwl wrth weld y goes a'r syspendars yn y ffenest? Am y coffi poeth a droes yntau'n *hotlegs* am ennyd?

Roedd yna un noson gyfareddol oedd yn binicl ar dymor y gaeaf, a Festri Caersalem yn edrych yn wahanol iawn i'r arfer. Wrth agor y drws ochr mawr, byddai llawnder lliw yn taro'r wyneb. Parti Nadolig. Byddai'r plant yn heidio yno fel gwenyn at flodyn yr haf. Te parti heb ei ail, a'r byrddau wedi eu gosod yn ffansi a lliwgar yn y gornel Feiblau a'i phlatiau papur — diolch i wragedd y capel. Ni fyddai 'run o'r plant yn llwyddo i fwyta'r cyfan i gyd er fod y llygad yn dweud yn wahanol. Byddai Mr Williams, hoff athro Ysgol Sul Gareth yno, câi ei weld eto. Roedd y cyfan yn ddiolch i'r plant am y ddrama Nadolig ar y Sul pryd y byddai eu diniweidrwydd yn llorio'r byd unwaith yn rhagor, ac yn atgyfnerthu ffydd aml i bererin simsan yn hirlwm y gaeaf a'i drychinebau. Wedi eistedd wrth y byrddau'n drefnus roedd pawb am y gorau i geisio bwyta cymaint â phosibl. Mawr oedd yr holi a'r gofyn am fwy o sudd oren, a'r plant am unwaith yn cael dweud wrth eu hathrawon Ysgol Sul beth i'w wneud. Byddai'r mwyaf annisgwyl yn bwyta llond bol, ac ambell un arall yn gwylio bod llais egwan yn cael digon o ymborth ar roliau selsig a brechdanau lleiaf y byd.

Wedi'r bwyd, byddai Santa yn y canol ar sedd bren, a phawb yn mynd ato wedi eu cipio â nerfusrwydd noson gyntaf drama newydd. Tamaid i ddisgwyl pryd oedd cael eistedd ar ei lin fawr ac ymlwybro yn ôl i'r sedd efo anrheg fechan.

Ac ar noson o Ragfyr rheolai'r hanner lleuad ffawd y llanw a ymestynai ei dafod hyd y traeth, gan greu llwybr arian dros y grisial gwastad. Nosweithiau o sêr y tu hwnt i'r sêr yn y nen. Canai aderyn y Nadolig yn llon a chyson o foryd y nos, fel Iesu yn oleuni yn nüwch gaeaf. Canai ei gân eglur, unig, eofn yn erbyn gaeafau ein byd. Clywid udo ambell un o gŵn y Friog yn glir o Gyfannedd Uchaf neu Gyfannedd Bach, efallai. Gwelid rhuban o goed Nadolig yn addurno'r dref ar gyfer yr Ŵyl, yn goreuro ei phechodau am ryw ennyd fer, a'u cyflwyno iddo Ef, a'r sêr clir yn dystion gloyw. Ac yn nos y gaeaf tybed a ddeuai llewyrch seren Bethlehem heibio y Nadolig hwn? Drama'r Nadolig — miri'r newid, sôn a siarad yn y toiledau, a'r gweinidog yn cael ennyd o ddistawrwydd yno cyn i bawb lifo ar y llwyfan i actio'r hen stori. Ac yna dydd Nadolig ei hun, fel unrhyw ddiwrnod arall yma, ar wahân i'r presantau — gan fod pob dydd ychydig yn arbennig i hogyn bach fel Gareth gael crwydro. Noson loer olau gafwyd nos Nadolig, a'r lleuad a'i leufer dros fae Ardudwy a thros dref y Bermo yn ariannu'r cyfan fel presant Nadolig hardd. Môr a nef yn unlliw ar ddyfod Gŵyl y Baban i'r byd.

* * *

Daliai'r addurniadau Nadolig eu gafael ar y dref am hir, a byddai'r trigolion yn anfoddog iawn i adael i'w trimins lithro cyn bod angen. Yn nhawelwch diwedd gŵyl clywid drws ambell garej yn siglo yn yr awel, deilen bigog yn cael ei hymlid mewn drws, ac i dorri ar hwyrnos ceid ambell chwiban yn y düwch, ac yna'r waedd am Dodo, y gath; 'Lle ti 'di bod?' Trafodwyd y gwasanaeth Nadolig yng Nghraig y Nos.

'Mae'r *acoustics* yn yr Eglwys yna mor *staggering*. Dwi'n meddwl y basa llyffant yn swnio'n dda yno.'

Dechrau blwyddyn — deuai stormydd bywyd i gyd i gronni yma rhwng porthladd a mynydd — tynerwch a thiriondeb di-ildio'r haf, a stormydd a thywydd garw dechrau blwyddyn pan fo sicrwydd y glannau yn nodded. Deuent oll i drigo yma ym mywydau'r trigolion. Ond i hogyn wyth oed roedd hi'n haf o hyd a dim ond dipyn bach o wynt oedd y gaeaf, yn mennu dim ar y crwydro a'r hwyl. Ac yn y nos byddai Gareth yn ymestyn o'i wely i weld os oedd y goeden Nadolig yn dal yno, ac yn gwenu wrth ei gweld. Byddai dydd ei diffodd a'i dymchwel yn anodd. Buan iawn y daeth dydd dwyn y Nadolig mewn gwirionedd o ganol y dref, o'r cei ac o'r tai cownsil.

Bore Sadwrn cynta'r flwyddyn, ac Aintoinette Hughes yn eu rhaffu nhw yn y *Rendezvous*.

'Na, chymra i ddim cacen siocled. *Embarassing really*, ond mae'n rhoi gwynt i mi.' Ond yna'n mynd ymlaen at bethau llawer iawn amgenach a mwy tyngedfennol — rhywbeth gwerth gwneud adduned blwyddyn newydd yn ei gylch efallai?

'Mi ges i andros o freuddwyd. *A humdinger in technicolour*. Ac mi roeddwn i yn yr ystafell 'ma yn llawn o ddynion — ac yn fy nghoban. *Would you believe it?* Rhyw le'r fyddin oedd o, dipyn bach fatha'r camp yn Llanbad. Peidiwch â gofyn i mi beth oeddwn i yn ei wneud yno. *Goodness knows*. Ond mi roedd 'na un o'r *raunchy young lads* 'ma yn gwneud *yoga* ar y gwely. *Yoga* cariad, ac mi roedd o'n eistedd yn y *lotus position* — ac medde finne wrtho fo, '*Do you know darling, I've always wanted to do the lotus position*'. Ac mi roedd hi'n freuddwyd ddwyieithog achos mi atebodd fi'n syth. 'Aintoin — mae'n hawdd. Cwbl 'dech chi'n ei wneud ydy hyn.' A dyma fi'n stryffaglu i'r *lotus position* 'ma — ia breuddwyd *dear — and you know the strangest sensation took a grip of me*. Mi ddechreuais i hedfan rownd y stafell. *Mary Poppins had nothing on me. Goodness knows where I landed*. Un peth da, pen ddeffrais i roeddwn i dal yn fy ngwely'n hun — 'ron i'n disgwyl bod allan yn y cyntedd neu rhywle. *It worried me terribly you know*. Beth bynnag, sut Ddolig gawsoch chi? . . .'

* * *

I Gareth, roedd yna ddau fath o fore Sadwrn yn y gaeaf. Un ohonynt oedd Sadwrn mynd i'r pictiwrs, ac roedd y cyfan yn cael ei drefnu â thrylwyredd. Syllai drwy ffenestr ei lofft nes y byddai Ynyr ar ei ffordd drwy'r parc, yn hynod o awyddus i gael gwybod beth oedd tynged llong ofod Flash Gordon a adawyd ar ei ffordd i ddinistr yr wythnos ddiwethaf. Byddai Owain yn cyfarfod y ddau ar ochr arall y bont reilffordd a Gwynedd hefyd ambell dro. Ond doedd ganddo ddim pres i ddod bob bore Sadwrn ar ei ffordd o Heol y Sarn.

Y bore hwn, pwy oedd yn croesi'r bont ar hast mawr o'u

blaenau, ond Elen Owen gan weiddi ei chŵyn. Bu'n hogan ddrwg neithiwr ac o ganlyniad ni chaniatâi ei mam iddi gael pres i fynd i'r *Pavilion* Pictiwrs, ac eto roedd ei brodyr i gyd yn cael mynd. Roedd wrthi'n cnoi gwm yn anniddig o boenus ac fe ymunodd yn herciog fachgennaidd â'r criw ar hyd y ffordd i'r Paf. Roedd y criw yn ddigon balch o gysgod Marine Road ar dywydd gwyntog ac oer y gaeaf.

Glafoeriodd Gareth ei ffordd heibio i dŷ Katie Cheedle (yn araf deg) rhag ofn bod rhyw symudiadau y tu ôl i'r cyrten; yna heibio i dŷ Lydia, Brenhines y Carnifal a goronwyd ar y Llecyn Du yn ystod yr haf diwethaf. Daeth Elen i'r penderfyniad fod Lydia wedi ennill y teitl ar draul rhyfeddodau cyfrin fel hi ei hun. Cyn iddi fynd i Gaffi Belmont i ychwanegu at ei chyflenwad o gwm efo'i cheiniog a dimau'n weddill, daeth ymbil taer gerbron ffyddloniaid Flash.

'Sgen un ohonoch chi ddigon o bres i dalu i mi ddod i mewn hefyd?' Mudandod. Dim ond pres i brynu *Toffetts* oedd gan Gareth, felly ysgydwodd ei ben ac edrychodd arni'n ddi-ildio, gan droi'n achlysurol at banelau lluniau 'Carry on Up the rwbath' oedd yn dod i'r *Pavilion* cyn hir.

'Mi wnai i dalu'n ôl iti.' Roedd y genod 'ma i gyd yn meddalu o fod fel rhew, ond beth yn union oedden nhw isio — y fo neu ei bres?

'Mi gofia i,' y bygythiad olaf, a diflannodd mewn cnoad o'r gwm.

Y math arall o fore Sadwrn fyddai'r un mofyn neges i Mam.

'Dos i nôl fy nhorth frown i, cariad.'

Dim ond bore Sadwrn allai ddechrau efo cyfarchiad felly. A chyn i Mam gael cyfle i gau ei phwrs byddai Gareth ar ei ffordd, o gynhesrwydd y gegin gefn, allan drwy'r seler, ar hyd y Stryd Fawr, ac yna i glosrwydd y Siop Fara. Mr a Mrs Roberts oedd biau'r siop; dynes fechan debyg i honno ar y teledu oedd Mrs Roberts — tebyg i'r un a ddywedai ei bod wedi gwneud cymaint o gacennau cnau, fel ei bod hi'n edrych yn debyg i un. Pwysai dros y cownter pan âi Gareth i mewn.

'Be mae Mam eisiau bore 'ma 'ngwas i?'

Ac yna, 'Cadwch y newid i roi ar y blât fory, yntê mach i?'

Pan oedd y busnes o drosglwyddo'r bara drosodd, ac os oedd

Gareth mewn tymer digon hy, gofynnai i Mrs Roberts am yr hen gerdyn cardfwrdd yn y ffenestr a hysbysebai'r ffilmiau sinema'r *Pavilion*, y rhai oedd ar ddod i ben. Oddi ar y cerdyn hwn a grogai ar ddrws pren y Siop Fara y dysgai Gareth am y ffilmiau i gyd, ac am Gina Lollobrigida a'i thebyg. Enwau'r tîm *Carry On* oedd ar ei gerdyn newydd, ond doedden nhw byth yn crybwyll enwau ffilmiau bore Sadwrn. Rhoddwyd y rheini yn dwt dan un label parod o hyd — 'Clwb Plant' — a dim sôn am geisio denu dilynwyr newydd at yr hen Flash Gordon a'i ryfeddodau ar blaned bell yn y cosmos. Teimlai Gareth yn siŵr y byddai rhai o'r bobl mewn oed yn dod i weld Flash tasen nhw'n gwybod ei fod o ymlaen. Efallai y dôi o i'r Bermo un diwrnod ac yntau'n ddilynwr mor selog i'w fyd du a gwyn.

Syllai Gareth ar luniau y tu allan i'r pictiwrs yn reit aml, hyd yn oed ar y ffilmiau hynny nad oedd ganddo hawl i fynd ar eu cyfyl. Cofiai unwaith iddo fod yn syllu ar ddynes heb ddim amdani mewn twb, a rhyw ddyn efo dannedd mawr miniog a chlogyn du yn ceisio swsian ei gwddw hi. Ac ar yr eiliad honno daeth Mrs O.R. Llys Cerdd heibio a gofyn sut yr oedd o.

'O, iawn diolch,' didaro gan geisio cuddio cynnwys y panel.

'Ŵ, dech chi'n tyfu! Rhaid i ni drio cael parti cerdd dant at ei gilydd yn bydd Gareth, ar gyfer Eisteddfod yr Urdd?' Safodd Gareth fel delw o fud.

Os na welai o Anti ar ôl antur prynu'r bara brown, cerddai adref ar lwybr sadyrnol hyd hen ffyrdd y dref ar y graig. O'r cei hyd Ffordd Gloddfa a'i stepiau at Drem Gwril, ac os oedd o'n teimlo'n anturus i fyny Lôn Dinas Oleu, cyn mynd heibio Eglwys Sant Ioan a Chraig y Nos i lawr Gellfechan, ac at yr hen barc a Phen Parc yn ei ôl. Gwelai'r dref i gyd ar ei daith uwchlaw'r adeiladau — y garej, y capel a *Woolworths*. Ar rai adegau o'r flwyddyn *Woolworths* oedd y pwysicaf, yn enwedig ar bnawn Sadwrn pan fyddai'n prynu *fudge*.

Byddai Caffi Belmont yn allweddol i Sadyrnau'r Bermo hefyd, heb fod ymhell o'r *Pavilion*, ar agor nos a dydd. Dyma lle y gorchmynnid plant afrosgo nosweithiau Sadwrn y gaeaf i fynd i nôl eu mwyniant melysol. Byddai'r ddynes gron, glên, gynnes y tu ôl i'r cownter gwydr mor falch o weld pawb, yn enwedig y plant.

Roedd hi'n perthyn o bell i Gareth drwy Taid Ardudwy.

'*Monster Munch* i mi os gwelwch yn dda. *Bounty* i Mam neu *Turkish Delight*, ond dydy Dad ddim isio dim byd.'

Byddai un neu ddau yn yfed coffi neu de yno i gadw'r gaeaf draw, eraill yn disgwyl am drên, neu am amser dechrau'r ffilm yn y *Pavilion*. Gwyddai Gareth fod yna drên hwyr ar y Sadwrn gan fod yna olau yn dal i fod yn swyddfeydd yr orsaf reilffordd dros y cledrau, a rhywun yn dal wrth eu gwaith yno, a thad Gerallt yn y Blwch Signal.

Yn aml, gwelai ffrindiau ei chwaer yn tyrru yno ar nos Sadwrn, ac weithiau byddai Ceri yn eu plith. Byddent o hyd yn ei gydnabod.

'Helo Gar,' a hyn yn ei blesio, a gwneud iddo deimlo fel y '*Youngest Rocker in Town*' chwedl un ohonynt. Byddent yn ei godi ar eu hysgwyddau weithiau yn eu hasbri. Rhyfeddai Gareth bob tro at hawddgarwch y ddynes y tu ôl i'r cownter wrth ymdrin â phobl ifanc ac yn trin y melysion yn annwyl a'i bysedd y tu ôl i'r gwydrau. Medrai ddarparu'r te a'r coffi gan ddal i roddi'r sylw cyflawn arbennig hwnnw sy'n drech nag elw. Pleser calon oedd cael mynd yno.

'Hwyl i chi blantos.'

Roedd hi'n byw ar ei phen ei hun ychydig ddrysau i fyny Rhodfa'r De mewn tŷ mawr lle y ceid fflatiau i'w gosod yn yr haf. Mae'n siŵr fod y gaeaf yn llwm iddi ac eithrio Caffi Belmont. Ond yno, pefriai goleuni o'i llygaid ac roedd ystyr i'w bodolaeth wrth rannu melysion i blant y nosweithiau Sadwrn clyd.

* * *

Tywydd eithriadol o dyner a gafwyd ar ddechrau'r flwyddyn, ond yn ôl Mrs O.R. Llys Cerdd, wrth iddi frwsio'r stepen drws 'Mae'n beryg y cawn ni dalu am hyn eto'. A digon gwir y gair. Wrth godi y bore canlynol roedd y gwylanod eisoes mewn ffrewyll a'r môr yn berwi, a'r gwynt yn chwyrnu drwy fastiau'r cychod dewr ar ben y cei. Y gweddill ffyddlon. Roedd fel petai'r storm wedi dod i olchi'r cof am yr hen flwyddyn. Câi'r neuadd ddifyrrwch ei chwipio'n ddidostur ar y ffrynt fel plentyn drwg, a rhuthrai ci bach strae am gysgod yn y gerddi ger y Llecyn Du — gardd y rhyfeddodau a fyddai mor dyner yn yr haf. Ysgydwai'r planhigion yng ngerddi'r gwestai fel pobl yn codi llaw yn y ffenestri, a'r tywod yn ymledu ac ymdaflu o'r traeth fel pla locustiaid heb barch i forglawdd na chyngor Sir. Ar y rhodfeydd a redai o'r glannau am y mynydd, sibrydai'r tywod ei ffordd hyd y pafin fel pechodau ar ffo yn ymsymud heibio i Gaffi Belmont, yn chwilio am newydd drigfan. Berwai Coed Hendre Mynach fel petai hen gyfrinachau yn crynhoi a chyffroi yno.

Ond y dyddiau nesaf roedd hi mor gyfnewidiol â'r flwyddyn oedd ar ymagor. Dro arall deuai niwl, ac yn ei ganol, i ba le yr aeth Llwyngwril, Waen Oer a Thyddyn Sieffre? Dim golwg ohonynt mewn tywydd fel hyn. A thrannoeth y gawod, llonyddwch ac aroglau dilyn cawod yn codi o'r perthi a'r llwybrau a'r eithin a flodeuai drwy'r cyfan. Arhosai'r môr yn gymharol fywiog drwy'r cyfnod ac roedd miwsig arbennig i donnau'r môr yr adeg yma, rhyw gyfathrebu, bob amser. Cysondeb di-ildio yn ei dorri a'i gilio. 'Mae ganddom ni lawer i'w ddysgu o'i dorri gonest ar draeth y dydd.' Dyna eiriau Dad ar ddechrau blwyddyn newydd — 1969.

Cafwyd gwasanaeth cofiadwy iawn y bore hwnnw efo'r gweinidog ifanc, a'r plant i gyd yn derbyn Cristingl. Oren, rhuban goch o'i hamgylch a darnau o ffrwythau ar bren, a chanolbwynt y cyfan — cannwyll. Dysgodd Gareth mai'r byd oedd yr oren, gwaed Iesu ar y Groes oedd y rhuban, ffrwythau'r ddaear oedd ar y prennau, a'r gannwyll oedd goleuni Duw i'r byd.

* * *

Amser chwarae rhwystredig a gafwyd ar fore glawog yn yr ysgol. Roedd rhaid i Gareth edrych ar yr olygfa gyfarwydd — roedd y twyni yn dywyll, y tywod wedi hen sugno'r dŵr glaw, a deuai niwl hedegog llaith i mewn o'r môr. Roedd y lle swatio rhag cawod, a fu'n guddfan ac yn gysgod i gymaint o ymwelwyr haf, bellach fel hen filwr unig yn amddiffyn tiriogaeth, yr olaf un. Synnodd Gareth lawer tro ar yr arwydd ar ffiniau'r ysgol a ddywedai nad oedd croeso i dresmaswyr. Heddiw, edrychai'r arwydd ei hun yn dresmasydd.

Agorodd Gareth ddrws cefn trwm yr ysgol i gael gweld a oedd y glaw yn arafu. Medrodd wneud hyn yn slei bach ar ôl y diod o laeth borëol, ac ar y ffordd i'r tŷ bach. Pwy oedd yn sefyll y tu allan i gefn yr ysgol dan gysgod y beiciau ond Gwynedd. Syllai ar ei draed yn ddagreuol euog, ac roedd yn amlwg fod rhywbeth yn ei boeni. Gofynnodd Gareth i Brian Walls' Sausage am esboniad. Mae'n debyg fod y meddyg wedi dweud wrth Gwynedd y byddai'n rhaid iddo golli pwysau, a doedd o ddim yn or-hoff o'r meddyg; bu'n rhaid ei lusgo i'w weld.

'*It's Gwynedd's own fault. He's always down in the dumps.*' Yna llithrodd Walls oddi yno heb air o eglurhad.

Roedd Gareth mewn penbleth. Ai cyfeiriad at floneg Gwynedd oedd hyn, neu rybudd i beidio mynd at y *dump*. Roedd yno rhywbeth oedd yn eich gwneud chi'n dew felly, beth tybed? Roedd y Cae Pêl-droed gerllaw, ond wedyn cofiodd pa mor denau oedd Bermo a Dyffryn United. Druan o Gwynedd. Ond mi roedd o'n baeddu ei ddillad ar y tomennydd sbwriel enfawr ger y Cae Pêl-droed. Rhybuddid Gareth gan Mam nad oedd o byth i fynd ar gyfyl y *dump* yn enwedig i ganol anelu deheuig y gwylanod a giliodd o'r glannau haf. Ond wyddai Gareth ddim tan y bore hwnnw fod yna fwy nag un *dump* yn y Bermo. '*Down in the dumps*' ddeudodd Brian Walls wedi'r cyfan. Byddai'n rhaid eu hosgoi.

* * *

Noson o aeaf clyd wrth y tân a goleuadau'r dref yn wincio'n ddisgwylgar i lawr o Hendre Mynach, hyd y gwastadedd llymach ac yna at sbecynnau yr hen Fermo. Gellid yn hawdd adnabod bob golau rŵan a hithau'n aeaf sefydlog, ac roedd yna ryw apêl yn hynny i Gareth — medru adnabod y golau, a gwneud jig-sô o'i fyd bach a rhoi trefn ar bethau.

Er garwed ambell noson, parhâi cyfarfodydd y Gymdeithas Lenyddol. Pan oedd yna ddarlith, a honno fel arfer yn un drom, cymharol ychydig a fynychai. Pobl gyffredin oedd pobl y Bermo wedi'r cyfan, ac nid ysgolheigion — er bod ambell un o'r rhywogaeth hwnnw yn clwydo rhwng Tre Boeth a Llanaber.

Weithiau fe âi sgyrsiau gan bobl y teledu a llenorion nodedig dros eu pennau yn llwyr; beth bynnag, fe allent eu gweld nhw ar y teledu os oedd angen hynny, yn Heol Idris, Tŷ'r Graig, Glan Meon a Teras Glanfor.

Un o selogion y cyfarfodydd oedd 'y Bardd' a grwydrai'r Bermo efo'i fac hir llwyd a'i benillion, yn sylwi ar y trigolion. Roedd o'n byw yn ymyl Sybil a hithau'n edrych ar ei ôl yn gymdogol, ddistaw bach. O dro i dro, âi ag ambell i gacen neu bryd o fwyd oedd dros ben yn y *Rendezvous* yno. Llysenw Sybil arno oedd 'Shakespeare', ond gwyddai ei fod o'r siort orau — yn werinol, llawn cydymdeimlad — a bod ganddo, yn ei fyd cyfyng, garedigrwydd. Er ei bod hi'n ymddangos fel petai'n tynnu ei goes yn gyhoeddus, yn ei fychanu hyd yn oed, roedd yna edmygedd rhyfedd yno.

Cafwyd paratoi at un cyfarfod arbennig o'r Gymdeithas Lenyddol. Roedd Cynan Hedd, Bardd y Gadair *'yes, the* Genedlaethol *dear'* yn dod yno i ddarllen ei awdl fuddugol. Bu Aintoinette Hughes yn aredig y tir yn dda ar gyfer ei ddyfodiad:

'*Good grief, he's the 'tops'* cariad, mae'n rhaid i chi ddod. *Not one of your* bardd talen slips.'

Wrth y rhai mwyaf llengar, dyma oedd yr abwyd:

'Does dim rhaid i mi ddweud wrthach chi fod Hedd *thingymidgig* yn y Gymdeithas Lên. *Say no more.* Ydech chi'n dod?' Erbyn hyn roedd cryn sôn wedi bod ar hyd ac ar lêd am Fardd y Gadair.

'Dwi'n ail fam iddo fo — 'dan ni'n perthyn. *Of course he literally lived with us* pan oedd o'n fachgen. Cynan Hedd *darling.'*

Noson o law difrifol oedd y noson honno, ond roedd ffyddloniaid y Bermo yno yn stemio, yn arbennig Shakespeare a fu'n dawnsio yn y glaw ynghynt. Bu'n rhaid i Gareth a Mam gerdded yno achos fod Dad yn rhy brysur — er fod yntau o bosib ymhlith y mwyaf llengar yn y Bermo pan welai ymhellach na chymylau gwaith. Erbyn i Gareth gyrraedd y neuadd gynnes, Neuadd yr Eglwys, roedd ei drowsus yn socian hyd ei groen, a buan iawn y dechreuasant stemio. Mae'n rhaid ei fod o'n gyfarfod pwysig — nid pawb a gâi fynd i Neuadd yr Eglwys, ar y Bryn.

Dotiodd Gareth at y stêm yn codi o'i drowsus, ac eto teimlai rhyw fymryn yn hunanymwybodol hefyd.

Dechreuodd y cyfarfod, ac roedd hi'n ymddangos fod y gŵr gwadd fwy at ddant pobl y Bermo na fu amryw o siaradwyr. Roedd o'n chwerthin yn un peth, ac yn sôn dipyn am ei gefndir. *'The human touch,'* chwedl Aintoinette Hughes. Yna fe ddaeth i adrodd rhannau o'i awdl fuddugol, a dyma lle y cyrhaeddodd porthi Aintoinette rhyw uchafbwynt na welodd y fro mo'i debyg o'r blaen. Ar ôl ambell i gynghanedd groes o gyswllt ceid ebychiadau a fyddai'n deilwng o ddilynwyr yr hoelion wyth fu gynt yn hau eu cyfrinachau hyd y fro.

'*Ugh!* Gwefreiddiol.'

'*Lovely. Super dooper.*'

'Mae o'n dda.'

I goroni'r cyfan '*I can't take any more.* Rhagorol.'

Sgwn i sut y teimlai Cynan Hedd wrth glywed:

Mind blowing.'

'Wel . . .'

a '*hunky dory*' o'r rhes flaen, a Shakespeare yn trio peidio â chwerthin ar ei phen.

Roedd Aintoinette yn ddiddiwedd o ddramatig, yn nhraddodiad gorau y Bermo Dramatics a eisteddai yn rhes wrth ei hymyl wedi eu hoelio i'w seddau. A'r dyfarniad: 'Fe fydd raid i ni ei gael o eto. *He's our kind of person.* Ro'n i'n teimlo fel codi ar fy nhraed a gweiddi '*Encore*' ar ôl y *rivetting performance* yna. Yn doedd y gynghanedd yn clecian? *I couldn't do it you know.* Mae o'n rhy gaeth i fi cariad. Beth bynnag, fysa'r dannedd gosod 'ma'n dda i ddim i'w hadrodd nhw. Mi fasa hi'n *pig's feet*. Ond mi 'dan ni wedi cael noson *breathtaking.*'

* * *

Dannedd, dannedd a mwy o ddannedd — dyna sut y bu hi yn yr ysgol y bore hwnnw o Ionawr. Yn ddirybudd, daeth y deintydd a'i gynorthwywyr fel rhyw Santa Clôs hwyr i edrych yng ngheg pob un o'r plant. Pan oedd o'n cael paned diniwed efo'r athrawon, edrychai fel unrhyw ymwelydd arall. Ond unwaith yr aeth i'r dosbarth synnodd pawb at y gweddnewidiad, ac at y ffaith eu bod i gyd yn teimlo braidd yn nerfus. Meddiannodd y deintydd, Mr Seaman (neu Mr Lan y Môr i Alex), gornel ddarllen y dosbarth, tra oedd ei gynorthwywyr yn brysur yn trefnu ei nodiadau.

'Big Brother is watching you,' — dyna ddywedodd tad Gareth wrtho unwaith am rywbeth. Efallai mai dyma'r hyn oedd o'n ei feddwl.

Gwisgodd Mr Seaman fwgwd am ei wyneb a menig rwber ar ei ddwylo, ac eto nid edrychai ddim byd tebyg i Mr Froth, deintydd y Bermo, a barlysai fywydau plant bach â nwy.

'Pam 'mod i'n gwisgo'r menig 'ma?'

'Rhag ofn i chi gael *germs*,' atebodd Alex.

'Cywir. Reit, y cyfan fydda i'n ei wneud rŵan ydy edrych yn eich ceg. A'r cyntaf yno i'r sedd oedd y geg fwyaf yn y stafell — Alex.

'Mae gen i *plaque*, ychi?' meddai gan edrych i fyw llygaid Mr Lan y Môr. Ia, un da oedd Alex — yn cofio hysbysebion teledu ac enwau fel *'plaque'*.

'Be sydd eisiau i chi gofio'i lanhau?'

'Eich dannedd efo *Colgate*,' meddai Ioan.

'Ia,' meddai'r deintydd.

Mae o'n rhoi *'ring of confidence'* neu rwbath i chi, yn ôl y telifison. Un da oedd Ioan Wyn hefyd efo'r deintydd. Dotiai Gareth at y ddau yn rhoi amser caled iddo. Brwydrodd y deintydd yn ei flaen:

'Dach chi'n gweld, mae da-da yn cynnwys siwgwr gwyn, ac mae hwn yn creu asid sy'n difetha'ch dannedd. Felly be ddylsech chi byth ei wneud?'

Roedd pawb, hyd yn oed Alex, y mwyaf brwd gyda'i atebion, yn gyndyn o ateb y cwestiwn hwn, er ei fod o'n gwybod.

Ac meddai Jane fach dawedog o'r cefn: 'Peidio byta da-das,' yn ddiniwed agored.

'Yn union,' meddai'r deintydd.

'Be?' protestiodd Alex, 'dim da-das byth eto, ddim hyd yn oed un?'

'Wel, dim ond y rhai y medrwch chi eu byta yn gyflym heb aros yn y geg. Dydech chi ddim isio i'r hen asid cas 'na ddifetha'ch dannedd chi.' Yna daeth cwestiwn agored i'r llawr: 'P'rai ydy'r melysion gorau felly?'

'Ydy *Treets* yn iawn?'

'Nac ydyn.'

'*Gobstoppers* bach sydd ddim yn stopio'ch *gob*?'

'Na.'

'*Mars Bar*?'

'*Marathon*?'

'*Milky Bar Kid*?'

'Na, na, na! Dydy 'run o'r rhain yn dda i ddim. Ond mae 'na *mints* bach neis fydd raid i chi ofyn i Mam neu Dad eu cael nhw i chi. Mints heb siwgwr ynddyn nhw.'

'Ych,' meddai Alex 'ond dwi'n licio *Pepsi*, ac yn licio'i symud o ar hyd fy nannedd i gyd.'

'*Sugar free mints*.'

Ar ei draws — Jane fach eto.

'Ydy *pips* yn iawn i ti fwyta?'

Dwys ystyried gan y deintydd 'Wel . . . ym . . . ydan, ond ddim gormod ohonyn nhw.'

Wel, am ddiflas meddyliodd pawb, fe fyddai'n rhaid bwyta'n gynt felly er mwyn i'r asid beidio ag aros yn eu ceg. Arswydai Gareth wrth feddwl am effaith y *Toffetts* a lynai wrth ei ddannedd yng nghwmni Flash Gordon ar fore Sadwrn, yn y Paf. Nid edrychai'r criw yn falch iawn hefo'r ddedfryd o orfod crefu ar eu mamau a'u tadau i brynu *mints* heb siwgwr.

'Be am beidio â dweud wrth Mam a Dad?' Alex oedd yn arwain y chwyldro a'r trafod.

Ond cyn y gwnaed un rhyw benderfyniad o bwys, dyma eiriau ffarwel Mr Lan y Môr yn torri ar y cyfan:

'Be ddylech chi wneud bob chwech mis?'

'Glanhau eich dannedd,' meddai Ioan Wyn.

'Naci, naci, naci! Mynd i weld eich deintydd yma yn y Bermo. Mr I. Love-Froth, er mwyn iddo fo gael llenwi twll bach yn hytrach na thynnu dant mawr, mawr.'

Roedd wedi llygadu pob dant yn y dosbarth.

'Oes 'na rywun arall ar ôl?'

'Oes — Mrs Alaw,' ebe Ioan gan droi golygon pawb at yr athrawes. Fe fu hi'n mwynhau yr olwg newydd ar fyd y dannedd, ac fe'i syfrdanwyd o'i chnoi cil a'i synfyfyrio, gan awgrym o'r fath! Cofiodd lle'r oedd hi yn sydyn! Coronwyd y diolch a'r ffarwel i'r Deintydd Ysgol gan gyfraniad Ioan.

'Mae Mam yn deud bod y rhai blaen 'ma, y dannedd 'ma yn de, yn tyfu i *six foot five*.'
Bradychai gwep Mr Lan y Môr ei deimlad mai talcen go galed oedd yr oedran yma.

'Wel, y cyfan fedra i ddeud ydy — deuda wrth Mam am ddod i 'ngweld i. Reit fuan.'

★ ★ ★

Bore Sadwrn unwaith eto a'r unig beth a flodeuai fel gobaith drwy aeaf y Bermo oedd yr eithin ger grisiau Brynawel, lle'r âi Theresa a'i brawd i'r Eglwys Gatholig bob bore, a dod yn hwyr i'r ysgol. Tystiai'r eithin i rywbeth amgenach na'r llwm a'r marw.

Roedd Gareth am fod yn feiddgar heddiw. Gan ei fod wedi nôl ei *Action Transfers* ben bore o *Smiths* a'i loriau pren, atseiniol, fe aeth am dro o amgylch llwybrau cyfarwydd y cei. Ar ei ffordd heibio siop Mr Finch, ni allai beidio â rhyfeddu at drefnusrwydd cyflwyniad cabeledig y deunydd yn y ffenestr, boed felysion neu emau gwerthfawr. Yna ymlaen am y cei heibio i siop dal, lydan *Morris* oedd yn ei atgoffa o'r siop y byddai ei fodryb Cerys yn mynd ag o iddi yn Aberystwyth weithiau. Heibio i Gapel Caersalem, ac yna sleifio hyd dalcen dde Eglwys yr Harbwr — Eglwys Dewi Sant — ac o dan lwybr y rheilffordd, hithau ar ei *stilettos* yn uwch na'r harbwr, i sicrhau fod cledrau'r rheilffordd yn ddiogel.

Wedyn, mater o brynu da-da oedd hi, ar ôl syllu ar fysedd ffyddlon y cloc a newidiai ei amser unwaith y dydd yn unig — cloc y llanw uchel. Yna, cnoi wrth gerdded heibio i gornel wichlyd y gwylanod, heibio'r tirlithriadau ar y graig ac i Fro Gyntun, heb fentro i fyny'r cant a mwy o risiau i fyny Garn Gorllwyn. Aeth yn ei flaen drwy Fro Gyntun gan edrych i lawr ar Bont y Bermo a fu'n cludo'r rheilffordd i'r dref ers 1860. Nid aeth i fyny am y Panorama ond dal ymlaen ar ffordd Dolgellau am Aberamffra; ac roedd y ffordd yn gul a'i gerddediad yn bwyllog. Deuai llais Mam i'w feddwl:

'Paid ti â mynd yn rhy bell heddiw. Maen nhw'n deud fod Mrs Letus yn ôl yn yr ardal — roedd dy Yncl Len ofn Mrs Letus pan oedd o'n fach. Gwylia dy hun! Mae hi'n crwydro'r wlad.'

'Ar y mynyddoedd?'

'Weithiau.'

'Yn lle 'ta?'

'Elli di fyth fod yn siŵr. Ond dyna fydd dy gosb di os ei di'n rhy bell cyn te.'

'Be?'

'Mrs Letus.'

Rhaid iddo gyfaddef bod y syniad o fygythiad o'r fath yn chwarae mig yng nghefn y meddwl wrth iddo lithro y tu hwnt i fyd bach ei gylchdaith arferol. 'Cofia di am Mrs Letus . . . Mrs Letus . . . Mrs Letus . . .'

Wrth edrych i lawr yr aber, heibio'r Goes Faen am Ynys Dafydd ac afon Dwynant, roedd yna ias ym min yr awel, a'r awyr yn ddisgwylgar, a rhai wedi sôn am eira yn cuddio yng nghynfasau'r cymylau.

Ond roedd Gareth yn benderfynol o gyrraedd gwaelod allt Aberamffra i gael gweld drosto'i hunan fod yna aber Amffra ac afon Amffra, ac mai hi oedd yr afon leiaf yn yr ardal. Roedd Mr Williams wedi bod yn ei herio yn yr Ysgol Sul. Cyn cyrraedd y gwaelod syllai Gareth ar y rhes o dai a grogai ar y dde i'r allt gul wrth gerdded, gan synnu eu bod mor agos at y dibyn uwchlaw'r afon, mor syth ag ochr clogwyn, yn syllu ar Fin y Don ar draws y foryd. Fuasai Gareth ddim balchach o gael byw yno. Beth petai'n llithro i'r môr un noson o aeaf? Er, mi fuasai hi'n braf syllu draw ar Arthog a Fegla Fawr a Bach. Mae'n siŵr y gellid gwireddu un o freuddwydion Gareth oddi yno — sef rhifo faint o goesau oedd gan bont y Bermo. Ar wahân i hynny, bywyd go gyfyngedig fyddai yn yr honglwth o rês ger Cornel Penrallt.

Wrth iddo ddynesu at waelod allt Aberamffra, gwelai'r Tŷ Cloc ar y Goes Faen, ond yna rhewodd ei galon, a'i gerddediad. Rhwng y Goes Faen ac yntau, ymlwybrai dynes yn gwisgo het *beret* a chôt wyrdd golau fudr. Daliai fag llaw yn fygythiol. Mrs Letus. Pwy arall allai hi fod? Ac roedd hi'n dynesu. Diflannodd pob awydd am gael gweld tricl o aber bibellog nant Amffra druan fel yr heglai Gareth hi'n ôl i fyny'r allt. Byddai llochesu yn y rhes tai hyll wedi bod yn bleser rŵan.

Wrth i'w ddychymyg or-weithio, ni wyddai Gareth mai Beti Bog o'r Bermo oedd hon. Fe'i llysenwyd felly am iddi unwaith lanhau'r toiledau merched yn y Bermo am haf cyfan. Ond cymeriad a oedd byth a hefyd yn synnu dyn â'r annisgwyl oedd Beti Bog, ac yn y cyfnod hwn o'i bywyd hudai deithwyr i roi pás iddi i wahanol rannau o'r wlad. Ni phrynodd docyn bws erioed, ond fe'i gwelid y dyddiau hynny ar rwydwaith ffyrdd Ardudwy yn barod i hyrddio ei hun at fonedi ceir. Weithiau byddai'n dychmygu ei bod ar ei ffordd i'w gwaith rhan-amser yn Aberystwyth, neu ar y ffordd i weld rhyw deulu yng Nghorris. Deuai'r swanc efo ceir ymwelwyr, ac roedd hi wedi honni ei bod hi'n *film star* cyn heddiw. Ond mi roedd hi'n hapus yn crwydro o le i le, a dywedai pawb ei bod hi'n well nac y bu ers blynyddoedd.

Tybiai Gareth iddo ddianc yn ffodus o grafangau'r ddiarhebol Mrs Letus.

'Be sy'n bod arnat ti? Ti'n ddistaw iawn.'

Doedd dim syndod fod gosteg yn teyrnasu oducha platied nobl o salad gan Mam ar bnawn Sadwrn!

* * *

Doedd neb o ddosbarth Ysgol Sul Gareth yn digwydd bod yno ar y prynhawn Sul glawog hwnnw yn dilyn holl weithgarwch y bore. Yn lle cael ei roi yn nosbarth Mr Williams lle câi sôn am afonydd, bu'n rhaid iddo fynd at y plant lleiaf. Efallai bod ffawd o'i blaid gan fod y daith i geisio aber yr afon Amffra wedi bod mor drychinebus, a byddai'n rhaid cyfaddef hynny wrth Mr Williams. Byddai'n siŵr o ofyn.

Ond mwynhaodd gwmni annwyl Anti Marian heddiw. Roedd hi'n fam i bawb, a châi pob plentyn ei drin o ddifrif ganddi. Dysgai hwy i weddïo'n unigol ac ni ddifriai hyd yn oed gyfraniad yr hogyn bach a ddiolchai ag arddeliad am '*chips* Mam' yn wythnosol yn ei weddi. Yna caed newyddion yr wythnos gyda phob plentyn yn cael

mynd i ben y bwrdd i draethu. Ceid penawdau newyddion am barti
pen-blwydd, handbag, neu ddoli newydd, breichled swel, neu sôn
am ddyn eira gwantan a adeiladwyd efo'r ôd unnos annisgwyl a
ddaeth o'r awel bygythiol a deyrnasai bnawn Sadwrn.

'Dwi'n cuddio y tu mewn i fy nyn eira i,' ebe un ohonynt.

'Paid â deud celwydd,' meddai Anti Marian. Yna ar ôl i bawb
roddi bys dros y geg yn hapus a distewi, fe gafwyd stori am Iesu
Grist yn cerdded ar y môr.

'Faint ohonoch chi sy'n medru cerdded ar y môr?'

'Fi. Dwi'n neidio.'

'Neidio? Dydy hynny ddim yn gerdded ar y dŵr. Pwy sy'n
medru?'

'Mae Dad yn medru cerdded ar y dŵr.'

Daeth awydd chwerthin dros Anti Marian wrth iddi ateb Dyfan
bach.

'Wel, falle ei fod o'n gallu gwneud dipyn bach, ond yr unig un
oedd yn gallu gwneud y peth yn iawn oedd Iesu Grist.'

Ar ôl yr Ysgol Sul y prynhawn hwnnw fe aeth Gareth i grwydro
ochr y mynydd. Cuddid popeth o'r Pwll Du i fyny, dan niwl y
glannau. Swatiai Carreg y Gribin yn wlyb sofian, ond eto â rhyw
falchder a harddwch. Enw rhyfedd oedd y Pwll Du — doedd dim
dŵr yno rŵan — yr unig beth du bygythiol y gwyddai Gareth
amdano oedd y Twll Du i blant drwg yn yr ysgol.

Wrth gerdded y llwybr am Ddinas Oleu, roedd y glaw yn arllwys
o gylch ei esgidiau gan greu effaith sbwng. O'r llethrau ni fedrai
weld ymhellach na llinell y promenâd islaw. Syllai ar slogan 'Ban
The Bomb' wedi ei baentio ar ochr y graig a sumbol wrth ei ochr.
Roedd o wedi gweld rhai eraill ar hyd y llwybr. Rhyfeddai at y
sumbol crwn, ond ni allai fod yn siŵr. Cofiai i un o blant y ffair
ddweud wrtho:

'It's where the German mines were planted during the Second World
War. If you want to live you'd better not jump on them rocks.' Felly
cadwai Gareth ymhell gan ddringo'n ofalus rhag ofn i un o'r
ffrwydron chwythu. Dro arall cofiai ofyn i un o ffrindiau ei chwaer
beth oedd y sumbol, a'r cyfan a gafodd yn gyfnewid oedd golwg
euog, ymwybodol.

Daeth Gareth yn ôl i lawr i lefel Eglwys Sant Ioan a syllai i lawr o'r ffordd dolciog ar Neuadd yr Eglwys. Yma y prysurodd Katie Cheedle a'r *Brownies* ar ôl i'r ffenestr frathu ynghau y noson honno. Dyma lle bu Cynan Hedd yn clecian ei gynghanedd, ac weithiau fe âi Gareth i'r Sgowtiaid yma. Byddai pawb yn chwarae râs gyfnewid mewn timau, yn dysgu sut i wneud clymau ac yn adrodd *'The Lord's Prayer'* cyn cael diod o oren a bisged. Byddai pawb yn gwybod *'The Lord's Prayer'* ond Gareth — dim ond ambell gymal a wyddai — *'Our Father, who art in heaven. 'Hello' be thy name . . .'*

Hoffai Gareth ran nesaf y daith yn ôl i Ben Parc — a'r allt hynod o serth i fyny heibio ochr Eglwys Sant Ioan. Roedd yna ffrwd barablus yn gwmni ar yr ochr dde, yn enwedig ar dywydd gwlyb. Llif di-nerth, os o gwbl, gafwyd yn ystod yr haf braf. Hwyl oedd cerdded i fyny'r allt wysg eich cefn, yn wir peth cwbl angenrheidiol ar ôl tipyn, gan fod yr allt mor ddigyfaddawd o serth. Hoffai Gareth ddodi ei 'ben pêl rygbi' chwedl Brian Walls, rhwng cerrig brig y wal, er mwyn cael cip ar y dref islaw. Heddiw gwelai ferw ewyn gwyn, ambell gorn simdde myglyd, a dyn efo'i gi ar Stryd y Brenin. Hoe bach cyn ailgychwyn am ben yr allt a'r tŷ mawr gwyn ar y gornel — Craig y Nos.

Weithiau byddai Pen Llŷn yn risial o glir oddi yma; dro arall (fel heddiw) roedd hyd yn oed y Friog ac afon Mawddach yn anodd i'w gweld. Rhaid oedd prysuro am Ben Parc i lawr grisiau Brynawel rŵan, neu fe fyddai Mam yn grac ei fod o'n hwyr i de!

* * *

Gaeaf yn ei anterth min nos Sul a llanw anghyffredin o uchel i ddechrau Chwefror. Eisteddai Gareth yn edrych ar batrymwaith y glaw ar y ffenestr lwyd, wedi syrffedu darllen *Mot Ni* am y trydydd tro, er cymaint yr oedd wedi'i fwynhau o y troeon o'r blaen. Roedd Dad wedi sôn ambell dro am chwip y gwynt dros bridd erwau gerwin ei gyndeidiau ar lethrau Ardudwy. A rhywsut wrth gofio hyn, daeth awydd arno i fentro i'r gwynt a'r glaw.

Roedd bywyd bob dydd yn dal i fynd yn ei flaen — rhwygiadau a phethau bob dydd hyn o hoedl — ond roedd 'na bethau yn y Bermo i'ch codi uwchlaw y manion hyn a'ch dwyn i le hudolus iawn lle chwibanai'r gwynt drwy olion haf o hyd. Aeth Gareth i lawr heibio'r orsaf reilffordd, a rhywsut fe edrychai drwy'r gaeaf, fel pe bai'r orsaf hefyd wedi dod i ben y lein, y platfform yn wag a'r seddau'n wlyb.

Aeth yn syth at y dŵr. Ffriai'r môr yn afradlon aflonydd a chwibanai'r gaeaf rownd pob cornel a'i boeri yn y gwynt. Sgleiniai ac ysgydwai goleuadau'r Friog a Llwyngwril eu presenoldeb, fel pe baent yn argyhoeddi pererin o fodolaeth yr 'ochr draw'. Swniai tonnau'r môr fel cymeradwyaeth hollbresennol yr Iôr i'w Gread. Teimlai Gareth ryw arwriaeth ac wrth gerdded ochrau'r aber pan ymwthiai'r llanw i mewn. Gorweddai'n llonydd ar freichiau'r pren torri'r llanw a graean amser islaw yn cael ei lyfu gan dafod disglair y môr.

Clwydai feranda Tŷ'r Baddon ar ben y cei yn braf uwchlaw'r berw, a'i goesau wedi rhydu dan gôt newydd o baent gwyn a gâi bob gwanwyn pryd deuai'r ymwelwyr i sipian *Coca Cola* ar y byrddau crwn a osodid arno. Gallai Gareth fod yn gwbl gartrefol ar ben y cei mewn unrhyw dywydd — yn wynebu'r tonnau. Roedden nhw'n gyson, doedden nhw ddim yn ei frifo, ac roedd o'n medru siarad efo nhw. Protestiai'r cerrynt cryf ei bresenoldeb hyd y stepiau culion, a deuai'r tonnau i glapio ar y concrit. Roedd Cader Idris wedi ei chuddio erbyn hyn, drachefn. Rhewodd Gareth yn ei unfan wrth weld y cerflun yn ffenestr amgueddfa'r Bad Achub — parodd i ryw arswyd tawel lithro drosto. Yna, sbecian i mewn drwy ffenestri cynnes Clwb y Morwyr ar yr harbwr. Roedd y gwynt fel wal gref yn chwythu heibio Eglwys Dewi Sant, ac wedi iddo gael ei aflonyddu gan ddelw'r ffenestr, prysurodd ynghynt na'r disgwyl drwy'r strydoedd gwag a gwelw unwaith eto i ddiddosrwydd Pen Parc. Ni ddaeth neb o'u cilfachau i aflonyddu ar stryd y gaeaf.

'Lle ti 'di bod?' Dyna a gâi wrth ddychwelyd yn ôl i Ben Parc, a rhwygo'r dillad gwlyb oddi amdano yng nghegin boeth y ffwrnes electrig. Ond pa ots? Roedd rhywbeth yn gwneud iddo aros yn y gwynt a'r glaw, rhywbeth yn gwneud iddo deimlo'n eofn a hyderus.

Wrth noswylio, agorodd Gareth ffenestr ei stafell wely er mwyn i'r awel chwythu i mewn ar ei wyneb a'i wallt ac yntau'n glyd tan gynfasau. Byddai'r glaw yn dod eto cyn hir fel taro teipiadur swyddfa'r prifathro yn yr ysgol. Cyffyrddiadau ysgafn ar hyd y ffenestr.

Boddodd ei feddwl yn sŵn y môr, a dychmygodd fod y gwely yn llong ddiogel, glyd ar wylltineb y tonnau. Cyrhaeddodd borthladd breuddwydion fel y Bardd Cwsg y bu Mr Williams yn sôn amdano yn yr Ysgol Sul — yn edrych drwy'i sbienddrych, ac yna'n breuddwydio'n braf! Ac wrth i'r llong fynd i lawr efo'r afon clywid llais ei Dad fel Bendigeidfran yn gorwedd allan ar hyd y bae:

'Dwn i'm be sy 'di dod dros ben y bachgen 'ma. Unrhyw ddŵr bach sy'n llifo yma ac acw, mae o isio gwybod be ydy'i enw fo. Roedd o'n gofyn i'w Nain enwi holl afonydd Sgotland, a Taid yn deud wrtho fo: 'Be sy' haru ti hogyn? Dydy dy nain ddim yn gwybod enwau afonydd Sgotland . . .'

* * *

Cafwyd diwrnod annisgwyl o hwyliog yng Nghaffi'r *Rendezvous* ar ddydd Mawrth Ynyd pan alwyd am gymorth Sybil i daflu crempogau drwy'r prynhawn. Bu Mrs Alaw yn gwneud crempogau efo'r plant yn yr ysgol hefyd, ac fe gawson nhw i gyd flas ar eu gwneud a'u bwyta. Roedd Ioan Wyn yn mynnu fod crempog Nain yn rhagori ac roedd Nain wedi cael cyntaf yn yr Eisteddfodau Genedlaethol am wneud crempog, 'Oedd wir . . . r.'

Yr unig beth a boenai Sybil wrth iddi roi '*toss*' i hon a '*toss*' i'r llall oedd 'Biti fod 'na ddim ci yma i fyta'r fflops, uffe'n.' Yna ymlaen â'i gwaith.

'*Why did the submarine blush? Because it saw the Queen Mary's bottom.* Uffe'n o un dda 'di honne. Y plant sy'n deud nhw wrtha i yn y cantîn. Pam aeth *Mickey Mouse* i'r lleuad? I chwilio am *Pluto.* Dwi gyn 'roned â bwced heddiw.' Roedd clywed Sybil hyd yn oed efo hen ddefnydd yn gwneud y cyfan yn newydd.

Ar Ddydd Sant Ffolant gwisgodd Sybil drwsus lledr pwrpasol a chael gwallt *beehive* yn arbennig i siwtio pawb.

'Dwynwen. Pwy 'di hi? Yn troi'i chariad yn lwmp o rew? Den ti drastic. Biti na 'swn i 'di meddwl gwneud nene. Hyd yn oed os ydach chi 'di dathlu ei dydd hi mae gen i rywbeth i wneud i'ch gwaed chi ferwi ar *St Valentine's*'.

Edrychai'r gweinidog arni'n reit amheus yn enwedig ar ôl iddo brofi dipyn o'r *hot stuff* ar hyd ei drowsus yn y Bore Coffi dro'n ôl.

'Sbia ar hwn ffŵl, dwi'n llardie — dwi 'di bod wrthi drwy'r bore yn ei gwneud hi, a dadorchuddiwyd yn ei holl sblander y *passion cake*.

'Un darn o nene, *and every man for himself* fydd hi uff'en.' Teimlodd Sybil ryw barchedig nerfusrwydd yn codi o rywle ar ôl hyn a roddodd glymau ar ei thafod yng nghwmni'r gweinidog, wedi iddi weld nad oedd yr ysgafnder yn taro deuddeg.

'Stedda lawr wir,' meddai wrth Aintoinette Hughes. 'Gwylia di holl ddynion y lle 'ma heno ar ôl i ti gael darn o hon.'

'Be ydy hi? Rhyw *gateau* fach ddiddorol?'

'Nage, *full-blooded passion cake*.'

'Ŵ, yr hen beth ddrwg, tyrd â darn i mi. *I'm steaming up already*. Drycha ar 'y sbectol i.'

'Hei ddynion, gwyliwch eich hunain heno 'ma. Clöwch eich drysau i gyd — ma' Aintoinette, *stâr of Bermo Dramatics*, yn cael darn o *passion cake*. Mi fydd 'na *passion* yn Craig y Nos heno.'

'*Oh really* . . . Dim *crime of passion* gobeithio *darling*.'

'Mae'r Gw'nidog wedi cael dipyn hefyd.'

'O druan. Mae'n rhaid fod y cr'adur bach eisiau gwraig. Rhywun i weddnewid ei fywyd bach o. *A bit of hot stuff*!'

'Cwic wir, llynca llond gwlad o'r gacen ene. Ma'na rai yn deud ei bod hi'n rhy drwm iddyn nhw. Gwneud i'w gwaed nhw ferwi.'

Chwarddodd y ddwy. A dyfarniad Aintoinette wedi i'r effaith gael cyfle i gipio ei chalon ysig.

'Wel, mi roedd y *passion cake* 'na gymaint o iws ag *ash tray* siocled. Yr hen ffŵl i ti.' A noson dawel gafwyd yng Nghraig y Nos a thrwy'r ardal yn gyffredinol.

Oh la-la!

★ ★ ★

Rhai da oedd Anti Meleri, Yncl Gwynfor a Gwilym. Rhai da eu croeso i Gareth yn enwedig ar ôl yr ysgol pan fentrai ef i Gwylan, Ffordd Dyrpeg. Byddai Gareth wrthi'n dysgu geiriau fel Gina Lollobrigida i'w gefnder pedair oed, y geiriau sylfaenol. Rhai da am fwyta oedden nhw hefyd, ac Anti Meleri byth a hefyd yn sôn am ryw ddull newydd o wasgaru'r pwysau — o *Slim Away* i'r *Limmits*. Gan fod tad Gareth yn frawd ffyddlon a deddfol yn y materion hyn, fe sicrhaodd fod gwylio pwysau ei chwaer yn un o brif orchwylion ei fywyd. Ond gwaith anodd ydoedd:

'*Limmits* yn lle pryd — ia iawn, ond nid y paced cyfan.'

Nyrs yn y clinig lleol oedd Anti Meleri, ac weithiau byddai'n rhaid iddi weithio'r oruchwyliaeth nos rhag ofn y deuai rhyw gyfyngder yn oriau'r hwyr.

Y noson honno, bu Meleri'n ymfalchïo yn ei gwrhydri gydol y dydd, ynglŷn â sut y llwyddodd i lyncu'n gymhedrol. Roedd hyn yn achlysur a alwai am ddathliad personol. Ac ar ei ffordd i'r gwaith prynodd becyn o Sglodion o'r *Lemon Tub*, a phastai gig a grefi, a chadwodd ei chyfrinach boeth yn y bag nes cyrraedd y clinic. Bodlonodd y gwŷr ambiwlans ar sglod neu ddwy ac yna tawelodd y tynnu coes. Bwytai Meleri'r cyfan yn euog flasus, ond bu bron iddi droi y cyfan am ei phen pan ganodd y teliffon ar y bwrdd.

'Helo Meleri. Emyr yma.'

'O helô,' gan smalio peidio cnoi.

'Be wyt ti'n gnoi?'

'*Limmit* arall.'

'Dim ond un cofia. Wyt ti 'di cael diwrnod da o lynu'n ddeddfol at y fwydlen?'

'Do wir,' gan roddi ei fforcen a'i chynnwys i lawr rhag ofn ei fod o'n gallu gweld neu arogli i lawr y ffôn.

'Dim ond gwneud yn siŵr. Does dim eisiau dim i rwystro hyn, neu fe fyddi di'n yr un cwch am byth. Dim hyd yn oed afal na diod, neu fe fydd yr asid a'r dŵr yn dy chwythu di i fyny fel swigen enfawr.'

'Wyt ti'n feddygol gywir Emyr?'

'*You mark my words*. Cymedroldeb disgybledig ym mhopeth.

Heno 'dan ni'n meddwl cael *fish* a *Chips* o'r *Lemon Tub*. Sut *chips* sydd ganddyn nhw?'

'Wel, ym, dwi wedi clywed sawl un yn canmol, Em.'

* * *

Yn y dyddiau o sobri a dod ato'i hun cyn dyfod gwanwyn, byddai'r Bermo yn mwynhau cael bod yn Bermo heb fawr o neb i dresmasu, dim ond ambell i gerddwr mentrus a'i babell yn cyrchu afon Artro yng Nghwm Bychan. Byddai hyd yn oed yr heddlu yn oedi ar linellau melyn dwbl y dref. Lle arall gaech chi hynny? Roedd ambell i frws paent anniddig yn ymbaratoi at wanwyn, a thrên hwyr naw yn dal i gyrraedd a gadael, a thad Gerallt yn y blwch signal deued glaw neu hindda. Ceid tanllwyth o dân yng ngwesty Gors y Gedol ond neb o'i flaen; roedd bariau'r Llew yn wag fel hen hanes, a'r cei rywsut yn gwisgo'i ddillad glân, er bod ias rhew yn awyr y nos.

Ambell dro byddai tonnau'r cei yn dawnsio *allegretto* a'i ewyn gwyn ar drugaredd mympwy'r gwynt. Berwai'r môr yn yr anwel y tu draw i'r morglawdd gan ffrwydro'n ambell don enfawr, annisgwyl a'r tochion yn gyrru eu cyfarchion gwlyb atoch.

Syllai Gareth allan ar y môr, ac fe ddenwyd ei sylw gan ŵr a edrychai'n bell tua'r tonnau. Ni hidiai yntau, fel Gareth, pe tasgai'r ewyn ar hyd ei gorff; gofalodd Gareth ei fod wedi newid ei ddillad yn ôl ar ôl bod yn yr Ysgol Sul. Pwysai'r gŵr diarth yn ddisgwylgar ar wal ym mhendraw'r prom yn syllu i'r pair ewynnog islaw. Hoffai Gareth wneud hynny gan syllu ar y môr wedi ei gyfareddu. Clywodd Anti Cerys, Dyffryn, yn dweud rhywdro fod hyn yn beth da i'r llygaid, gan nad oedd yn rhaid i chi graffu ar unrhywbeth arbennig. Oherwydd hyn, roedd cyhyrau'r llygaid yn cael ymlacio — neu rywbeth felly!

Sleifiodd Gareth yn llechwraidd at ochr y wal, ac fel pe bai ffawd ar waith fe'i trochwyd gan y don a'i hanterth, nes torri'r gŵr o'i fyfyrdod tonnog.

'Ti mewn lle peryglus yn fan'na,' meddai cyn iddo droi i herio'r

tonnau eto â'i drem. Nid edrychodd ar Gareth wrth ofyn y nesaf:
'Wyt ti'n byw yma?'

'Yndw, ac yn mynd i Ysgol y Bermo. Mrs Alaw 'di'r athrawes.'

'Ti'n lwcus iawn i gael dy fagu mewn lle fel hyn. Dydy mlwyddyn i ddim run fath heb ychydig o ddyddie yn y Bermo 'ma. Fory, fe fydda i'n ôl yn y ffatri a'r wythnos o wyliau oedd raid i mi eu cymryd neu eu colli fel petai nhw erioed wedi bod o gwbl. Fan hyn rywsut mae 'na amser i bopeth, ond yn y byd y tu draw i'r bryn 'na, mae amser yn llithro drwy fysedd dyn.'

Syllodd y gŵr yn ôl am ennyd dros ei ysgwydd ar Garn Gorllwyn a'r Pig, a ddaliai y Bermo yn dwt rhwng traeth ac afon.

'Gwranda di ar fy ngeiriau i — gwna'n fawr ohoni yma, a chofia am bobl fel ni draw dros y bryn.'

Meddyliodd Gareth wrth wrando tybed a fyddai'n rhaid iddo wynebu'r byd dros y bryn rhywdro. Doedd o ddim yn swnio'n rhyw le braf iawn.

'Mi allwn i aros yma am oriau fachgen, ond fe fydd y wraig yn siŵr o ddod i chwilio cyn hir. Rhyw ddydd dwi am dreulio'r gaeaf cyfan ar fferm fynyddig i fyny fancw,' gan bwyntio at Llanaber ac Eithinfynydd.

'Rhyw ddydd.'

Siaradai'r gŵr mewn ymson, fel pe na bai Gareth yno mwyach. Ni ddeallai Gareth bob dim, ond gallai ymdeimlo â'i angerdd a'i daerineb.

'Yn y ffatri, chydig sy'n gwneud synnwyr. Mae popeth mor fecanyddol. Ond dwi'n gallu agor fy nghalon i'r môr. Mae o'n ffrind triw sy'n golchi a didoli'r meddwl ac yna'n rhoi popeth yn ôl yn ei le. Ac am ychydig fe fydd darlun ein bywydau bach yn ei le, ac yn gwneud synnwyr.'

Roedd golwg cadw bore Llun draw yn ei drem, wrth iddo syllu ar y bae a'i stôr o berlau ac wrth i Gareth gilio oddi yno.

★ ★ ★

Paned frysiog yn unig oedd bwriad Aintoinette y bore hwnnw yn

67

Rendezvous. Roedd y lle fel ail gartre iddi rŵan gan fod Sybil yn gweithio yno'n gyson. Ond roedd ganddi ei gofynion arbennig ei hun y diwrnod hwnnw efo'r Clwb Garddio. Roedd hi'n gyfrifol am y bwyd wrth groesawu tîm Clwb Llandrillo i Gwis arbennig ar lysiau a ffrwythau. Roedd wedi clywed eu bod nhw i gyd yn ystyried y cyfan mewn modd hynod o ddifrifol, ac yn dadlau am enwau tomatos a phethau felly.

'*They're so over the top.* Tasen nhw'n medru gweld eu hunain.' Ond cyn i Aintoinette gael cyfle i orffen ei stori, a chymryd 'run llowc o'i choffi, fe ddaeth Sybil yn syth at graidd ei sgwrs y bore hwnnw.

'Ro'n i'n ffaelio â chysgu drwy'r nos. Dwn i'm be sydd arna i. Ond mi fues i yn gweld y boi ene yng Nghricieth.'

'Pwy? *Tell me more.*'

'Y dyn oedd yn darllen y cardie deud ffortiwn ne.'

'*Not the tarot cards.*'

'Ie, mi ddeudodd o fod gen i gyfrinach fawr, 'mod i'n cael trafferth efo mhenglin, 'mod i'n mynd i briodi dyn efo coler a thei — a'r cyfan yn y blynyddoedd nesa, ffŵl.'

'*But not necessarily in that order,* cariad? Cofia, fe all unrhyw un gael rhyw gric bach yn ei benglin.'

'Roedd o'n taeru bod Dad 'nôl yn Rhos yn mynd i gael mwy o waith. Dwi 'di deud erstalwm y base'n ffitiach iddo fo adael yr Hafod, ond dene fo — falle fydd o'n *projectionist* yn y Stiwt neu rywbeth, fel Llew Pictiwrs erstalwm.'

'Wel, ti'n gwybod pwy 'di'r dyn efo'r goler a'r tei yn dwyt? Mae ganddo fo andros o goler.'

'Nid y Gw'nidog! Uffe'n, fe fydda i wedi gneud hi. Wel, mi ddeudodd o fod y person yma'n angerddol iawn, ac mi fydd o'n ecstra i mi.'

'*Well there you go, call me Gypsy Rose Lee if you will* — dwi wedi deud o'r blaen, *I reckon he's a raunchy little number.*'

'Hei, paid wir, neu fe fydda i'n stemio fyny fel ti, uffe'n. Wel, y cyfan ddeuda i — gobeithio y digwyddith hyn yn yr haf er mwyn i mi gael mynd â'r cariad, pwy bynnag fydd o, i lan y môr a gwisgo *bikini* newydd. Mi ddeudodd o hefyd fod y dyn 'ma'n hoffi bywyd ffast a cheir ffast.'

'Gwylia di, pan gaiff o *fast woman* ar ei ôl o, Sybil,' ac andros o winc, gellweirus gan Aintoinette.

'Taw, ffŵl. Mae'n bur debyg ei fod o'n *gentleman* iawn pwy bynnag fydd o.'

'Dwn i'm os yden nhw'n bod Sybil bach.'

'Iesgyn, paid ti â mwydro. *One day my Prince Charming will come*, ac ni fydda i'n aros amdano fo efo coron ar fy mhen. Ac mi 'na i gymryd reiden ar gefn ei geffyl o i'r machlud.'

Ac fe aeth gweddill y prynhawn ymlaen yn ei ddull arferol a hithau'n gariad efo pawb ac yn llonni eu dydd efo'i hysgafnder.

'Sut wyt ti?'

'Dwi'n iawn, ffŵl, ond y gweddill 'ma 'di'r drwg.'

'Cau dy geg uffe'n, fe ges di dy fwydo wsnos dwytha.'

'Do, mi aeth Aintoinette yn rhyfedd i gyd ar ôl y *passion cake*,' gan fyrlymu ymlaen ac ymlaen.

'Be sy'n wyrdd ac yn mynd i fyny ac i lawr? Gwsberan mewn lifft. Ha!'

* * *

'Taset ti 'di codi'n gynt y bore 'ma, fyset ti 'di gweld y Gader yn disgleirio yn yr haul.'

Glynai'r eira ar lethrau Cader Idris a swatiai'r dref glan y môr yn ei chysgod dros yr afon yn glên ei gwên a gwres ei chymdogaeth o Ben y Stryd i Lanaber. O ben draw'r prom gellid gweld y rhes mynyddoedd oedd yn fur rhag y byd mawr dros y bryn, yn gwisgo gorchudd wen o eira. Cadwent annibyniaeth y wlad ryfeddol hon a elwid Ardudwy. Honnai'r ffermwyr na welsent erioed y fath eira'n drwch ar y Rhinog Fach.

'Tyrd yn dy 'laen — i mewn neu allan,' oedd y cyfarchiad i Dodo'r gath yn ddiamynedd heddiw, wrth geisio cadw min y gwynt draw. Pan ddeuai'r haenen denau o eira i lyfu strydoedd y dref, byddai'r plant i gyd am y gorau yn ei hel yn beli a'u taflu'n afradlon at geir a sgrialai heibio. Byddai llyfiad yr eira yn creu cymdeithas newydd o bobl ifanc yn crwydro'r dref a'u lleisiau'n atsain rhwng môr a mynydd.

Bu Gareth yn disgwyl am adwaith gan Katie Cheedle. Gyrrodd ati ar ddydd San Ffolant. Roedd Ceri yn prynu cerdyn i rywun, felly beth oedd yn bod ar aberthu pres y *fudge* (hyd yn oed!) i brynu cerdyn addas i wrthrych ei serchiadau? Cafodd gymorth parod un o ferched *Woolworths* oedd yn wên o glust i glust.

'I bwy mae hon, 'yn hogyn bach i?' Cyn i Gareth ateb, ychwanegodd,

'Ma'r bachgen 'ma'n dechre'n fuan,' wrth ei ffrind.

'I Katie Cheedle,' meddai ei onestrwydd agored, 'a dwi mewn cariad.' Peth naturiol dros ben oedd caru y pryd hynny rhwng bachgen a merch. Pam na allai popeth fod mor rhwydd a syml â'i barch a'i angerdd tuag at Katie? Ond mi roedd yr ysgrifen yn ei gerdyn wedi bod braidd yn feiddgar — yn ddi-enw — ond yn darllen fel hyn:

'Tro nesa, ga'i sws escimo? Cariad gan ?' Dyna fyddai'r nod yn y parc y dyddiau nesaf — sws escimo dan y sleid. Am ramantus efo'r hen Katie, ei gariad annwyl! Wel, roedd hi'n ddigon oer, a sôn am chwaneg o eira ar y ffordd, felly pam lai — sws escimo?

Daeth Dydd Gŵyl Dewi heibio a rywsut wedi mis bach digon oer, dyma feirioli a thyneru yn arbennig ar gyfer y diwrnod. Daeth pawb at ei gilydd i neuadd yr ysgol i gael sgwrs gan Mr Williams o'r Ysgol Sul am Ddewi Sant. Mr Williams oedd yn arfer bod yn brifathro ar yr ysgol, ac roedd Gareth mor falch o'i weld o. Roedd yn wên o glust i glust a byddai'n trio'i orau glas i ddangos ei lyfrau mapiau o Gymru iddo wedyn.

Roedd fel croesawu hen arwr yn ôl i'r ysgol wrth gael Mr Williams yno, er ei fod ef yn ddigon di-lol a diymhongar ynglŷn â'r cyfan. 'Dewi Sant. Nawddsant Cymru. Fe fuodd o'n dweud wrth y bobl am garu ei gilydd a dilyn Iesu Grist, a gwneud y pethau bychain a glywsoch ac a welsoch gennyf fi.' Roedd y plant wedi cael y stori gan Mrs Alaw, ond dyna i chi beth rhyfedd, roedd yna sôn gan Mr Williams am roddi hances ar lawr cyn i'r mynydd godi yn

70

Llanddewi Brefi. Syllai Gareth â rhyfeddod arno'n dweud bod y mynydd wedi codi i bawb gael clywed Dewi Sant yn pregethu ac yna fod colomen wen heddwch wedi disgyn o'r awyr a gorffwys ar ei ysgwydd. Byddai pawb ar dân eisiau tynnu llun o hyn.

'Ond ei neges fawr oedd i ni gyd fod yn ffrindiau efo'n gilydd a helpu a charu'n gilydd.' Roedd Gareth yn licio Dewi Sant a'i athro fo, Mr Pilling, oedd â'r un cyfenw a David yn ei ddosbarth o. Ond roedd o'n sillafu o'n wahanol — Peulin.

Drwy'r prynhawn fe fu'r dosbarth wrthi yn gwneud pob math o luniau o Ddewi Sant, ac fe'u gosodwyd nhw i gyd ar y waliau yn y neuadd ar gyfer y ffug eisteddfod a oedd i'w chynnal y noson honno. Yn yr eisteddfod roedd cyfle i ganu cân wirion, adrodd pennill tu ôl ymlaen a dynwared rhywun oddi ar y teledu, ac roedd Mr Williams am ddod yn ôl i feirniadu. Ond cyn mynd adre, roedd pawb unwaith eto yn ôl yn y neuadd i weld pwy oedd wedi ennill cystadleuaeth tyfu'r cennin Pedr gorau, ac roedd rhywun arbennig iawn o'r Clwb Garddio wedi dod i feirniadu — Mrs Aintoinette Hughes y llywydd presennol. Cyrhaeddodd yr ysgol wedi ei gwisgo mewn gwyrdd a melyn a chlamp o gennin Pedr ynghlwm wrthi.

'Mae hi'n bleser cael bod yma ar y dydd pwysig hwn — *it really is a thrill.*

'Gwisg genhinen yn dy gap
A gwisg hi yn dy galon'

meddai'r hen fardd bach 'na *we all love* o Port yntê? Ac rydych chi wedi bod yn eu tyfu nhw ym mhob twll a chornel o Bermo. *Every nook and cranny.* Buasai Dewi Sant mor falch ohonoch chi. *Yes, he really would be, darlings.* Dwi wedi aralleirio *motto* Eisteddfod y Byd yn Llangollen — sut fedra i ddweud?

'Byd gwyn fydd byd y garddio
Gwaraidd fydd ei erddi fo.'

Gweddnewidwyd y neuadd ers y bore yn ardd Eden o liw. Diolch i chi am ddod â dipyn hud, *for bringing a sprinkle of Walt Disney* i'r byd ar ddydd ein nawddsant. Dech chi gyd mor greadigol, a dwi'n caru pobl greadigol. Mae hi'n fyd gwahanol iawn y tu hwnt i'r bryn yna.'

Pwyntiodd Aintoinette yn ddramatig allan drwy'r ffenestr tuag at Garn Gorllwyn.

'*The ones in high places haven't got a creative bone in their bodies*, ond mae'r bobol ifanc — chi, *darlings* — yn barod i fod yn arweinwyr.' Pregethai Aintoinette yn huawdl, a'r plant heb symud na gwneud smic o sŵn.

'*Now where was I?* O ia, Dewi Sant, *dearies*.'

Roedd gan bob un o blant yr ysgol eu pot o gennin Pedr, ac ymddangosai'n amser hir iawn ers y cafodd pawb ei fwlb, ei botyn a'i bridd i fynd adre cyn y Nadolig. Bu pawb yn gwarchod y potyn drwy hirlwm Ionawr a Chwefror, a thasg Aintoinette oedd dewis y blodyn destlusaf a cheinaf o blith yr ail Eden o liw o'i blaen. Siomedig oedd yr olwg ar botyn Gareth, heb olion o'r deffro newydd eto:

'Paid â phoeni cariad bach, mi fydd o allan yn gwenu'n braf erbyn y Pasg,' geiriau o gysur i Gareth gan Aintoinette Hughes. Yna fe aeth hi at y Prifathro:

'*What do I do? Mingle?*'

Brian Walls enillodd y wobr gyntaf am gennin Pedr hardd iawn, ac roedd Gareth yn falch drosto, er fod rhywun yn y gynulleidfa yn dal ei fod o'n '*typical Liverpool lout*'.

Gwahanol fu'r stori yn y ffug eisteddfod gan i Gareth orffen limrig yn llwyddiannus a chael clod mawr gan Mr Williams:

'Aeth Barti a'r criw dros y tonnau
  I chwilio am aur a thrysorau
    Ond yna un diwrnod
    Pwy welsant yn dyfod
  Ond rhywun i agor y cistiau.'

Roedd ar ben ei ddigon — ond roedden nhw'n chwerthin mwy ar ei ffug enw. 'Pwy ydy 'Lulu'?' Wel, roedd o'n licio gweld Lulu ar y teledu efo'i chwaer. Roedd hi mor fywiog a del a dyna pam roedd o eisiau ffugenw fel 'Lulu'! Ond roedd hi'n ail i Katie Cheedle, er ei bod hi'n canu un o'i ffefrynau '*I'm a tiger, I'm a tiger r r r r r r.*' Felly Gareth Lulu Lewis aeth adre'n fuddugol y noson honno, ac fe lynodd y Lulu ym meddyliau'r plant bach am wythnos neu ddwy cyn ei anghofio, fel diwedd y gyfres deledu *'Lulu's Back in Town'* a welwyd ar ambell deledu lliw cynnar yn y dref.

Gwanwyn

Roedd gwylanod yn ymsythu'n dalog ar dŵr yr Eglwys Gatholig heddiw, nid fel y brain du a fu yno'n crawcian yn y glaw gaeafol drwy Chwefror. Yn araf, roedd Mawrth yn lledu ei ddyddiau falch-o-fod-yn-fyw i fywydau trigolion y dref. Gwelid rhai o'r hen longwyr yn simsan droedio hen lwybrau'r cei, fel petai'r llanw mawr yn eu gwahodd i gofio dyddiau da dros y don. Deuai moryd Mawddach bob yn dipyn i wisgo ei gwisg las golau, a phopeth i edrych yn newydd sbon danlli, a rhyw gyfrinach yn stôr.

Un o'r diwrnodau swil, awgrym o wanwyn, oedd hi, cyn i'r Cyngor glirio'r tywod, a phan oedd y prom yn un afon fawr yn dilyn glaw. Un o'r dyddiau cyforiog hynny oedd yn wag cyn i bobl Birmingham ddod a thagu'r lle, a chyn i'r jac-codi-baw ddechrau crafu'r tywod. Roedd y llanw'n bywiogi ar ei ffordd i mewn, yr haul yn danbaid ddiwedd pnawn, a'r Bardd yn cael ei bicnic cyntaf allan y flwyddyn honno. Roedd o wrthi'n cael ei bwdin o afal a banana yng nghysgod wal y môr, a'r tonnau'n tasgu i bobman o'i amgylch. Credai'r mwyafrif ei fod yn ddiniwed, ond roedd o'n gwybod llawer iawn mwy am drigolion y dref na fyddai unrhyw un yn dymuno ei glywed. Deuai sibrydion tawel o wanwyn gwyn i ymsythu'r alarch hardd a'i gymar ar ddŵr yr harbwr wedi'r swatio clós wrth risiau'r cei gydol y gaeaf. Mi driodd y Bardd fyw bywyd dros y bryn, a dewisodd ddod yn ôl rŵan at bobl a oedd, o leiaf, yn cydnabod ei fod o'n bod. Ymddangosodd ambell i hysbyseb yn gofyn am staff Pasg a haf yn y ffenestri ar gyfer tymor y gwyliau.

Fel rhan o'r cefndir hwn y cymerodd Anti Meleri y penderfyniad tyngedfennol i estyn am *gateau* hufen gudd yn yr oergell. Roedd hi wedi bod yn frwydr ers oriau — a fyddai'n ei bwyta ai peidio — ac roedd wedi bod yn ddeheuig iawn yn ei chuddio o olwg uniongyrchol Yncl Gwynfor a Gwilym. Ond fel llanw mawr Medi daeth yr eiliad dyngedfennol fel ton drosti. Roedd y ddau ddyn yn y tŷ yn brysur yn gwylio *Joe 90* ar y teledu a phenderfynodd fod yr awr yn addas yn y gegin gefn am ychydig o ryddhad oddi wrth ofynion y *diet*.

Agorodd yr oergell, ond wrth iddi blygu i lawr i'r gris isaf, yn gwbl annisgwyl, fe neidiodd Llywelyn, y ci bach gwyn i fyny amdani a hithau'n trio sythu'n frysiog. Bachodd ei bawen yn boenus yn ei siwmper, ac ni allai ei ryddhau heb wneud campau â'r deisen hufen yn y llaw arall. Clywid sgrechiadau Llywelyn ar hyd y tŷ a'r teras, gan foddi sŵn *Joe 90*, ac ni allai Anti Meleri ollwng ei chacen yn ôl yn yr oergell gan iddi gau'r drws o'i hôl.

Rhuthrodd Yncl Gwynfor a Gwilym i mewn wedi eu denu yno gan yr hyn swniai fel rhywun yn ceisio lladd Llywelyn y ci. Ar hynny, cnoc ar y drws a dyma ei brawd, y dietegydd ffyddlon, yn rhoi ei drwyn o amgylch y drws.

'Meleri dyma beth wyt ti'n mynnu ei wneud pan fo 'nghefn i wedi'i droi? Wel, mi gymra i honna. Os wyt ti o ddifri, cacen hufen ydy'r peth olaf rwyt ti isio.'

Daliwyd Anti Meleri gan bawb ac aeth mor goch â'r tân oedd yn wastadol yn ei phopty hen ffasiwn. Dychwelodd Yncl Gwynfor a Gwilym at *Joe 90*, llyfodd Llywelyn ei bawen, ciliodd Emyr y dietegydd hynaws a gadawyd Anti Meleri a'i breuddwydion hufennog, a'i *Limmit* real iawn o'i blaen.

★ ★ ★

Bob tro y credai pawb fod y gwanwyn ar y ffordd byddai'r gaeaf yn mynnu sylw eto i brofi nad oedd mewn gwirionedd wedi cilio o'r tir yn llwyr. Byddai glaw a llanw uchel Mawrth yn gyfeiliant gwyllt i'r dyddiau rheiny, ambell waith yn rhwystro trên Harlech ym Mhensarn, ond bob tro yn datgloi enaid pobl y Bermo — yn eu hesgymuno ennyd rhag unrhyw gyfyngder. A phan ddeuai'r meddwl yn ôl at broblem, ni fyddai'n chwarter y broblem a fu, os oedd hi'n bodoli o gwbl. Rhoddai nosweithiau fel hyn y byd mewn perspectif, a dangos bod mwy i'r byd na'i broblemau. Gallai pawb eu datrys o droi at Feistr mawr y tonnau. Troai pawb ato ar noson llanw mawr. Noson pan fyddai trydan yr arfordir yn hisian ei ffordd hyd y gwifrau bregus, pan fyddai cerrig yn crensian dan lwybr y ceir ar ben y morglawdd newydd. Roedd cymdeithas annisgwyl wedi ei chreu o bobl o anian debyg ar ben y cei a'i lanw mawr, ym mhen draw'r prom — pawb wedi dod i ryfeddu ac arswydo rhywfodd. A hogiau ifanc yn herio'r tonnau ar y prom gan obeithio y byddai llwybr y trên i Ysgol Harlech wedi'i amharu arno yfory. Pwy ddywedodd nad oedd ieuenctid y chwedegau yn caru eu tref a'u bod nhw'n hidio am ddim? Daethant yn llu y noson honno i wynebu asbri'r don a'r wal o ewyn gwyn yn torri. Deuai llanw uchel a gwŷr y Cyngor allan hefyd — bois Dyffryn a Llanbedr a'u pryder ynglŷn â chwrs y tonnau.

'Mae hi 'di troi rŵan,' a rhyw hen ymdeimlad yn dweud wrth y criw ar y cei mai Cymraeg fyddai iaith y penllanw bob amser. Go brin y byddai angen y bagiau tywod y tu allan i'r Tŷ Gwyn a Chaffi Fflat Huw Puw gan fod y llanw wedi troi, a'r hen gymdeithas radlon ar y cei yn chwalu o'i gwyliadwriaeth gytûn, i'r nos. Roedd rhyw reddf a rhyw fiwsig yn y tonnau yn dod â phawb allan ar nosweithiau fel hyn. Cofiai rhai o'r henwyr y llanw'n uwch ac yn is — roedd ganddynt glust i glywed hen alawon a rhythmau llanw a thrai'r cefnfor.

Diwrnod hynod o wanwynol a gafwyd i gyd-fynd ag un o hyrddiau uchaf y llanw y flwyddyn honno. Preliwd i'r Pasg ac ambell flaguryn yn ymddangos, cynffonnau ŵyn bach yn lluosog ac yn flewog ym mysedd plant bychain. Roedd Mrs Alaw wedi bod yn darllen chwedl Cantre'r Gwaelod efo Gareth a'r criw, ac wedi bod yn gweld y siart llanw ar ben y cei. Pan oedd y lli yn ei anterth ganol dydd, fe gafwyd bws bach i hebrwng dosbarth Gareth i'r Ynys. Nid ynys go iawn oedd y pentref rŵan, ond ar un adeg wrth i Seithenyn wneud cawl o bethau, a chyn i Sarn Badrig ddiflannu dan y tonnau, pwy a ŵyr? Roedd yna forglawdd nodedig yno i ddangos i'r plant ac felly dyna gael taith gerdded o'r bws ar hyd y llwybrau cyhoeddus i weld y morglawdd. Prin eu bod nhw wedi disgwyl llanw mor uchel.

Cyn cyrraedd Ynys fe aeth y bws drwy ogoniant Ardudwy gyda Mrs Alaw yn dweud rhyw bwt yn awr ac yn y man. Trwy Lanaber, heibio i Gapel Egryn — capel Mari'r Fantell Wen, chwedl Mr Williams yn yr Ysgol Sul. Dynes â golau yn ei dilyn hi wrth iddi bregethu a gweddïo. Hoffai Gareth y stori yna, ac roedd Claire, merch yn ei ddosbarth wedi tynnu llun trawiadol o'r golau yn llifo o'r nefoedd. Tal-y-bont a Dyffryn. Biti na châi'r bws droi i lawr y ffordd gul a'i chloddiau carreg i lawr am Bentre Ucha i weld Anti Cerys heddiw. Ond roedd rhyw antur, cyffro a disgwylgarwch wedi meddiannu'r plant. Llanbedr a'i bont gul dros afon Artro, Llanfair lle ganwyd ei Nain. Roedd 'na lawer iawn yn perthyn i Gareth yn byw o amgylch fan hyn, ac enwau fel Pen Parc, Uwchlaw'r Coed a Dolwreiddiog yn annwyl iddo. Troi i lawr yn Harlech a syllu ar y castell mawreddog ar y bryn, heibio'r pwll nofio a thros y twyni gwastad a sgleiniai, a chyrraedd yr Ynys. Esboniodd Mrs Alaw fod yna sawl ynys yn yr ardal — Gwrach Ynys, Las Ynys, Ynys Gifftan, ac roedd hi'n awyddus i ddangos y morgloddiau er mwyn iddyn nhw gael deall Cantre'r Gwaelod a phenbleth Seithennin.

Dawnsiai ias o gyffro gwanwyn cynnar o berson i berson wrth i'r llinell o arian byw droedio'r llwybr cyhoeddus heibio Draenogau. Agor y giât, parchu cefn gwlad, dilyn y ffosydd a neidio dros y camfeydd. Bu'r dosbarth oll yn reit ufudd, gan fod pawb ar dir dieithr, a rhyw hanner ofn llithro i'r ffos. Erbyn hyn, gellid gweld Porthmeirion yn sgleinio'n wyryfol wyn dros yr aber glas golau, a gellid gweld y Garreg Wen a Graig Ddu. Pitïai Mrs Alaw ei bod wedi anghofio dod â chamera efo hi. Roedd yn rhaid dringo grisiau pren at y prif forglawdd a'i gwyrddni swil. Ond dyna lwcus i Mrs Alaw fynnu bod ar y blaen o hyd, oherwydd yr ochr arall i'r morglawdd roedd y dŵr wedi codi i gyfarfod â'r criw. Rhewodd pawb, a chydiodd rhyw arswyd ynddynt.

Fe aeth Jane fach i grio ac yn benysgafn.

'Dwi'n *sea-sick* Mrs Alaw.'

'Fedri di ddim bod yn *sea-sick* Jane heb i ti fod ar y tonnau.'
Roedd yr awgrym yn ormod i'w dychymyg bach bywiog a dechreuodd grio'n waeth.

'Ofn i'r dŵr godi s'gin i, fel Cantre'r Gwaelod,' meddai'r doethur Alex.

'Wnaiff o ddim rŵan, mae hi'n benllanw.'

Ar ôl ychydig o hysteria cyffredinol, llwyddwyd i argyhoeddi pawb ei bod hi cyn hawsed i barhau â'r daith ar hyd y morglawdd — ar waethaf llanw uchel — ag oedd hi i droi yn ôl. Felly wrth i'r plant ddal yn nwylo a phocedi a bron bob dim arall oedd yn perthyn i Mrs Alaw llwyddwyd i gyrraedd yr Ynys. Ond roedd y llanw ar ei uchaf, a'r ffordd i'r traeth dan ddŵr a'r môr at wal Tŷ Gwyn.

Anghofiwyd am y tonnau am ennyd neu ddau, pan ddaeth yr elyrch gosgeiddig heibio i ymuno â'r bererindod, a'u gyddfau'n claddu i'r dwfn am olwg o fwyd; ac roedd ambell i bysgodyn yn cael ei ddal gan hen bysgotwyr y glannau hefyd — roedd y plant wedi dotio ac wedi ymgolli'n lân. Ond buan y chwalwyd yr heddwch gan chwilfrydedd Brian Walls. Am yr elyrch bach oedd o'n sôn, ond ceisiodd Mrs Alaw edrych draw at yr Ynys a'i golygon ymhell pan glywodd y cwestiwn:

'*Where's your tits then?*' Dim ond un neu ddau o'r plant mwyaf effro a welodd unrhyw beth yn anghydnaws yn hyn. Buan iawn yr oeddent oll yn canu '*Heigh ho, heigh ho, it's off to Ynys we go*', fel y corachod gynt efo Eira Wen, a Mrs Alaw unwaith eto yn ceisio dal pen rheswm efo nhw.

Cyrraedd Ynys wedi helynt y morglawdd, a phawb rywsut yn teimlo'n well am iddynt goncro'u hofn a chyrraedd y pen draw. Cyfle i bawb ryfeddu at y ffordd i'r Traeth Mawr oedd dan ddŵr fel Cantre'r Gwaelod, ac i sgimio cerrig i'r dŵr. Alex oedd yn dal i holi cwestiynau.

'Be tasa'r dŵr yn dal i godi a dod i mewn i'r Ysgol?'

Wedi tawelu ei ofnau, Mrs Alaw oedd â'r gair olaf: 'Rhyw dro eto mi awn ni draw i weld Eglwys Llanfihangel y Traethau. Dyna i chi le os ydach chi isio dipyn o heddwch. Un o'r eglwysi a sefydlwyd gan ddilynwyr Dewi Sant.' Clywodd Gareth ei gyfnither o Dyddyn Llidiart, Eleri, yn sôn am y Nadolig yno, a chanu yn yr Eglwys efo canhwyllau, ac Eglwys Llandanwg yn y twyni tywod. Fe swniai'n gyffrous iawn.

Doedd gan Gareth ddim ofn y môr y diwrnod hwnnw, fel rhai o'r lleill, gan ei fod o'n breuddwydio'n aml am fod ar long ynghanol yr eigion gwyllt, ond ei fod o'n gynnes a chlyd y tu mewn mewn gwely.

* * *

Y Pasg. Tynnwyd rhwydi cwrt tenis allan o'u swildod dan do, dechreuwyd ar dorri'r gwrychoedd, ceid ambell i garafán ar daith, a cheir i dagu strydoedd culion y dref. Ymddangosodd y bwth talu wrth geg y maes parcio wedi'r gaeaf diwyliadwraeth. Ailosodid y *chalets* ym mhen pella'r prom i herio'r elfennau. Byddai gwylwyr y glannau yn brysur yn cael eu hyfforddi fin nos, ac ar nosweithiau gwyntog byddent yno fel gobaith, heb gilio o'r tir.

Deuai bywyd yn ôl i Gaffi'r Cei cyn dyfod rhuthr yr haf — crafwyd y chwyn a brwsiwyd stepiau Fflat Huw Puw. Rhoed wnionod y lle *Hot Dog* i ffrio eto, ac roedd bois y Cyngor yn frwd eu sgwrs wrth dwtio a chymennu yma ac acw. Ailymddangosai'r meinciau pren hir wedi eu habsenoldeb dros y gaeaf.

Roedd Huw Dyls y Cyngor yn doethinebu ar ben y cei:

'Mae Bermo yn union fel mae'r Creawdwr wedi'i roi o. Rhyw rapscaliwns o ffwrdd sy'n rhoi enw drwg.' Yna rhawio mwy o fudreddi i fewn i'r sach ' . . . a ninnau'n gwneud ein gora' i gadw'r lle 'ma, a'r iaith, efo'r Côr ac ati'.

Golchai Gertie Jones arwydd allanol y siop sglodion gan glywed y sgwrs ar yr awel, ond smalio peidio. Mi fuodd hi yn hen gariad i Huw Dyls rhywdro. Roedd hi'n canu'n braf er nad oedd hi yn y côr: '*Sophisticated Lady*' oedd y gân — a'r freuddwyd.

Wrth ben y cei, bu cenedlaethau'r gwanwyn yn taflu cerrig i'r pyllau dŵr a'r basddwr ac yn ymgiprys pa garreg âi bellaf. Roedd natur yn adnewyddu ei hunan, a'r creigiau uwchlaw llwybr y bont yn diferu eu dagrau cyn y Groglith a rhywrai'n torri coed yn y Panorama. Roedd y Ganolfan Groeso mewn carafán ger y stesion, ac roedd wedi adfer ei groeso tymhorol efo côt o baent a gwên.

79

Rhoed ambell bren newydd yn lle ystyllod pwdr y bont, a gadewid y siafins ar ôl i'w golchi gan y glaw a'u chwythu gan y gwynt.

Ar ochrau'r Bermo roedd y gaeaf fel petai'n llifo i ffwrdd yn ei nentydd oll, a'r gwanwyn yn gwasgu'r sbwng yn lân i ddechrau eto. O diriogaeth Mrs Letus yn Aberamffra a throi i fyny efo nant Amffra roedd taith gerdded i'r teithiwr cynnar. Sychai'r mwd ar y llwybrau tua Cwm Sylfaen i gyfeiliant bref yr ŵyn a'r ceiliog yn canu croeso, neu frad. Grwndi tractor yn crafu'r cwm a'r cŵn yn cyfarth eu hansicrwydd. Bu hen gapel y Cutiau yn dystiolaeth loyw yn y gymdogaeth, ac yn brifysgol i deuluoedd yr erwau anial ym mhen draw'r cwm. Hon oedd y fam eglwys i'r Achos Annibynnol lleol, cyn i'r grefydd gyrraedd tref y tonnau. Yr unig beth i darfu ar sŵn y diferu dŵr a'r deilio diniwed oedd rhuad pell ambell un o awyrennau maes awyr Llanbedr. Rhegai'r coed â'u llonyddwch lluosog y bygythiad uwch eu pennau, gyda'u canghennau fel dwylo dros eu clustiau ger Cae Garw.

Ac fel uchafbwynt i'r Pasg, bu Taid Gareth yn pregethu yng Nghapel Beulah, Tal-y-bont, ger afon Ysgethin a choed Cors y Gedol. Capel y Diwygiad nad oedd yn agor ei ddrws yn aml bellach. Bu Gareth yno efo Dad er mwyn ei nôl o adre i Ben Parc am de. Ychydig oedd wedi ymgynnull ar bnawn Sul y Pasg braf a thoreithiog.

'Biti mai dim ond deuddeg oedd yno — braidd yn denau.'

'Dim ond deuddeg oedd gan Iesu, cofia,' ac adlais Diwygiad gwych Beulah'r gorffennol yn fflach yn ei lygaid. Cofiai Taid gerdded dros gaeau Egryn o Eithinfynydd i Gapel Mari'r Fantell Wen a'r lle hwnnw'n llawn o Ddiwygiad 1904, a'r sôn am Fari'r wraig ryfeddol ar led. Dawnsiai'r daith haf i Gapel Egryn yn ei gof fel plentyn, a chofiai'r gymdeithas gynt yng nghysgod Mynydd Egryn — o'i hen greigiau a'i hen weithfeydd o'r Ceunant at Hendre Clochydd, y Pandy a Thyddyn y Felin. Roedd pawb yn barod am wanwyn eto.

* * *

Roedd hi'n ddiwrnod pan oedd ochrau'r Bermo yn gwella ar ôl

annwyd hir y gaeaf. Wrth i Gareth grwydro'r llethrau roedd y gawod Ebrill yn ir hyd flaenau'r glaswellt, a'i lygad yn medru syllu'n hyderus ar y panorama eang unwaith eto dros erwau'r arfordir. Dechrau ar y chwith efo trwyn Ogof Owain Glyndŵr, Waen Oer a Llangelynnin, yna hyd Gader Idris a thros y foryd at Ynys y Brawd, dros olion y ffair a fyddai'n ailddechrau â'i recordiau cyn hir. *'Sugar . . . Oh honey honey'* neu *'Twist and shout, work it on out, Ooh! . . .'* a'r pocedi a'r pyrsiau yn agor eto. Yna golwg dros dai llwydion y dref, tai a gofiai deyrnasiad y Frenhines Fictoria, gwesty Min y Don, ac yna'r tai cyngor ar gwr y lli. Rheiny wedyn â'u drysau agored, a'r plant yn mwynhau rhyddid y goedwig gerllaw Hendre Mynach. Ac yna troi'n ôl i fwrw golwg ar lethrau'r Bermo a Chraig yr Eryr. Bu'r gwylanod yn gorfoleddu wythnosau ynghynt, yn dawnsio pan nad oedd dim ond arlliw o'r gwanwyn yn yr awel.

Roedd crwydro'r ochrau eto fel ailgynnau hen garwriaeth. Ceid rhywbeth mawr ar waith ar hyd y llethrau, ac eto roedd greddf yn dweud nad oedd hi'n amser crwydro ymhell dros Bont y Bermo at Fin y Don ac i fyny ochrau Arthog a'i lwybrau tangnefeddus — ddim eto'n amser i grwydro at Ynys y Brawd oedd yn glasu fwy-fwy, fel dodi gwallt gosod ar ben moel. Gwelid olion tonnau'r misoedd moel hyd dwnnel y rheilffordd ger Llanaber yn tystio mor erwin fu nosweithiau penllanw'r gaeaf ger Fron Oleu. Ar ben y promenâd gwelid darnau gwasgaredig o sbri'r môr heb ei dacluso. Roedd ambell gaban hufen iâ wedi gwasgaru ei bren ac ildio i'r gaeafwynt, ac ambell ddarn o wal wedi datgymalu. Ym mhen pella'r prom fe ddinistriwyd rhannau ohono'n llwyr, ac edrychai fel darn o hen gacen Nadolig ar waelod tun yn llwydo. Erbyn hyn rhidyllai'r llanw'n llai ffyrnig rhwng y cerrig mân, crynion, a'i sŵn fel ffrio'r tatws newydd yn saim tymor yr haf siop sglodion y Stryd Fawr. Nid oedd y môr bellach yn hyrddio'i gerrig i'r rhodfa; ymdawelai yn y tynerwch gwanwynol.

Dros wyliau ysgol y Pasg llenwai'r Bermo yn ôl graddau'r tywydd braf. Noson fwyn hyd lethrau'r eithin, a'r melynder yn glystyrau hyd lwybr Craig y Gigfran, a'r copa'n nod i gerddwyr uchelgeisiol. Dilynai llygaid Gareth drac y gwylanod ar eu taith yn yr awyr — yn esgyn, gwyro a chylchu oducha'r dref. Daeth un i gylchu uwch ei ben ger cofeb Florence Brown, ac yna symud yn osgeiddig yn yr awyr uwchlaw Gellfechan. Troai yn feddwol gan swyno'r llygad, hyd nes dyfod ergyd farwol i ddiasbedain drwy awyr min nos y Bermo — ergyd erchyll i chwilfrywio'r plu gwyn gosgeiddig i bob cyfeiriad. Disgynnodd yr wylan yn un swp gwaedlyd, afluniaidd o flaen rhai o'r ymwelwyr cynnar, a chlywid eu sgrech o bellter.

'Dan ni'n dal i groeshoelio, dal i groeshoelio . . . ,' meddai un wrth i Gareth fynd i lawr y mynydd bron â chyfogi am stepiau Brynawel, heibio i'r wylan ddiniwed a'r gwaed yn duo ar ei phlu glân.

★ ★ ★

Roedd hi'n ddiwrnod pan allech gyfri hyd at wyth eiliad cyn i don dorri'n fyrlymus ar y traeth. Rywsut roedd pob un yn dal ei wynt cyn torri, ac roedd hi'n anodd credu eu bod nhw mor fawr heb chwa o unlle amlwg i'w chwyddo a'u codi.

Cerddai Gareth yn glogyrnaidd heibio i Mrs Lolipop â'i gwên lydan ar Princes Avenue. Gwenodd yntau arni hithau. Roedd o ar ei ffordd adre wedi diwrnod digon caled. Croesodd y stryd o'r ysgol a llithrodd i gysgod talcen y rhes tai, heibio'r blwch llythyrau gan syllu i'r twll fel y gwnâi'n ddefodol. Wrth iddo fynd ar ei ffordd drwy Marine Road, rhedodd Katie Cheedle ato, gafael yn ei ysgwydd a giglan lond ei phen. Rhaeadrau o chwerthin penysgafn. Roedd gwrthrych ei ddyheadau o'i flaen.

'Mae o ar fy ôl i,' meddai hithau.

'Pwy?' a llygaid Gareth yn soseru cydymdeimlad.

'Walls' Sausage — Brian Walls. Mae o ar dy ôl di hefyd, a'r cyfan oherwydd — fi.'

Ar hynny cafwyd exit tawel gan Miss Cheedle, a syllodd Gareth â chryn arswyd yn ôl tuag at Mrs Lolipop. Yno hefyd roedd Brian Walls, hogyn oedd mor galed â'r muriau yn ei enw. Synhwyrodd Gareth fod y cyfarfyddiad yn mynd i fod yn un bregus ar gownt Katie, yr arwres y byddai'r ddau yn ymgiprys drosti. Teimlodd y byddai ehangder y promenâd yn lleoliad fwy gweddus i'r *high noon* oedd i ddilyn. Chwipiai'r gwynt i fyny North Avenue o'r môr, fel tymer blin.

Brian Walls oedd y cnaf. Pa hawl oedd ganddo i fynnu teyrngarwch Katie Cheedle? Dychmygai Gareth ei gyfarfod ar un o lonydd yr hen Bermo fel yn y ffilmiau western yr oedd Dad yn eu hoffi. A'r cyfan oherwydd castiau'r Fonesig Katie. Heddiw fe wireddwyd ei holl ofnau. Ar ben North Avenue y daeth y cyfarfyddiad.

Wrth iddo ddynesu a Gareth yn dechrau dweud ei bader, sylweddolodd nad camau dicter oedd yn ymarweddiad tawelach nag arfer y Walls Sausage. Nid oedd acen ei fagwraeth yn Lerpwl yn ei dagu heddiw a siaradai'n hollol normal. Yn wir, nid edrychai'n debyg iddo fo'i hun — roedd fel petai haen o'i gymeriad wedi cael ei dynnu oddi arno.

'I'm goin' to see me Dad next weekend. He's gor a great job and a smashing new car. He told me.'

'Doesn't he live in your house?' Cwestiynau treiddgar diniweidrwydd.

'That's me Uncle John. You haven't met me Uncle John ave ya, or all me other uncles. Me mum's expecting another babi in the Summer. You've never been to my house ave you?'

Pan gyrhaeddodd Gareth adref i Ben Parc roedd yn rhaid gofyn i Mam.

'Pam fod Yncl John yn byw efo Brian Walls ac nid ei dad?'

'Mae'n rhaid fod ei fam a'i dad wedi gwahanu, cariad.'

'Mi ddeudodd o fod 'na lot o *Uncles* yn dod i aros.'

Edrychodd Mam yn llawn cydymdeimlad a bron na chronnai ddeigryn yng nghornel ei llygaid deallus. Ni atebodd Mam y tro hwnnw. Rywsut ar ôl hynny nid oedd Brian Walls yn arswyd ym meddwl Gareth. Diflannodd y Walls Sausage ac yn ei le daeth Brian. Wedi'r cyfan roedd modd rhannu Katie Cheedle efo ffrind da!

* * *

Deffroai'r dref yn gynharach rŵan, ac am wyth y bore edrychai rhai fel petai nhw wedi gwneud diwrnod da o waith. Ceid bwrlwm wrth yr orsaf reilffordd efo plant yr ysgol fawr yn dal trên Harlech. Roedd Bermo'r haf a Bermo'r gaeaf yn ddwy wlad wahanol, ac yn nawns yr ŵyn diniwed ar gaeau'r machlud yn Nhal-y-bont ceid addewid o'r hyn oedd i ddod. Roedd llanw Ebrill yn llanw uchel iawn — llai bygythiol na'r gaeaf, ond eto ei donnau'n dwyllodrus a'u cyrhaeddiad ymhell dros y morglawdd. Twyllodrus hefyd oedd y dyddiau braf gan y byddai olion eira ar gopaon Ardudwy rhai boreau. Cawodydd ac arwyddion gaeafol, yna diwrnod tangnefeddus yn llygad yr haul, a'r gwanwyn yn penderfynu ar ei gyfeiriad. Agorwyd y fflodiart a daeth tonnau'r llanw newydd a'u hanesion o bob rhan o'r byd, a'u cyfrinach yn eu hewyn gwyn gan wthio'r Bermo o gulni cymharol ei gaeaf.

'Ges i ddim lwc efo'r ffŵl dyn Cricieth 'ne — a fynta'n deud wrtha i y bysa fy Mhrins i'n dod. Prin 'y mod i'n mynd i briodi'r *Prince of Wales*. Wir i ti gais i mi a ffonio'r *computer dating* newydd 'ma. Ti'n rhoi manylion amdanat ti dy hun, a ma' nhw'n trio dod o hyd i rywun tebyg.'

'Fy nghyngor i . . . ' meddai Aintoinette yn bwyllog ' . . . ydy 'Paid'. Mi wnes i yrru i ffwrdd dros y gaeaf diwethaf ar ôl dod yn ôl yma, wrth *disastrous results*. O, mi wnes i weithio'r noson honno, ond dyna'r cyfan mae dynion isio ydy rhywun sy'n mynd i slafio iddyn nhw. Paratoi Craig y Nos yn gysurus i gyd ar ei gyfer o. Sheri wrth iddo ddod i mewn, a rhyw *trout with almonds* yn ffrwtian yn y cefndir — *it was really quite delightful*. Ond ar ôl iddo fo glirio mwrdd i, mi ddaeth o i eistedd wrth fy ochr i, *and literally suffocated me*. A dyna ddiwedd hwnnw. Faswn i ddim yn mynd ar gyfyl un o'r *computer dating* petha 'ma. Does wybod be fasa'n dy ddisgwyl di ar stepen y drws efo llaeth y bore. Dwi isio anghofio'r cyfan. Ac mi rwyt ti wedi cael amser digon caled hefyd, y blynyddoedd dwytha 'ma. Be am i ni fynd ar wyliau am ychydig o ddiwrnode? Mae 'na hwyl i'w gael. Dwi'n cofio Ian y canwr yn y Clwb yn y Canaries pan oeddwn i ar y Llong, y trydydd Cruise oedd o dwi'n meddwl. Beth bynnag roedd o'n edrych arna i bob nos o'r gwyliau pan oedd o'n canu: '*There'll never be anyone else but you for me, never ever be, never*

84

ever be, anyone else but you.' Roedd o'n gwneud i nghoesau i fynd fel jeli. Sgwn i os ydy o'n dal i wneud y Clubs? Roedd o'n dweud ei fod o'n dod o ardal Wrecsam.'

'Uffe'n, efo llais fel sydd ganddo fo, mae'n rhaid fod o'n un o Dodds Côr Meibion y Rhos ffŵl.'

'Sybil, beth am i ni fynd *'in search of paradise'* chwedl yr *advert* ar y teledu? Ond dwi isio mwy na *coconuts* cofia.'

Noson agored yng ngwersyll gwyliau Swn y Lli oedd pendraw eu crwydr. Ond 'Dros ben llestri'n llwyr' oedd y dyfarniad, yn enwedig ar y noson honno yng Nghlwb *'Play it Again, Sam'*. Roedd pethau wedi dechrau yn eithaf ysgafn ac ysgafala. *'I'm game for anything'* oedd un o ddywediadau Aintoinette wedi ei rhyddhau o ofalon cynefin, ac yng nghwmni Sybil.

Eisteddodd y ddwy yn y gornel i gael bwyd — roedd Aintoinette yn edrych am rywbeth fyddai'n gweddu i'w hymgyrch i golli pwysau.

'Taten yn ei chroen plîs, fel y gân gan Hogia'r Wyddfa Sybil, 'Wil Tatws Trw Crwyn', efo caws y bwthyn os gwelwch yn dda.'

'Be ddiawl 'di caws y bwthyn pan maw adre?'

'Cottage cheeese, dear.'

Sioux oedd enw'r weinyddes yn ôl y bathodyn ar ei gwisg ond ni wyddai Aintoinette sut i ynganu ei henw.

'Fel Sue dech chi'n 'i ddeud o, ond fel Sioux yr Indiad Coch dach chi'n sgwennu o.'

'Oh, how thrilling!'

'Dwi'm yn meddwl fod ganddon ni gaws y bwthyn. Tro dwytha edrychais i arno fo, roedd o i gyd wedi mynd yn *furry*.

'Oh, not so thrilling. Wel mi gymra i yr eog felly.'

'Allan o dun mae o, ond mae'r *thingy* efo fo gen i.'

'O iawn,' meddai Aintoinette yn bwyllog.

'A be gymri di fy rhosyn?'

'Sut wyt ti yn gwbod mod i'n dod o Rhos?'

'Fyswn i'n nabod yr acen ene yn rhwle ffŵl.'

'My God she's so Llandderfel,' meddai Aintoinette.

Archebodd Sybil ei phryd hithau.

'Reit, mi a i i wneud rhain rŵan. Dwi'n ganol *alterations* yn y cefn 'ma. Mae'r lle a'i din i fyny. A rhaid i mi weld os ydy'r plant yn eu gwlau.'

Ac ar hynny diflannodd y weinyddes gan adael y ddwy efo rhyw deimlad y byddai'r bwyd yn erchyll. Teimlai'r ddwy y basen nhw'n rhoi unrhyw beth am gael boḋ yn ôl yn y Bermo — yn y Panorama neu'r Marine efallai. Ond fe ddaeth, ac fe aeth y bwyd. Roedd y ddwy wedi blasu gwell, ond doedd o ddim yn erchyll o bell ffordd.

Doedd hi ddim yn argoeli'n dda ychwaith pan waeddodd y dyn boliog efo'r meic yn ei law, *'Hello darlin', look at them legs. Get 'em off.'* Ac aeth pethau o ddrwg i waeth efo'r jôcs mwyaf aflednais a glywodd y ddwy erioed.

'Ma' rhain yn waeth na jôcs Betty Bog, a ma' rheina'n goch.' Chwerthin ar y jôcs oedden nhw i ddechrau, ond ymhen dipyn, y sefyllfa ei hun oedd yn goglais y ddwy. Roedd y wraig â'r gwallt *peroxide blonde* fel Diana Dors yn canu'n anobeithiol.

'As they lay me 'neath the green, green grass of home,' a'i llais hi'n swnio'n angladdol.

'Dene lle mae'i lle hi hefyd.'

'Dycha arni hi wedi gwisgo fel doli bot,' meddai Aintoinette.

'And now, I'd like to sing you a Welsh number . . . 'Elen, o Elen.' Roedd ei Chymraeg hi'n sobor ac i goroni'r cyfan y llinell glo anhygoel: 'Elen, ar hyd y nos.'

Roedd Aintoinette a Sybil yn eu dyblau.

'Iesgyn, pwy ddudodd wrth hon fod hi'n gallu canu?'

Noson od oedd hi, heb unrhyw fath o drefn — a phwy bynnag yn ôl ei ffansi, yn cymryd yr awennau ar y meic swnllyd. A thrwy gydol y noson roedd 'na addewid fod 'y seren' yn mynd i ganu i goroni'r cyfan. Buont wrthi'n ceisio dyfalu pwy oedd y seren, gan obeithio nad y flonden a swniai'n fwy fel Tom Jones na Diana Dors oedd hi.

'It can't be her.'

Daeth Sybil yn ôl o'r tŷ bach yn credu'n gryf iddi glywed 'y seren' yn canu drwy'r wal o doiled y dynion.

'Wel, oedd gynnow lais, pwy bynnag oedd ene. Roedd o'n canu *'I left my heart in San Francisco,'* fel y baswn i'n canu *'I left my heart* yn Stryt y Doctor.' Ar y gair, fe ymddangosodd gŵr ychydig yn fwy trwsiadus nag unrhyw un arall o gwmpas yno, o'r toiledau.

'Hwnnw 'dyw, dwi'n deud wrthat ti.'

Ymhen hir a hwyr daeth ymlaen i ganu ychydig o *numbers*. *'If I only had time'*, a'i chanu hi'n addawol iawn. 'Digon o amser cariad,' meddyliodd Sybil. Ond yn ystod ei berfformiad roedd yr arweinydd boliog efo'r meic yn mwrdro rhai o'r caneuon drwy gyd-ganu a phorthi a cheisio cael y dorf i ymateb i'r *star*, yn lle gadael i hwnnw serennu. Boddai'r canu gwych â'i sŵn aflafar. Ar ddiwedd ei ail gân fe gafodd y seren lond bol a cherdded allan o'r clwb heb ofyn am dâl — roedd o eisiau dianc mor sydyn ag y gallai.

'Come back you sod . . . where's the star gone?' Geiriau goleuedig y cyflwynydd o fri. Ni allai Aintoinette a Sybil beidio â chwerthin, a'r cyfan yn ymddangos fel ryw ffars fawr a hwythau'n rhan anorfod ohono.

'Allwch chi ganu *luv*?'

Ac yna'r meic yn cael ei osod o flaen ceg Aintoinette.

'Oh no, I couldn't. I've never stooped so low,' meddai Aintoinette, *'not even in the Casablanca in Morocco.'*

'Elen — ar hyd y nos. Uffe'n!' Boddodd Sybil pawb â'i llais.

Chwarddodd y ddwy yr holl ffordd yn ôl i'r Bermo nes oedd eu cefnau'n brifo.

* * *

'Rhyw Sul uwch na'r Suliau oedd' — yn ôl un bardd, a dyna ddisgrifiad teg o'r Sul hwnnw ynghanol Ebrill, hefo pobl yn ffrydio i mewn o Loegr am ysbaid. Roedd yno hefyd henwyr wedi eu hen wlychu gan halen y lli yn trwsio a phaentio cychod ar ben y cei, a chysgwyr hwyr Penygraig heb droi yn eu cwsg eto, heb glywed cri'r gwylanod yn deffro i ogoniant dydd o orffwys. Wedi cawod drom neithiwr edrychai pobman yn ddisgleiriach, ac Ynys Enlli ymhell o'r tir mawr, a'r tywod wedi ei sefydlogi rhag yr awel.

Roedd trên bach y Friog yn ailddechrau pwffian a mynnu awdurdod, a'r fferi'n mynd ac un neu ddau dros y foryd — y rhai mentrus cyntaf ar ddechrau'r tymor gwyliau. Roedd y Caffi hefyd yn dechrau ailagor ei ddrysau go iawn, ailferwi ei laeth ac ailffrio ei facwn plygeiniol, a cherddwyr mynyddoedd Ardudwy yn dod i lawr am eu cinio, ac ambell i wylan farus yn ceisio rhannu bwyd ymwelydd. Ceid cyfarthiad pell y cŵn ar y traeth a'r haul yn belen goch enfawr ddiwedd dydd yn suddo y tu hwnt i Lŷn. Welwyd erioed mohono cyn goched â'r flwyddyn honno, ac roedd yn fwy ac yn nes at y trigolion yn ôl rhai, fel pe bai'r haf ar ei ffordd.

* * *

Ymarfer y canu yn hamddenol, dyna oedd bwriad Mrs O.R., yn enwedig efo mis Gorffennaf ar y gorwel, ac wrth gofio fod cyfnod brwd Eisteddfod yr Urdd wedi bod, doedd hi ddim eisiau diflasu rhai o'r plant efo canu penillion.

Syllodd Gareth ar y cloc ar ôl te. Roedd o'n hwyr. Wrth wylio'r Addam's Family (clic-clic i'r bysedd) fe anghofiodd yn llwyr am yr ymarfer. Heglodd hi o Ben Parc ar hyd Epworth Terrace, heibio Hendre'r Plentyn ac i fyny'r allt gul. Ymlwybrodd yn ofalus ar hyd wal y briffordd heb balmant nes dod at agoriad lle y ceid drws dau dŷ yn agor i'r lôn. Ni wyddai Gareth yn sicr pa ddrws i'w fentro rhag ofn i Lurch agor y drws a dweud 'You rang?' Penderfynodd y byddai'n canu cloch Llys Cerdd a gwyddai iddo ddewis y drws cywir gan y gwelai siâp croesawgar Mrs O.R. yn ymrithio drwy'r ffenestr niwlog. Agorodd hithau'r drws a phelydrodd ei gwên a'i hawddgarwch tuag ato.

'Wel, Gareth bach, dech chi'n tyfu.'

'Mae'n ddrwg gen i mod i'n hwyr.'

'Twt, twt!' Dim llond ceg, dim ond gwên ddireidus. 'Dowch drwodd. Mae pawb arall yma.'

Hebryngwyd Gareth drwy'r cyntedd helaeth i stafell ar y pen — stafell olau a weddai i bersonoliaeth gynnes y deiliad, a'i phrif nodweddion oedd y piano a'r delyn ar ganol y llawr, wedi'u haddurno heno gan blant yn barod i ganu. Byrlymai Mrs O.R. yn ei chroeso i bawb am yr eildro. Cafodd Gareth winc gan Katie Cheedle a'i llonnodd yn annisgwyl. Roedd o wedi anghofio ei bod hi'n un o griw parti canu y Parti Mawr. Y bwriad oedd dysgu cerdd dant ar gyfer y Parti Mawr oedd i'w gynnal ar fuarth yr hen ysgol ynghanol y dref. Mrs O.R. yn sicr oedd yr un i'w hyfforddi gan fod gwobrau cenedlaethol i'w gweld yn addurno'r waliau — yn dystysgrifau a chwpanau a thlysau. Ni wyddai neb union faint ei chyfraniad i ddiwylliant bro, ac am y gosodiadau fyrdd a aeth ar ddifancoll dros y blynyddoedd.

Cân hyfryd am y tymhorau oedd raid ei dysgu, ac roedd Gareth wrth ei fodd yn morio canu efo'r gynrychiolaeth swil o blith yr hogiau.

'Diolch i Ti, Arglwydd Iesu,
   Am bob tymor yn ei dro.'
Fe grisialai llygaid yr hyfforddwraig hynaws ac urddasol holl ysbryd y darn. Mynnai, â chraffter ei golwg fod y criw i gyd yn ymdeimlo â'r newid cywair ac ysbryd o bennill i bennill.

'A phan ddêl y gaeaf heibio
   Gyda'i wisg o eira glân
   Bydd dy lygaid yn ein gwylio
   Bydd gorfoledd yn ein cân.'
Roedd hi'n hawdd mwynhau canu efo Mrs O.R., gan ei bod hi'n ei gyflwyno fel peth cwbl naturiol. Roedd gan y parti y geiriau o'u blaenau heddiw ond sgwn i sut le fyddai yn y Parti Mawr, yn enwedig os oedd y *Prince of Wales* yn mynd i fod yno'n gwylio?

Wedi canu'n bur ymroddgar am sbel, diflannodd Mrs O.R. i'r cefn a dychwelyd efo deg gwydr yn llawn o oren, a bisged i bawb. Yna, dyna sgwrsio am yr ysgol; pawb ar ei glin yn ei dro a hithau'n syllu i ganol llygaid pawb a mwytho gwallt y merched, heb roi gormod o sylw i un ar draul y llall, ac yn gweld glendid yn llygaid bob un, gan nad oedd ganddi blant ei hun. Dyma'r unig gyfle gâi ambell un i dderbyn sylw o gwbwl.

Deuai Gwion o'r Hendre, Llanaber i ganu gan fod ganddo lais da, a byddai'n ennill llawer mewn eisteddfodau. Deuai â'i hanesion o fyd y ffarm efo fo — claddu oen wedi cynrhona, a'i Yncl Dic yn gweiddi wrth wneud twll: 'Gwaedda pan gyrhaeddi di Awstralia.' Deuai â byd diarth, newydd i ganol profiadau plant y ffair a'r tonnau yn y Bermo. Un tro arall cyn gorffen am yr wythnos honno, a phawb ar eu gorau gan fod si wedi lledu fod Benny Hill ar y teledu am wyth. Cyn i ddrws Llys Cerdd gau y tu ôl i Gareth, rhoddwyd amlen yn ei ddwylo.

'Rho hwn i Mam wnei di?' a winc. Rhyw gopi canu neu gilydd ar gyfer Mam oedd yn aelod o Barti Canu Sefydliad y Merched efo Mrs O.R. Roedd pawb wrthi'n wincio'r noson honno!

* * *

Bu'n ddydd Llun hir arall yn yr ysgol pan fu'n rhaid i Gareth ganu cerdd dant o flaen y dosbarth efo Mrs Alaw. Diwrnod lle y gwnaeth Gwenfair fwy o'i *long divisions* iddo fo; diwrnod arall o chwenychu Katie Cheedle a cheisio denu ei sylw yn y modd mwyaf dramatig ar yr iard. A phrynhawn lle y gwelwyd Geraint yn cael ei lusgo dan brotest i weld y doctor a'i glorian yn y caban pren. Ni fedrai Gareth ddeall y fath wrthwynebiad ffyrnig, er iddo fod yn ddigon powld wrth ei drin yntau — yn dweud wrtho efo'r llygaid mawrion, blewog, fod rhaid iddo fo golli pwysau hefyd. Tiwn gron y teulu!

Ar ei ffordd adre, ac yntau'n dianc rhag holl bwysau'r dydd dychmygai ei hun yn gorfod llyncu *Limmits* a *Chomplan* fel ei Anti Meleri. Hoffai alw ar Anti Meleri a Gwilym Glyn ar ôl yr ysgol. Cyn iddo syllu ar dŷ Anti Meleri ar y graig o bont y rheilffordd, fe gafodd bwniad yn ei ysgwydd dde gan ddau yn dod i'w gyfarfod o'r Ysgol Plant Posh.

'Mae o wedi'i wisgo'n debyg i Prindley yntydi?'

'Ydy,' ebe'r llais arall.

'Dim byd fel ni.'

'Ac mae o'n siarad Cymraeg yn posh i gyd, yn meddwl ei fod o'n glyfar.'

O fyd myfyrio ar y pwysau, daeth eu lleisiau o bell fel breuddwyd a sylweddolodd mai Ben Snob oedd un ohonyn nhw. Dwbl wfft iddyn nhw heddiw. Ni afaelodd dim o'r arswyd arferol ar achlysuron tebyg ynddo heddiw, a rhywsut daeth iaith o'i enau a'i synnodd ef ei hun yn fwy na neb.

'Ti'n gweld hon?' gan godi dwrn rhwng y ddau, 'Wel hon sy'n beryg,' a chwifio'r llall o flaen eu trwynau.

'*You what, you silly gink?*'

'*Do you want a knuckle butty sandwich?*' Daeth y llinell hon o storfa effeithiol ei gyfaill Brian Walls. Chwifiodd Gareth ei freichiau o amgylch yn ddramatig fel yn y wers Symud a Dawns newydd gan Mrs Alaw.

'*No, mate you're alright.*'

Diflannodd y ddau.

Bu Brian Walls druan mewn trafferth yn paffio eto efo pawb yn yr ysgol. Doedd Brian heb weld dim byd arall ar hyd ei oes. Ond roedd mwy i'w hanes na chaledwch.

Wrth ddringo'r stepiau y tu ôl i Derlwyn, edrychai Gareth ymlaen at gwmni Gwilym Glyn ac Anti Meleri. Roedd Gwilym Glyn llawer iau nag o, ond rhywsut caent y fath hwyl, ac roedd 'na lawer mwy yn gyffredin rhyngddo â'r un bach, yn hytrach na hogiau'r un oed ag o. Er bod Gareth yn siarad Saesneg efo Brian Walls yn yr ysgol, roedd o'n ymwybodol fod yna wahaniaeth rhyngddo fo a'i ffrind. Symudodd Brian yma pan oedd ei dad yn rheolwr gwesty — doedd o heb glywed dim am Taid a Nain Ardudwy, am gapel na Chymraeg. Roedd Gareth yn wahanol, ac roedd Gwilym Glyn 'run fath ag o, a beth bynnag roedden nhw'n perthyn! Fel arfer pan âi yno ar ôl yr ysgol cyrhaeddai ar ôl *Women Only* efo Jan Leeming, a chyn *Moment of Truth* — y gyfres fel *Peyton Place* o'r America. Dotiai Gareth at y ffordd y byddai Dorothy Malone yn gwenu ar ddechrau bob rhaglen, a hoffai ei gweld hi ynghanol y digwyddiadau cythryblus, a'r ceir mawr sgleiniog. Gwahanol iawn i'r Bermo, meddyliodd. Gwyliai Gareth *Moment of Truth* gan yfed *Rose Hip Syrup* efo Gwilym Glyn, ac weithiau câi un o *Limmits* Anti Meleri i ddisgwyl te.

Agorodd Gareth ddrws Anti Meleri ychydig yn gynharach nag arfer y diwrnod hwnnw gan iddo brysuro yn dilyn yr helbul ar y ffordd adref. Doedd *Women Only* heb orffen, ac yn y gegin roedd Anti Meleri yn plannu ei dannedd yn awchus i gacen hufen hir fel sosej. Saethodd peth o'r hufen dros ddarn o ddrws y rhewgell fel euogrwydd. Pan gyrhaeddodd Gareth yn westai diwahoddiad funudau yn gynnar bu bron iddi â thagu.

'Sori,' meddai, gan ychwanegu'n frysiog, 'Paid â deud wrth dy dad beth bynnag wnei di.' Ceid crwsâd angerddol yn erbyn y caloriäu.

'Dim hyd yn oed *peaches in light syrup* Meleri. Mae hwnnw'n siwgwr i gyd, ac yn dy chw'thu di i fyny.' Dyna'r rhybudd yr wythnos honno.

Anaml iawn y byddai Gwilym Glyn yn sâl, ac felly roedd lloches sicr ar ôl ysgol yma. Doedd Gwilym heb ddechrau yn Ysgol y Traeth, dim ond yn yr Ysgol Feithrin, ac roedd ganddo anwyldeb agored a gwallt coch. Y cof gorau gan Gareth am ei gyfeillgarwch mawr oedd prynhawniau Sul ar ôl yr Ysgol Sul. Weithiau byddai Gwilym ac yntau'n swp dagreuol yn gwylio ffilmiau *Lassie* efo'i gilydd, ac yna'r *Golden Shot* efo *Bernie the Bolt* a'r hen Anne Aston yn trio adio fel Gareth efo'i *long divisions*. Dyna pryd y deuai Yncl Gwynfor â brechdanau selsig i bawb. Nid rhai o'r un enw â Brian Walls oedd y rhain ond rhai *Bowyers*! Roedd mwynhad y sosej, y menyn wedi toddi, a'r frechdan gynnes yn gwneud iawn bob tro am y chwarae si-sô â'r teimladau gan yr hen Lassie.

* * *

Âi Ebrill rhagddo a'r wythnosau yn llifo — yr eithin yn disgleirio'n felynach, gardd Ardudwy'n blodeuo, a'r plant yn dechrau anwybyddu yr arwydd 'Dim Beiciau' ar y bont gerdded dros y rheilffordd. Roedd y dref yn deffro, a gyda'r nos byddai'r Frigâd Dân yn cynnal eu hymarferion ar y Llecyn Du, a llanw nos Iau yn araf sleifio'n uwch efo'i gyfrinachau lu. Lledai machlud llachar Ebrill ei olau hyd y tir, ond doedd o ddim wedi magu dyfnder cymeriad machlud yr hydref efo'i goch a'i ruddin o brofiad. Nosweithiau tawel a ddilynai machlud wyth — golau yn Nhy'n-y-Coed a ieuenctid yn dychwelyd o'r ymarfer pêl-droed i wynebu addewid o fywyd eto yn yr hen lecynnau. Byddai'r ymarfer pêl-droed ar y Llecyn Du ambell dro neu ar y traeth, ac yn gefndir i ymroddiad yr hogiau cyrhaeddai ambell garafán sipsiwn — carafanau'r ffair. Anodd meddwl y byddai bwrlwm y carnifal ar y Llecyn Du ddechrau Mehefin a'r dref wedi ei gweddnewid eto yn lliwiau i gyd.

Byddai'r siop sglodion ar agor yn hwyrach, ac ymadawai rhywrai'n hwyr o Gors y Gedol. Byddai cariadon yn eiddgar ailafael a sibrwd ar y jeti nawr fod y rhewynt wedi cilio o Ben y Cei, a cheid mwy o fwrlwm ambell noswaith yng Nghlwb y Morwyr llon. A dyna i chi Siop y Cei a'r marmalêd cartref a'r hysbysebion am *Welsh Honey* ar werth yno. Roedd yna rywbeth ynglŷn â'r ysgrifen oedd yn hynod o Gymreig ac yn cymell er iddo gael ei ysgrifennu yn uniaith Saesneg. Roedd pobl y siopau yn hen gyfarwydd â llanw a thrai tueddiadau'r ymwelwyr, ac yn gwybod na ddylid ar unrhyw gyfrif fethu agor ar gyfer y Pasg a Chalan Mai. Er fod Dottie yn y Swyddfa Dwristiaeth yn dechrau edrych fel petai'r swydd dymhorol yn drech na hi, byddai plant y Bermo yn ei gwneud hi'n iawn efo rhai o henwyr ffraeth y meinciau, yn canu 'Haleliwia' efo nhw — rhywbeth a ddysgwyd yn Eglwys Sant Ioan neu yn yr ysgol efallai. Ffefryn Gareth yn yr ysgol oedd *Eternal Father, Strong to Save* yn enwedig y llinellau:

> *'Oh hear us when we cry to thee*
> *For those in peril on the sea.'*

Ailymgynnull wnâi'r dyrfa benwythnosol ger Caffi Fflat Huw Puw cyn i'r gwenoliaid haf ei meddiannu'n llwyr, a chwaraeai'r plant llai ar eu beiciau yn sgerbwd y ffair nad oedd yn chwyrlïo'n fyrlymus eto, nac yn chwarae ei recordiau ar yr uchelseinydd. Chwaraeai un criw *Magic Boomerang* ar y traeth yn gymysg â'r gwylanod, ac eraill *Foxes and Hounds* yng nghoed Hendre Mynach. Deuai'r môr cyn hir i lenwi corneli'r traeth i gyd, ond gellid actio pob rhyw freuddwyd yn eu sŵn. Fyddai'r tonnau ddim yn eu crensian i ddiddymdra — dim ond eu hybu ar firi a dawns llanw a dygyfor. Deuai rhywun yn berson crwn yma, a gellid mynegi teimladau ar fin y llanw.

Roedd Sybil yn rhy brysur i wrando ar fiwsig y tonnau. Ond yng Nghaffi *Rendezvous* câi gyfle i wrando ar lanw dynoliaeth gan adael iddo dreiddio'n ddwfn i'w hymwybyddiaeth. Roedd yna lawer iawn mwy i Sybil nag yr oedd pobl yn ei weld ac roedd yn well ganddi gadw'n brysur:

'Fyswn i ddim yn licio cwmni fy hun drwy'r dydd a'r nos.'

Ond y Sybil ysgafala oedd yn y caffi y prynhawn hwnnw —

roedd hi'n mynd i gael *dirty weekend*, sef mynd allan y noson honno i gael dybl dôs am iddi orfod aros i mewn neithiwr. 'Mi fydda i'n canu ar y bwrdd yn y *Last* heno, fel o'n i'n arfer ei wneud yn y *Swan* yn Rhostyllen ffŵl. Dene ti le.'

Daeth rhywun i mewn yn holi am y gweinidog:

'Ew, pam dech chi isio gweld y *dark horse* ene cariad? Maw di hel ei draed achos roedd o 'di colli'i ben efo dynes ddu ddaeth i ganu i'r Clwb *Play It Again Sam*. Roedd o 'di gneud hi efo *Black Pudding Bertha, and he's done a bunk*. Os ddaw o'n ôl mi ddeuda i wrtho fo bod ti'n deud wrtho fo am fihafio. Iawn cariad?'

Aeth y person allan heb emosiwn o gwbl ar ei wyneb, ac i ganol y cyfan daeth Aintoinette.

'Wyt ti 'di dod dros 'Elen, O Elen . . . ar hyd y nos'?' Ni chlywodd y cwestiwn.

'*I'm in a* goblyn *of a* strach Sybil. Waeth i mi gyfadde'n blwmp ac yn blaen.'

'Cer i'r haul uffe'n. Ti 'di windio 'eth — stedda lawr ene. Be sy'?'

'Hufen, Sybil, hufen. *Crême de la crême* fel y deudodd Miss Jean Brodie rhywdro. *No, I mustn't joke*. Mae'n drasiedi. Ti'n gweld, mae'r Gw'nidog a rhyw griw bach dethol yn dod acw heno am ryw *chin wag* a rhywbeth bach neis i de fel petai. Rhywbeth bach *not so nice* i de fydd o.'

'Ydy Bertha yn dod?'

'Pwy? *Anyway*, paid ag edrych wedi dy siomi nad wyt ti'n cael *invite* — fe gei di ddod unrhyw adeg, ti'n gwybod hynny. *But what's worrying me at the moment is that I can't get to grips with the whipped cream*. Waeth i mi gyfadde yn onest Sybil. *Flop*. A dwi 'di trio mor galed.'

'Falle dy fod ti 'di trio'n rhy galed.'

'Sybil, dwi 'di bod yn ei chwipio fo nerth pob asgwrn a gewyn yn fy nghorff eiddil i y pnawn 'ma — heb lwc. A finna eisiau ei roi o ar ben y treiffl a sbrinclo rhyw gnau bach egsotic ar ei hyd o'n ddel. *Give them a* 'ffidan iawn'. *Well, don't talk to me about nuts*. Dwi'n mynd yn *bananas*! Wnaiff o ddim twchu, Sybil. Dwi wedi bod yn erfyn 'â diwygiadol sêl' (*may I add*), bron yn gweddïo i gael o i dwchu. Mi fues i yn ei chwipio fo rownd y gegin fel rhywun o'i go y bore 'ma. Ac wedi edrych ar y potyn yn iawn, nid hufen chwipio oedd o, ond rhywbeth newydd sy'n blasu'n union 'run fath, ond efo llai o *fat* — *a new fad, it won't last*. Rywsut, roeddwn i wedi llwyddo i slipio'r potyn anghywir i'r fasged yn *George Mason's*. Wel ro'n i'n *devastated*, a dim hufen ar ôl yn y Bermo. Ta waeth, yn y diwedd mi wnes i arllwys y cyfan am ei ben o, a gobeithio am y gorau — ac mae'r bwystfil yn y *fridge* tan heno.'

'Hei, be bynnag wnei di, paid â dod â dy chwip allan heno.'

'Sybil bach, faswn i ddim yn ponsio i ti a fi — 'dan ni wedi byta *beans on toast* yng Nghraig y Nos cyn heddiw yn do? Ond y Gw'nidog cariad, *he deserves to have his cream whipped*. Paid â gofyn pam, ond mae 'na ryw reddf (*call it what you will*) yn dweud wrtha i bod y Gw'nidog yn haeddu hufen wedi'i chwipio. Ac ar ben y cyfan fe ddaeth Megan *You Know* i fyny, i sôn am ryw *production* ar gyfer *Musical Spectacular* yr haf. Mae hi isio i ni gymryd rhan nid bychan yn y cyfan. Mi ddeudais i fod yna ddigon o ddrama yn mynd ymlaen yn fy mywyd i ar hyn o bryd.'

'Uffe'n, yn Bermo? Fedra i ddeall y peth adre yn Rhos. Pawb yn canu ene ffŵl, hyd yn oed y defed ar Fynydd y Rhos.'

'Ti'n gwybod dy hun Sybil, tasa Megan yn *blonde*, mi faset ti'n gallu galw hi'n *dumb blonde*.'

* * *

Bore Sadwrn cyn Calan Mai a Dydd Llun y Banc. Roedd yr amrywiaeth o roc wedi'i ailosod ar gornel Lôn Jiwbili, a Mr Catherwood ar draws y ffordd yn tynnu coes y plant eto yn ei siop dda-da yntau. Byddai'r bobl hyn ynghlo yng ngwlad plentyndod am byth i Gareth lle bynnag y crwydrai. Roedd pawb yn ymbaratoi ar gyfer eu hafaidd hynt pan ddeuai blas yr annisgwyl i ddigwyddiadau'r dref eto ac ymlacio hyfryd. Agorodd y Dafarn Laeth ei drysau yn gynnar, ac roedd rhai o breswylwyr penwythnos carafanau Tal-y-bont eisoes yno'n dalog ordro'u bwyd. Roedd Elsie yn *Woolworths* fel petai hi'n gwarafun eu penwythnos i rai. O gysgodion y gaeaf deuai pobl oedd wedi bod o'r golwg ers tua blwyddyn unwaith eto ar y stryd — a hwythau'n gwybod hanes pawb a phopeth — gydag edrychiad wybodus ar eu hwynebau. Roedd Siop Tŷ'n y Coed yn cymell â'i arwyddion hudolus bod mwy o ddewis ar gael y tu mewn; y Capten yn ail-osod ei fwrdd yn y bwyty!

Ond ar fore Sadwrn, roedd Gareth yn cyfarfod Anti Cerys o Dyffryn, ac wrth iddo ddisgyn o'r mynydd i ganol berw'r dref islaw, sylwodd ar yr eithin bellach yn garped melyn sgleiniog y tu cefn i'r dref ar waethaf y cymylau uwchben. Byddai bore Sadwrn efo Anti Cerys yn amrywiaeth hyfryd o'r dysgedig a'r cyffredin. I ddechrau roedd yn rhaid adnewyddu ei llyfrau llyfrgell. Doedd hyn ddim yn broses undonnog a diflas i Gareth, gan fod y ddynes a ofalai am y Llyfrgell, a'i gŵr, yn hoff ohono. Byddent yn trafod y llyfrau, yn enwedig y rhai newydd. Weithiau byddai Anti wrthi'n siarad am ryw bum munud neu ddeg ac yn disgwyl dim ond stamp adnewyddu arall ar y llyfr. Dro arall âi ar wib o gylch y stafell lyfrau gan ddwyn y trwchus a'r tenau o'u hen guddfannau. Bryd hynny âi Gareth i guddio rhwng y rhesi ac i sylwi ar y bobl fyfyrgar uwchben eu llyfrau. Weithiau byddai'n cellwair wrth dynnu llyfr allan un pen, a chyfarfod â llygaid darllenydd arall yn tynnu llyfr yr ochr arall. Yna byddai'r gŵr neu'r wraig wrth ddisgwyl cael stamp ar eu llyfrau'n chwerthin yn braf; dro arall, gwenu'n flin a goddef bodolaeth Gareth, am fod ei Anti Cerys yno fydden nhw. Medrai wneud unrhyw beth bron pan oedd ei Anti Cerys efo fo — ac eithrio brathu cotiau ffyr; ond stori arall oedd honno!

Rhedai dagrau glaw y gwanwyn i lawr ffenestri'r siopau, er bod gorchudd o flaen y cigydd a'r siop fara. Bu Anti Cerys wrthi'n ddyfal yn chwilio am lampau yn *Woolworths*. Tra oedd hi'n cyflawni'r orchwyl honno bu Gareth yn cadw'r oed wythnosol â merch y *fudge* — hwn fyddai *elixir* bywyd bob pnawn Sadwrn. Roedd y winc gyfrinachol rhyngddo ef a Jennifer wedi sicrhau cyflenwad helaethach nag erioed yn y bag bach papur. Roedd y trefniant yn dal i fodoli ac ni wyddai Gareth am unrhyw un arall oedd yn ffoli arno fo i'r fath raddau!

'Wyt ti'n gwybod pwy ydw i go iawn?' meddai hi â winc.

'Rwyt ti'n ffrindiau efo fy chwaer,' atebodd yntau, â winc arall.

'Ond mi dwi hefyd yn chwaer i ffrind arbennig i ti hefyd.'

'Pwy?'

'Katie Cheedle.'

Bu bron i Gareth lyncu un o'r darnau *fudge* yn ei grynswth, ac anghofiodd am winc arall!

Croeso gwresog fyddai'n disgwyl Anti Cerys yn siop *Vogue*, siop ddillad, er gwaethaf enw mor ddiarth. Dynes addfwyn, wladaidd a choch ei hwyneb oedd y tu ôl i'r cownter, ac roedd hi'n amlwg bod y ddwy yn ffrindiau. Tra byddai Anti a pherchennog y siop yn sgwrsio ymddiddorai Gareth yn effeithiau'r drych hir ar siâp a ffurf y corff, a dychmygai ei fod yn dal y gwahanol wisgoedd o'i flaen fel yr oedd pobl yn ei wneud o bryd i'w gilydd.

'Wel, dyna ni wedi rhoi'r byd yn ei le.' Hon fyddai'r frawddeg glo arferol, ac yna fe fyddai Anti Cerys yn galw ar Gareth o blith y gwisgoedd i baratoi i fynd allan. Dro arall, byddai'n fater o fusnes, a byddai Anti yn diflannu i'r sgwâr bach yng nghefn y siop, yn stryffaglu tipyn y tu ôl i'r cyrten, ac yn ailymddangos i dderbyn mawl neu sen y ddynes siop yn sblander yr het newydd, neu'r sgert haf barod.

* * *

Ar ôl Capel ymlwybrai Gareth yn wyliadwrus iawn heibio i'r cae pêl-droed. Cafodd ei rybuddio lawer tro os âi ar gyfyl y rheilffordd i fod yn ofalus iawn wrth groesi, rhag ofn i'r trên ei daro. Gwelai'r giât fochyn, wen, frau yn agosáu.

Bu Gareth yn ffarwelio â chyfeillion yma lawer tro heb groesi ffin arswydol y cledrau. Heddiw roedd o'n benderfynol o gael golwg ar yr ochr draw, a thorri'r ffin go iawn.

Roedd y llawr, caregog, rhydd yn llithro dipyn mwy na'r arfer o dan rwber ei wadnau. Sleifiodd drwy'r hen giât wichlyd gan glustfeinio am sŵn mwy bygythiol y trên, ond dim ond gwich y giât yn dychwelyd i'w hen safle a glywai. Curai ei galon fel gordd. Aeth at fin y gledren, ond roedd ganddo ofn cyffwrdd ag o rhag ofn y byddai yna rhyw adwaith drydanol.

Beth fyddai'n digwydd pe bai'r trên yn ymddangos yn gyrru'n

wyllt, wyllt, wyllt, ac yn ei daro? Beth petai o'n rhoddi'r droed gyntaf dros y gledren a'r trên yn cyrraedd cyn iddo fedru dweud 'Mrs Letus'? Hynny ydy, petai o eisiau dweud Mrs Letus.

Dwy naid a cham hir oedd angen i groesi, ac wedi cyrraedd yr ochr arall teimlai'n gawr — wedi meistroli'r grefft o dorri ffiniau.

Haf

Mis Mai yn ddiau fyddai haf personol pobl y Bermo. Deuai sisialon yr haf o lais uchelseinydd y ffair wrth i'r peiriannau ddechrau troi. *'You were always on my mind . . . You were always on my mind.'* Dyma gyfnod ymddangosiad ambell ddieithryn yn ei grys T *'Make Love not War'*. Deuent o du hwnt i'r bryn ymhell. Deuai'r gweithwyr lleol i gytundeb efo'r warden traffig ynglŷn â chadw fan mewn man priodol, ddi-diced. Byddai'r plant ysgol yn baglu drwy'u hamser chwarae efo *British Bulldogs*. *'Oh Carol . . . I'm still in love with you . . .'* o'r ffair, a'r Radio Un newydd yn gyfeiliant yn y cabanau gwerthu *Hot Dogs* neu fyrbrydau'r môr.

'O leia dydy'r hen bryfed glas 'ne ddim o gwmpas y Caffi 'radeg yma,' meddai Sybil. *'Everybody's going surfin', surfin' U.S.A.'* Tywydd teg Mai oedd yr adeg y deuai hen wynebau ar sgowt i'r hen ardal. Deuent â'r argyhoeddiad y byddai yma hafan ddigyfnewid a chysur sicrwydd llanw a thrai hyd yn oed pe byddai popeth arall mewn bywyd yn methu. Er gwaethaf digwyddiadau'r gorffennol, byddai'r ffilm eto'n lân a'i belydrau yn tarddu o ffynnon plentyndod yn y Bermo. Byddai llawer yn ail gwrdd ac ail selio eu hen lwybrau yn y Gymanfa Ganu flynyddol yng Nghapel Siloam, pryd y deuai Ardudwy gyfan i ganu a moli ennyd.

Weithiau deuai rhyw salwch am ychydig ddiwrnodau i darfu ar y cyfnod hwn — i'r plant a phobl mewn oed yn ddiwahân, ond y bobl ddiarth gâi'r bai am ddod â'r *bugs* efo nhw o Birmingham. Dyma hefyd pryd y gwelid ambell ymwelydd diniwed yn gyrru car i fyny lôn unffordd — i'r cyfeiriad anghywir! Wedi pob cawod mynnai'r haul wenu'n braf, a hynny ar ôl i bawb bron fynd adre, a'r prom yn wag unwaith eto — tan y tro nesaf. Byddai ambell i blentyn yn dynwared serenâd y gwylanod a gylchynai uwchben. Edrychai'r aber a'r mynydd yn newydd yn yr heulwen yn dilyn y gawod. A phryd tybed fyddai'r nos yn disgyn ar Gaffi Fflat Huw Puw?

'Y Saeson 'ma, maen nhw wedi'n gyrru ni o'r mynydd i'r glannau yn barod. Ma' nhw'n ein gyrru ni i'r môr rŵan, trio'n boddi ni. Ond wna'n nhw mo'n torri ni — 'dan ni fatha glaswellt yr ardd yn Heol y Llan 'cw — gwellt y twyni ydy o. Mae'n rhaid cael cryman ato fo.' Roedd hi'n anodd cael Dad i gyfaddef unrhyw beth, ond roedd hyd yn oed y fo yn cyfaddef fod Mama Menna, llefarydd huawdl y geiriau hyn, yn goblyn o gês. 'Mae 'na rai Saeson iawn, ond mae 'na rai sy'n defnyddio'r lle hefyd, ac yn ei ddefnyddio fo fel tasa fo'n haeddiant iddyn nhw a neb arall.'

Byddai Mama Menna yno'n ddi-ffael bob bore yn y Siop Bapur Newydd, wedi wyth. Yr adeg honno byddai'r siop yn llawn o selogion y dref am eu gorau'n cynnig barn ar hwn a llall efo Megan tu ôl i'r cowntar yn llywiwr medrus ar y seiat. Byddai Huw Dyls o'r Cyngor y tu allan, yntau'n ychwanegu'i farn yn huawdl ar faterion llosg y dydd.

Roedd Ma Menna'n wyth deg saith oed ac fe'i gwelid yn llusgo ei hun i bob math o weithgareddau mawr a mân er gwaethaf ei *chronic rheumatic*. Doedd o'n mennu dim ar Menna. Er mwyn mynd i eistedd mewn ambell le, byddai'n cadw'r llinell hon wrth gefn: 'Fuo gin i *meningitis* unwaith . . . gadewch i mi eistedd i lawr.' Ni wyddai neb a oedd hynny'n wir.

Roedd ganddi lygaid miniog, llwyn o wallt gwyn am ei phen, a hyd yn oed yn anterth yr haf, het flewog ac amrywiaeth o groen anifeiliaid am ei chorpws. Fe'i gwelid ger porth Caersalem â'i llygaid barcud yn gweld pwy allai gipio i helpu 'hen un i lawr y stepiau brwnt 'ma'.

Gallai orfodi'r anghyfarwydd i'w hebrwng o amgylch yr archfarchnad leol gyda chwestiwn tebyg i 'Dech chi'n mynd i *George Mason* Mrs Lewis?' neu 'Mae gin i bobl ddiarth yn dod fory, a dim gobaith o fynd i siopa, a dim yn y tŷ i lenwi'u bolia — dim cacan, dim yw dim.' Clywodd Gareth iddi gipio ei dad un diwrnod a mynd â fo ar wibdaith o amgylch *George Mason* yn gwneud ei neges. Yn ôl yr hanes roedd yr hen Dad ar goll yn llwyr ynghanol y tuniau, ond roedd ganddi ffydd ynddo gan ei fod o wedi bod yn Llywydd y Gymdeithas Lenyddol, a theimlodd ei fod o wedi mwynhau'r profiad '. . . hyd yn oed efo hen beth fel fi!' Gwyddai selogion Caersalem amdani, a bod ei chalon yn y lle iawn er gwaethaf popeth. Ymddengys ei bod hi wedi bod yn cael ymweliadau gan un go bwysig. Deuai i'w gweld hi yn ei gwaith beunyddiol wrth y pympiau petrol ger y cei.

'Mae'r Pab neis 'na yn galw i 'ngweld i wyddoch chi?' Ond nid y gwron o Rufain oedd hwn ond Father Patrick 'hanner ei hoed' o'r Eglwys Gatholig i lawr y ffordd. 'A wyddoch chi? Dwi'n hoff o'n Gw'nidog ni — mi faswn i'n gwneud rhywbeth iddo fo, ond dydy o heb fod yma un waith i 'ngweld i — hen wreigan fel fi. Ond mae'r Pab wedi bod yma fwy nag unwaith, o ydy. Dyn neis, wyddoch chi. A dech chi'n gwybod sut gychwynnodd y cyfan? Wel, gwenyn. Naci ddim gwenwyn, gwenyn. Mae o'n cadw rhai. A dyna sut y croesodd ein llwybrau. Nac ydw i, dydw i ddim yn eu cadw nhw, ond ges i bla ohonyn nhw yn y tŷ 'cw. Nyth. Yn y llofft orau cofiwch. Ofnadwy. Andros o le yno. Ta waeth, mi ddeudodd Mrs Morris drws nesa fod y Pab yn giamstar ar drin gwenyn. Felly mi ffonis i o yn do.'

'*Hello Father*,' medda fi. Saesneg mae o'n siarad.

'*I've got two problems.*'

'*Yes*,' medda fo.

'*The first is that I'm not a Roman Catholic.*'

'Dio'm ots,' medda fo. '*But I am a practicing Welsh Calvinistic Methodist*,' medda finna. 'Iddo fo gael gwybod yn de?'

'*And the second problem is bees.* A wyddoch chi be mi ddaeth o draw o fewn chwinciad a sortio 'mhroblem i. Mi ddaeth o â ryw bowdwr allan, ac fe ddiflanon nhw dros nos. A dydy o heb stopio dŵad i 'ngweld i ers hynny. Byth yn gweld y Gw'nidog. A dydy o ddim yn trio 'nhroi i na ddim byd — mae o jest yn hoffi dod yma i gael sgwrs a *bun loaf*. Eistedd yn y gornel. Fasa werth i chi weld o.'

'A wyddoch chi pwy ydy o? Wyddwn i ddim am hir, a ddeudodd o ddim gair — ond mae o'n perthyn i *Royalty*. Yndi wir, ddeudis i wrtho fo mod i'n teimlo'n annheilwng iawn a fynta'n dod i 'nghegin gefn i — tasa fo'n dod i'r parlwr yntê? Ond na, fynnai o ddim o hynny. Doedd o ddim eisiau triniaeth wahanol. Dim ond cyfeillgarwch. Ia wir. Dyna hanes hen ddynas fel fi yn ei hunigrwydd a'i henaint. Dowch i 'ngweld i wir. Dwi ar fy mhen fy hun drwy'r dydd efo'r pympiau. Fi a sŵn tonnau'r môr.' Deuai pobloedd lawer i dderbyn o garedigrwydd Ma Menna, ac o'i chalon fawr — er rhuad a rhaeadr ei geiriau ambell dro.

* * *

Edrych drwy ffenestri'r haf ar fyd o lawnder a lliw — dyna wnâi criw plygeiniol Caffi Belmont. I Gareth, byddai pendraw'r prom yn colli ei rin a'i wefr am sbel, gan na chai fynd yno ar ei ben ei hun efo'r tonnau. Byddai'r lle yn orlawn o hyn allan. Roedd plant bach bythynnod yr hen Fermo ar y graig yn eu byd bach eu hunain wrth ddarganfod Madfall ar y graig ganol Mai.

Wedi i *Slim Away* brofi'n *Slim — No Way* roedd gan Anti Meleri syniad newydd — ffrwythau, ffrwythau, ffrwythau, orennau, grawnffrwyth ynghyd â choesau cyw iâr heb y croen.

'Fydd 'na ddim coesau cyw iâr ar ôl drwy'r wlad, ac mi fydda i unai'n edrych fel swigen enfawr, neu gyw iâr anferth.' Ond roedd hi'n werth trio.

Deuai Euros a Rhys, Llanaber i chwarae criced o ryw fath wedi'r ysgol i gyfeiliant yr ewyn gwyn a'r tonnau, ar y maes parcio islaw Morwendon. Heddiw deallodd Gareth sut cafodd y tŷ ei enw. Dau focs, pêl denis a bat, gornest, ac yna ar benllanw, cefnu ar y tonnau a'u chwerthin yn eco'n ôl i Fron Oleu. Torrai ambell i don yn fawr ei thrwst ond heb daflu ewyn hyd y ffordd; fel amryw o bobl uchel eu cloch roedd eu cenadwri yn marw cyn cyrraedd y nod. Ac fe ddaeth y dyddiau pan oedd hi'n anodd dweud ai mewn neu allan oedd y llanw mewn gwirionedd. Setlai ar ryw lefel hwylus i ymwelwyr.

Cuddiai Alex, o ddosbarth Gareth, yn yr Ogof *Chips* — ei ogof bersonol ac un ei dad cyn hynny, a llwyddodd i ddwyn ambell i daten gan Mam ac yno'r oedd o'n eu torri efo hen lechen i drio gwneud sglodion. Dewiswyd Neli-Ann Bowen yn Frenhines y Carnifal, ac roedd y teulu'n dechrau poeni am y dyletswyddau oedd yn eu hwynebu, a beth i'w wisgo yn y Coroni ddechrau Mehefin. Eisoes cafwyd tiara o Gaer bell, a dim ond dechrau gofidiau oedd hynny.

Diwrnod miniog o glir ym Mai a'r tarth yn dal i godi am Ben Llŷn yn y bore bach, a'r awyr yn las, las. Bu Gareth yn gorwedd yn y twyni tywod am ychydig ac yn syllu i fyny o blith y gwellt. Roedd fel bod ym mharadwys, meddyliodd, er nad oedd o wedi bod yno! Tyfai'r twyni tywod ar waethaf holl ymdrechion y gwareiddiad concrit i'w difa — i hwyluso rhodfa a ffair. Deuent yn ôl drwy'r holltau i dystio mai'r twyni yw'r oesol a'r haen uwchben yw'r marwol. Ymestynnai'r ffair erbyn Mai ar hyd dwy ran glan y môr. Mynychai Gareth gynteddau'r ffeiriau fel bob plentyn arall ac nid oedd wedi sylwi eto ar laswellt yr hen dwyni yn mynnu tyfu o amgylch y tai ar y tywod.

Byddai Mama Menna yn cadw ei llaw ar y pwmp petrol tra y siaradai efo chi. 'Dwi'n cofio cysgu yng ngwely'r Bardd Cwsg unwaith — ond roedd o wedi marw ers blynyddoedd i chi gael deall.' Llithrai'r petrol geiniog dros y nod. 'Oes ganddoch chi'r geiniog os gwelwch yn dda?'

Roedd enw newydd garej Mama Menna wedi mynd i'w phen yn ôl rhai — llythrennau fflachiog, llafar — '*FREEDOM*'. Os nad oedd hi'n trin un o'r pympiau petrol wrth i chi fynd heibio, byddai'n siŵr o weld pawb a âi heibio ar droed, ac fe waeddai'r rhan fwyaf gyfarchiad ar eu trac tua Bro Gyntun, neu yn ôl am Ben Stryd. Y gath oedd yn cael tendans ganddi heddiw:

'Un drws nesa 'di hon. Ond gin bod nhw'n mynd allan gym'int, fi sy'n magu hi, a dwi'n trio bwyta' nghinio. Does 'na ddim llonydd i'w gael.'

Llygaid bywiog, mawr, oedd gan Mama Menna. Byddai o hyd yn gwisgo rhyw hen bethau wrth ei gwaith — hen siwmper fawr un o hogia'r garej fyddai ganddi gan amlaf ac roedd ôl petrol ac olew ar ei dwylo hen.

'Ma' Barry 'di mynd i Tenerife peth'na, a gadal yr hen ddynas yma,' a chwerthin yn gellweirus. 'Dach chi'n ddigon o ryfeddod

Gareth.' Byddai bob amser yn sôn am Taid. Ni ddeallai Gareth bob dim a ddywedai, a hithau'n siarad ag ef fel pe bai'n oedolyn.

Pan oedd hi wrthi'n cymryd darn o fara trwchus efo *margarine* ('dwi ar hwn rŵan') daeth Williams y *News* i mewn — gohebydd efo'r papur lleol. Roedd Gareth wedi'i gaethiwo yng nghornel y cwt bach talu pren, lle teyrnasai Ma Menna a'r gath. Disgynnodd peth o'r *margarine* ar hyd y siwmper pan welodd hi wyneb Williams eto:

'Na, dwi 'di deud wrthach chi. Wna i ddim. Dwi'm yn credu ynddo fo.'

'Ond mi fuasai pawb yn yr ardal yn medru'ch cofio chi?'

'Dech chi'n meddwl mod i am farw'r funud 'ma?'

'Nac ydw. Ddim hynny o'n i'n ei olygu. Mi fuasai'n wych tasach chi'n gadael i ni wneud y *feature* 'ma arnoch chi.'

'Na dwi ddim eisiau clod o gwbwl, a phan dwi'n mynd — dwi'n mynd. Dim eisiau dim ar fy ôl i — achos dwi 'di bod yn ffyddlon yn fan hyn y tu ôl i'r pympiau petrol 'ma, well 'na bod yn tŷ yn pydru o flaen y telifision.'

Byddai cwmni Mama Menna, pa dymor bynnag, o hyd fel dydd o haf o hamddenol. Ond dipyn o storom Awst oedd hi rŵan cyn dyfod ymwelydd arall sychedig am betrol. Ac yn ffodus i Ma Menna, ac yn anffodus i Williams y *News* cyrhaeddodd car mawr crand i libart y garej. Saethodd Ma at y pwmp fel un chwarter ei hoed, fel pe bai am ddawnsio tango gyda'r teclyn. Sleifiodd Williams y *News* oddi yno ar drywydd ryw sgwarnog arall a fyddai'n addewid o geiniog neu ddwy cyn dyfod diffaethwch diffyg storiau'r haf.

'*I say, are we on the right road for the estuary?*' gofynnodd y dieithryn.

'*Yes. Follow the road. This is the estuary,*' meddai Ma Menna yn ei Saesneg clogyrnaidd.

'*Fill her up,*' meddai'r ferch groenddu tu ôl i'r olwyn. Edrychai llygaid mawr Ma Menna arni, ac astudiai y sedd gefn wrth lenwi'r car â phetrol. Sut yn y byd y daeth y ddynes yma i gael gyrru '*Rolls*'? Tybed pa un o fyddigions Lloegr oedd y gwrthrych a eisteddai yn nhu blaen y car a'i drem yn eiddgar am ddŵr afon Mawddach i gael gwared â'i syrffed? Mae rhai o'r Saeson 'ma'n

104

dwp ar y naw, meddyliodd. Wrth i'r pris agosáu at ffigwr crwn, hawdd ei dalu ar y cloc, daeth hen ddireidi i ewynnau Ma Menna drachefn. Mynnodd y bysedd styblyd chwarae eu hen gastiau, ac roedd y llinell barod mor fytholwyrdd ag erioed.

'*Oh! It's just gone over,*' neu'r fersiwn Gymraeg 'O! Mae o wedi mynd drosodd.' Gwyddai'r trigolion lleol am ei chastiau a byddai ambell un yn taro'r pres union ar ei chowntar pren cyn iddi gychwyn. Ar adegau o'r fath edrychai Ma fel petai rhywun wedi cerdded dros gwrlid ei hunan-barch, ond wedi eu diflaniad o fuarth y garej crafangai'r ceiniogau yn ofalus i'w stordy — fel wiwer yn hel mes at y gaeaf. Ond ni ddeuai'r gaeaf iddi hi — glaw neu hindda, hwyr a bore, byddai yno yn prysur weini a sgwrsio!

'Ŵ, mi rydach chi dal yma machgan glân i!' Ac erbyn iddi stryffaglu yn ôl i mewn i'r cwt pren, roedd y gath ar ben y cownter yn bwyta gweddillion ei brechdan. Ond doedd dim colli tymer rŵan — dim ond efo cwsmeriaid afrosgo oedd eisiau gwneud hynny. Dim ond rhoi mwythau ac anwylo tipyn ar ei hedrychiad clai.

'Yr hen geth.'

Byddai Mama Menna ar ei hanwylaf a'i disgleiriaf yn cofio achlysuron y teulu, a mynd ar y Sul i weld Anti yn Dyffryn.

'Rhyw *school teacher* oedd hi, ac roedd rhaid i ni olchi'n wynebau yn y nant cyn mynd i mewn, a sefyll cyn cael ein cinio i ddweud Gras. Peth rhyfedd ydy teulu. Maen nhw'n reit dduwiol ychi — fasan nhw ddim yn mynd i'r *pub*. Ond mae 'na bob math o *mongrel* yn y teulu, a dan ni i gyd yn perthyn yn Ardudwy 'ma yn tydan? Hyd yn oed chi a fi,' a chwerthin mawr.

Wedi hynny ciliodd Gareth gan i sgwrs yr achau fynd yn ôl at ryw fôr-leidr efo pen anferth o lethrau Pumlumon, a chafodd dipyn o fraw. Wyddai o ddim am hynny, ond fe addawodd wrth ffarwelio y byddai'n gofyn i'w dad am y stori gyflawn.

* * *

Mis Mai — ac arogl yr heli yn dychwelyd i gosi trwynau plant yr ysgol yn Princes Avenue, a chriw o blant o Swydd Rhydychen yn

105

dod i dreulio wythnos yn gwersylla yng Ngwastad Agnes, wythnos a gofiant weddill eu hoes. Bu Alex â'i jocs wrthi drwy'r bore yn yr ysgol.

'Be sy' di dod drosta chi? Lori a char!' Ac ar ôl mynd dros ben llestri efo Mrs Alaw: 'Wnes i ddim siarad un deg naw o weithiau neu fe fuasai 'ngheg i'n brifo a gwaedu.'

Fe ddaeth Kevin â llond llaw arall o 'aur' i Mr Rogers, yr athro newydd, tra oedd o'n eiddgar ddisgwyl i gamu i'w swyddogaeth bwysig yng ngêm bêl-droed gyntaf y tymor i'r ysgol — y Rownd Derfynol yn y Gwpan; *Cup Final* os buo 'na un erioed — Bermo yn erbyn Dyffryn. Gêm gartre, a doedd neb arall eisiau bod yn ddyfarnwr. Hogyn bach o'r babanod oedd Kevin oedd yn mwynhau cyrchu talpiau o hen greigiau a cherrig at Mr Rogers am iddo fo ddigwydd diolch a gwneud sylw mawr o'r 'aur' a gafodd o Ogof *Chips* Alex. Ac felly y dechreuodd y bererindod feunyddiol gan Kevin i ddod ag 'aur wir yr' i Mr Rogers. Daeth penllanw y tueddiad newydd eiliadau cyn y chwibaniad cyntaf. Roedd Mr Rogers druan yn poeni llawer mwy am reolau pêl-droed, a faint o blant oedd i fod ar y naill ochr a'r llall — rhyw bethau bach felly! Rhoddodd yr 'aur' yn y llwyn yn rhywle yn reit ymwybodol.

Seiniodd y chwiban agoriadol.

'Amdano fo . . . arno fo,' Ioan Wyn, un o'r *subs* heddiw, waeddai o'r ochr. *'Nice one, Ar.'*

'Ciciwch hi . . . peidiwch â chwarae efo hi.'

'Dach chi 'di gweld gormod o *Match of the Day* efo'ch dramatics . . . wir,' llais annisgwyl Mrs Alaw o gefn y gôl.

'Danny, ty'd yn dy flaen Danny — ffordd acw mae'r gôl. Dowch yn eich blaenau Dyffryn.' Llais dieithr ar faes y Bermo yn peri chwa drwy rieni'r dref a oedd wedi ymgynnull. Ond roedd gan genod yr ysgol ddull llawer mwy effeithiol o gael 'Hogiau Ni' i sgorio, sef sgorio efo gôl-geidwad Dyffryn.

'Mae hi eisiau sws gen ti, mae hi'n dy ffansio di. Pryd gaiff hi un?'

Ni allai ateb.

'Mi fasa hi'n licio *French kiss*,' druan o'r hen Duncan yn cael

106

cwestiynau wedi eu hanelu ato fo o bob cyfeiriad a phêl rhwng ei goesau i'r rhwyd.

'Gofynnwch iddo fo os oes ganddo fo gariad,' meddai Carl.

'Be wyt ti'n ei wneud heno?' gofynnodd Katie Cheedle iddo. Ni allai Gareth goelio hyn. Yn anorfod roedd o yn y safle diffens anobeithiol, ac yn clywed pob gair. Mi geisiodd Carys gynnig rhyw dda-da bach iddo fo pan oedd y bêl yn agosáu. A rywsut drwy ryw gyfuniad od o bethau fe weithiodd y cyfan o'u plaid — 4-2, y sgôr i 'Hogiau Ni' yn y *Cup Final* y flwyddyn honno.

★ ★ ★

Gwyliau'r Sulgwyn yn y Bermo, a'r dref yn llenwi gydag addewid o dywydd braf. Roedd y rhododendron piws yn arddangos ei hun yn glystyrau hardd hyd Lwybr Craig y Gigfran, a'r copa yn gyrchfan i gerddwyr uchelgeisiol uwchlaw Bro Mynach. Gorchuddiai llygad y dydd gae chwarae'r ysgol a naddwyd o'r hen dwyni tywod. Câi'r dref ei chloi gan dagfeydd trafnidiaeth cyntaf y tymor — o Dal-y-bont un ochr, i Lan Dŵr yr ochr arall — a'r dref fechan yn treblu yn ei maint heb dyfu dim, dim ond gorlifo i'r meysydd carafanau a'u goleuadau yn y nos hyd Draeth Benar. Cynigiai Gwesty'r Cei *Table d'Hôte* beth bynnag oedd hwnnw, a deuai arogl tost yn llosgi o'r cefn. Byddai Kim yn clirio byrddau yng Ngwesty Tal y Don, a Wyn ar y Waltzer yn bwriadu chwyrlïo pobl trwy eu haf! Roedd Gerry yn *George Mason* wedi'i wisgo fel tasa fo'n rheolwr, Owain yn golchi llestri yng nghefn y *Dolffin*, a Davey yn lliwgar i gyd yn ei grys a'i siorts newydd yn prysur gyflenwi hufen iâ, cŵn poeth a *Coke* (cofiwch frwsio'ch dannedd!), yn wir unrhyw beth, yn y caffi ar y groesfan reilffordd. Deuai pobl o bob lliw a llun i lenwi pob twll a chornel ac i roi'r dref dan warchae.

Byddai criw bonheddig yn gweini yn yr *Olde Tea Shoppe* — a rhai ifanc oedden nhw er gwaethaf yr enw. Byddent yn delio efo holi di-ben-draw y cwsmeriaid am hynt yr *eclair* â hufen y gofynnwyd amdani ddeng munud ynghynt, a'r un yr oeddent braidd yn bryderus yn ei chylch erbyn hyn. Roedd y staff yn gorfod hogi'i sgiliau diplomyddol, a thrin bob barn a chŵyn fel pe bai'n rhywbeth tyngedfennol ac o bwys tragwyddol. Byddai ymateb Sybil yn y *Rendezvous* yn llai ymatalgar: 'Pwy ddiawl mae hi'n feddwl 'di hi? Does 'na'm byd gwaeth na phry wedi codi o gachu.'

Y ffair oedd y lle i'r genhedlaeth ifanc ddangos eu hwynebau os am fod yn un o'r criw haf. Roedd rhai o griw gaeaf Caffi Fflat Huw Puw yn llyncu pob swildod yn yr ymgiprys i fod yn ffasiynol, a doedden nhw ddim mor hael eu helô wrth Gareth yn ystod yr haf hunanymwybodol. *Johnny Be Good, Peggy Sue, Goodness Gracious Great Ball of Fire, I'm All Shook up, Mrs Robinson* a'r hynod boblogaidd *Kissing in the Back Row of the Movies on a Saturday Night With You,* y rhain oedd alawon yr amserau.

Dim ond ambell gip gaech chi ar griw arferol y dref dros y Sulgwyn — un olwg feddylgar yn y trobwll pobl, oni ddeuai cyfarfod ar hap. A byddai'r banadl yn cuddio'r garreg filltir ger Llanaber, fel cuddio hen hanes a threftadaeth, am yr ychydig wythnosau pan ddeuai Bermo'n eiddo i eraill. Ffyrdd y cei oedd yn fwyaf poblogaidd gan Gareth rŵan, tra yn y gaeaf, byddai'r tonnau'n ei ddenu i bendraw'r prom. Byddai'r byd yn dod i ben y cei.

Yng ngwesty Min y Don clywid sŵn y *cabaret* yn marw ar ddiwedd Llun y Banc a dyrnaid ar ôl yn cymeradwyo yn y seler, heb adael i ofalon yfory eu llethu. Roedd y traeth yn wag a thawel ar ddiwedd noson, gyda dim ond ambell gysgod yn crwydro drosto. Roedd adar yr aber yn atseinio eu 'nos da', yn ffyddlon ym mhob tymor. A'r olaf sain gan y ffair y noson honno oedd *Yester Me, Yester You, Yesterday.* A chyn hir fe fyddai'n ddiwrnod arall.

* * *

Yn ôl y drefn foreuol roedd yn rhaid i Gareth fynd i ymolchi ar ôl i'w dad orffen. Disgwyliai am lais ei dad yn galw o'r landin. Weithiau byddai Gareth yn stafell molchi cyn i'w dad orffen llefaru, dro arall byddai'n rhaid iddo gael *encore* bach, ychydig bach yn fwy cadarnhaol ei ddeisyf. Y bore arbennig hwn, mater o rwbio Mistar Cwsg o'r llygad oedd hi ac ymlwybro hyd y carped yn urddasol fel alarch, heb gythruddo'i dad o gwbl gan ei brydlondeb.

Pan gyrhaeddodd yr ysgol, bu dau o'r athrawon yn brysur iawn drwy'r bore, fel tasen nhw wedi cael chwilen yn eu pen, a'r unig beth fyddai'n eu diwallu oedd mynd allan a thyllu nerth eu pennau efo rhawiau. Roedd y twll yn enfawr mewn gwirionedd, ac roedd golwg bryderus ar Mrs Alaw wrth iddi syllu ar y ddau athro drwy'r ffenestr. Un ohonyn nhw oedd yr athro newydd ifanc hwnnw, Mr Rogers. Ni wyddai neb beth i'w wneud efo fo os oedd o ar ddyletswydd cinio, roedd ei sgwrs mor ddiflas ac roedd o'n gymaint o freuddwydiwr. Roedd angen iddo fo ddod i'r babanod i weld beth oedd gwaith.

'Ysgrifennu creadigol wir, fysa well gin i wneud Maths drwy'r dydd efo nhw. Jyst tic, tic, tic.'

Yn fuan taenwyd llen blastig i'r twll ac fe grewyd y Pwll Dŵr neu'r *Pond* fel y bedyddiwyd o gan Brian Walls. Er fod plant Bermo mor gyfarwydd â dŵr, ni fu erioed y fath ddiddordeb mewn na gardd, na chae, na gwers drwy'r ysgol gyfan o'r blaen.

Amser chwarae, a daeth Hannah i mewn yn dweud ei bod hi wedi gweld rhywbeth hir a du yn symud yn y pwll, a meddyliwyd yn syth fod Nessie wedi galw draw.

'Cymera lasied bach o ddŵr.'

Do, fe syrthiodd rhwydi, ceiniogau, a'r cwbl i mewn i'r pwll i'w fedyddio, ond yn ffodus dim un plentyn, er yr holl ddarogan gwae gan y mamau eiddgar wrth y giatiau.

'Dacw fo — dyna'r lembo feddyliodd am wneud pwll y tu allan i ysgol i blant bach. Be nesa?'

'Dylan ni fydd y cynta i mewn — dwi'n deud wrthach chi . . . Mae 'na lot o famau'n sôn ei fod o'n beryg. Peidiwch â deud mod i'n sôn yn na wnewch?' O'i aralleirio — cofiwch chi sôn mod i'n dweud.

Cerddai Anti Sybil heibio i'r pwll bob dydd, a gwaeddodd ar ofalwr yr ysgol 'Hei ffŵl, ti'm isio ryw fôr-forwyn fach i eistedd ar ochr y pwll? Fyddwch chi'n cael sioc un diwrnod, pan fydda i yno fel *mermaid.*'

'Ro'n i'n meddwl mai yn y nos oeddet ti'n dod allan,' gwaeddodd Les *'Leave-it-to-me'* Bennett yn ôl.

'Wel dwi ar gael ar gyfer y shifft nos i eistedd ar lan y pwll. Fedra i feddwl am bethau gwaeth i'w gwneud. Pam ti'n meddwl eu bod nhw'n galw fi'n *Lily of the Valley* yn Heol y Llan?'

Bu Aintoinette hefyd yn tynnu coes Sybil am fod yn *resident mermaid* dros nos a helpu yn y cantîn yn y dydd, a chael anghofio am y *Rendezvous*. Ond roedd Aintoinette yn prysur ffwndro oherwydd cyfres o ofidiau newydd a ddaeth i bwyso'n drwm ar ei bron.

'Gwynt Sybil — gwynt anhygoel. *Excruciating pain* — ddim awelon Mai yn taro'r promenâd fel chwa bêr, ond y *real McCoy* y tu mewn i mi — gwynt mewnol. Doeddwn i ddim yn medru gwneud dim byd yn y car ar y ffordd adre ar ôl bwyta rhywbeth. Roedd y bol wedi bod yn corddi yr holl ffordd o Gricieth, *and I was all fidgety*. Beth bynnag, pan oeddwn i yn Dyffryn 'fe'm parlyswyd' fel llwynog R. Williams Parry â'r gwynt mwyaf personol ynghlo yn fy nghorff i, a'r boen yn fy mhlygu. Roedd o'n erchyll ac roedd fy nghoes yn gaeth ar yr *accelerator* a finna'n gwneud tua 60 yn hawdd yn mynd drwy'r pentref. Taswn i wedi codi fy nghoes mi fuaswn i wedi ffrwydro. Wn i fod y Cyngor Plwyf wedi bod yn cwyno yn y Dyffryn am gyflymder y ceir, *but I couldn't help it Sybil*. Roedd hi'n ddigon canolbwyntio ar yr olwyn. Wn i ddim sut gyrhaeddais i'n ôl a sut fedrais i barcio. Mi fûm i yn y car am ddeg munud, rhag ofn i mi wneud symudiad rhy sydyn a *Bob's your uncle*; ond yn ffodus mi giliodd y gwynt ddigon i mi grafangu i'r tŷ, dim ond hop, cam a naid i ffwrdd. *And I made straight for the pan — like a bat out of hell* — mi fedrais i eistedd a'r cyfan cyn i'r llifddorau agor. *Like* Cantre'r Gwaelod *it was Sybil. I thought I was going to take off like a rocket*. Mi roedd Mrs Owen y Llyfrgell hithau'n cydymdeimlo â mi'n fawr, ac yn gobeithio'n arw na chaiff hi fyth gorwynt oducha'r *bestsellers* fel petai. Dwi'n siŵr fod Bermo gyfan wedi clywed. *Not just your usual Sybil. High Wind in Jamaica*. Ac fe fydd 'na fwy. Mae 'na rywbeth yn crwydro'r ardal 'ma.'

Gyda mis Mehefin yn cyrraedd roedd yna rywbeth yn pwyso ar feddwl Sybil hefyd.

'Dwn i'm be ti'n bonsio efo dy wynt di . . .'

'*Excruciating it was Sybil. Excruciating.*'

'Ac mae hi'n brysurach yn fan hyn fesul diwrnod. Yn debycach i Charing Cross bob dydd.'

A gafwyd gwyntoedd ym Mehefin? Ambell un cyn storm yn gynnes braf, a bysedd cain y cŵn hyd y lonydd yn siglo'u cadarnhad. Ceid hysbyseb newydd yn ffenestr siop y Cei. *'Mustard with real ale.'* A dyna Lona — fuodd hi erioed mor brysur — yn gwneud brecwast a glanhau yn Llys y Môr wedi codi efo eco'r gwylanod yn nhrobwll y bore bach. Dim ond y cei oedd wedi deffro ynghynt, a sisialon Cors y Friog yn stôr o brofiadau diarth. Âi Lona yn ei blaen wedyn i westy'r *Royal* i arlwyo cinio, ac yna roedd hi'n gweini yn yr *Old Tea Shoppe.* Dyna oedd Bermo'r haf — y bobl mwyaf annisgwyl yn y mannau annisgwyl a'r cyfan yn cael ei dderbyn!

Pan aeth Sybil adre y noson honno deuai awel gref o'r mynydd i'r môr, fel yn y *Westerns*, a'r gwynt yn rhoi sgytiad i bawb, a rhywsut yn golchi'r dref o'i halogiad a'i sbwriel. Roedd y neuadd ddifyrrwch yn dal i anadlu'n drwm yn nistawrwydd y nos a *Do Wah Diddy* yn marw ar y jiwc bocs. Dim llawer o ieuenctid heno gan fod yr arholiadau ysgol yn bygwth eu haf am sbel. Yn nistawrwydd y nos ar y ffordd i Heol y Llan gellid clywed bref y defaid o'r mynydd ac ambell wylan yn dal i hedfan yn isel fel pe baent wedi drysu, a'r sbarion a fu gydol y dydd bellach ar ben. Dychwelai'r Bardd unig, segur, yn ôl adre efo'i becyn o sglodion o'r *Golden Bowl*, a hiraeth yn ei wyneb wrth weld profiadau bywyd o hyd ym mywydau eraill, ar wahân i'w gerddi o. A neb ar ôl yn ei fywyd o — am heno. Ond roedd o'n un o blant y tonnau yn hen gynefin â chlustfeinio am gysondeb y tonnau drwy ei ffenestri agored. Cysgodd.

* * *

Deuai diwrnod y carnifal fel arfer ar ddiwrnod hynod braf a'r dref yn cael ei gweddnewid yn ŵyl gartrefol o liw hyd y strydoedd, a'r hen gei annwyl yn ei wisg haf. Yn gynnar iawn yn y dydd, gwelodd Gareth Sinbad a'i forwyr a'r hogyn bach yn herio'r twyni gan ymdebygu i Batman yn erlid hen Mr Pengwin cas. 'Dda gen i mo'r Cat Woman 'na chwaith,' meddyliodd Gareth. Ar lan y môr ger y trampolinau, ac wrth y ffynnon ddŵr fechan a darddai yno, roedd Ymgyrch y *Beach Mission* wedi sefydlu ei hun eto'r haf hwn, ac fe gofiai Gareth yr hwyl a gawsai y llynedd yn canu a lliwio pethau a chael gweddi fach wrth y dŵr — fel y dangosodd Mr Williams y llun yn y capel o'r 'Ddwy law yn erfyn' mewn gweddi.

Ar ddiwrnod carnifal fe welid y bobl leol mwyaf distaw yn gwneud y pethau mwyaf cyhoeddus. Âi'r orymdaith hyd ffyrdd y dref ac o amgylch y cei ac yna ceid y gwobrwyo ar y Llecyn Du. Rywsut, byddai Dracula a'i wragedd bob blwyddyn yn sicr o wobr, merched ifanc y W.I. wedi gwisgo fel rhianedd Hawaii, ac yna breninesau amrywiol ornestau'r misoedd wedi eu gorseddu ar fflôt ar ôl fflôt.

'Dene ti *trek* o ben y prom i ben stryd, uffe'n.'

Dyna syndod oedd gweld dyn tawel y pwll nofio ar ben y fflôt yn canu'r sacsoffon nerth ei ben, a sylweddoli wedyn fod chwaer Alex o'r ysgol bellach yn ddigon o oed i fod yn Rhosyn Bach. Ac wele Antony a Cleopatra — tad Brian Walls a'i gariad newydd yn cyd-orwedd mewn cywilydd. Ac yn gwylio'r cyfan — Gareth — heb gymryd rhan amlwg, dim ond sylwi. Erbyn y nos roedd hi'n drymaidd iawn, a buasai cawod yn syniad ardderchog, yn ôl y Clwb Garddio. Byddai digon o sgwrs fore Llun yn yr ysgol am y carnifal, cyn cael ei ddisodli gan bethau mwy cyfarwydd — pethau fel hel yr arian cinio a chael diod o lefrith amser chwarae.

Bu Huw Dyls yn sgubo'r strydoedd yn gynnar fore Llun a'i ben i lawr, yn enwedig y tu allan i sinema'r Pafiliwn lle bu'r holl fwrlwm. Roedd digon o waith twtio yr adeg hon o'r flwyddyn ar ôl bobl ddiarth, heb sôn am garnifal! Cyn i Mrs Alaw ymddangos yn y dosbarth roedd y plant yn cael ymryson o ddweud straeon a chelwydd golau ymysg ei gilydd. Dechreuodd Alex efo perl gan ei dad.

'Wel, meddai Wil wrth y wal,' a phawb yn meddwl ei bod hi'n gyfarwydd, ond . . .

'Ac meddai'r wal wrth Wil,
        Paid â piso ar fy mhen i.'

Derbyniwyd hon yn llawen, yn llawer iawn gwell na sgrifennu stori am y penwythnos. Y cam nesaf oedd trio rhoi Mrs Alaw ar y

trywydd yma. Felly fe gychwynnodd Alex ar ddilyniant o gyffelyb
bethau chwaethus:

'Get a piece of bogey,
roll it in a ball,
get it in the aiming place
and flick it on the wall.

Be sydd raid i chi wneud i'ch eliffant? Digon o le. Ha! ha! Ystyr
siwgwr melyn ydy *I like you sweetheart*, ond os ydech chi'n deud
siwgwr plwm, mae'n ddrwg arnoch chi — *I love you*. Ha! Ha!' I
dorri ar draws athronyddu o'r fath daeth llais Carys: 'Dwi 'di gweld
lama yn Meddgelart. Do wir.' Yna cafwyd rhyw drafodaeth ddwys
ar ystyr *still true if rubbed*. Yna rhoddodd Mrs Alaw daw ar bethau.

Honnodd Ioan Wyn fod Alex wedi bod yn diddori pawb efo iaith
y gwter fel mae Nain yn deud . . . 'Twt lol.' Yn gyfnewid gan Alex
ac fe gafodd y teitl anrhydeddus Ioan Alien.

Soniodd Jane am hel pum cant o ddefaid o gaeau Egryn efo
cymorth Bingo y ci defaid, er mwyn eu cneifio, ac mai dim ond tri
munud a gymerai i Wil Jac Pen Moel gneifio efo'r peiriant newydd.

Yna daeth cyfaddefiad gan Alex ei fod o wedi trywanu pysgodyn
jeli ym Morfa Bychan: 'Roedd yn rhaid i mi wneud achos ei fod o
'di brathu ci'n Yncl i o'r blaen . . . yr un *jelly fish* oedd o . . . mi
ddaeth rhywbeth piws allan.' Fe gofiodd Gareth eiriau Mrs Alaw
yn dilyn y cyffesiad.

'Cofiwch fod gan bopeth hawl i fyw.' Ac fe arweiniodd hyn yn
naturiol at weddi fechan ar ddechrau wythnos yng nghornel y
dosbarth ar y mat bach, wedi clywed am helbul y penwythnos.

Prynhawn anhygoel fu'r pnawn Llun hwnnw — prynhawn y
tynnu lluniau blynyddol. Ac am y tro cyntaf fe gyflwynodd y
prifathro syniad newydd sbon: câi'r plant ddod â'u rhieni efo nhw i
fod yn y llun, a dod a'u hanifeiliaid anwes hefyd — er mwyn
gwneud iawn i'r plant a siomwyd y noson na fu efo'r milfeddyg.

Erbyn tua amser cinio dechreuodd y rhieni gyrraedd ac eistedd o
amgylch cyntedd yr ysgol. Daeth yr anifeiliaid fel ail arch Noa i
lonni llygaid disgwyl-am-wyliau'r plant.

'Ydech chi wedi gweld Bonzo o'r blaen?' Ac fe gafodd un ci,
Carlo, fwy o sylw na neb gan ei fod o wedi'i wisgo'n chwaethus ac

wedi dioddef o *slipped disc* ar un adeg ar ôl bod yn Crufts. Ond nid yr anifeiliaid yn unig ddaeth ar ymweliad; daeth storm o Fôr Iwerddon i daranu a melltu drwy'r prynhawn ym Mae Ardudwy. Parodd hyn gryn hafoc ymhlith anifeiliaid anwes ofnus, a pharanoia ymhlith rhieni na allent ddygymod â'r profiad newydd hwn — roedd ganddynt ofn eu hanifeiliaid yn ymgripio am eu gyddfau ac yn sbwylio eu lluniau.

Dechreuodd Elen fach grio ynghanol y storm gan nad oedd ei Mam wedi cyrraedd eto ar gyfer y llun. Fe gafodd hyn adwaith anffafriol ar weddill y giwed ac fe afaelodd Emma a Nia yn dynn yn Sybil wrth ddisgwyl am y ffotograffydd hwyr tra anwesai hithau eu gwalltiau yn dyner. Mwynheai Cai yr holl gynnwrf a dawnsiai i gyfeiliant y mellt gan weiddi 'Mwy'. Fe aeth Richard reit lwyd gan fod ei Dad yn gweithio yn y 'tŷ 'letric yn Stwlan'.

'Fydd o'n iawn i ti cariad,' cadarnhaodd Anti Sybil. Ynghanol hyn i gyd daeth Rhys i fwrw'i fol wrthi.

'Dydy *guinea pig* ddim yn marw yn nac ydi?'

'Wel, mae'n rhaid i bawb farw rywbryd Rhys . . . pam, doeddet ti ddim yn meddwl fod *guinea pig* yn marw?'

'Do'n i'm yn siŵr, dyna'i gyd,' ac yna gwên fawr. Hoffai Sybil pe bai ganddi ateb da i Rhys ynglŷn â phethau ddim yn darfod, ond fe aeth y cyfle heibio, fel cymaint o gyfleoedd eraill yn ei bywyd. Fel arfer byddai Sybil yn gofyn i Rhys yn llawn hwyl:

'A fuoch chi rioed yn morio,
wel, do, mewn padell ffrio.
Chwythodd y gwynt i'r Eil o Man
a dyna lle bûm i'n crio.'

Chwarddai bob tro, ond nid oedd yr amser yn weddus i ddyfynnu hon heddiw. Wrth i'r storm bellhau, ciliodd peth o'r ofn, ac ymhen hir a hwyr, cyrhaeddodd y diogyn o ffotograffydd, a dyn teithiol y *recorders*, a theulu newydd eisiau i'w plant ddechrau yn yr ysgol y mis Medi canlynol — i gyd yr un pryd. Ac fe gafwyd prynhawn i'w gofio gan bawb. Sychodd Jane ei dagrau pan beidiodd y glaw. Byddai'r anifeiliaid ar y fferm yn Llanaber yn saff yn ôl rŵan.

Ni chiliodd y stormydd dros nos fodd bynnag. Bu'r mellt yn

fforchio'n ffyrnig dros y bae. Cododd Gareth at y ffenest llofft ac edrych allan mewn cryn ddychryn gan i'r storm ddychwelyd reit uwchben y Bermo gan ysgwyd a fflachio. Rhuthrodd yn ôl i'w wely ac roedd y fflachiadau yn dal i oleuo'i lygaid er eu bod nhw wedi eu cau yn dynn.

Bu Aintoinette Hughes ar y ffôn ben bore wedyn efo Sybil:

'Sybil, roeddwn i'n wan fel cath. Roedd o fel cael *flash camera* yn y gwely efo ti.'

'*If only*, ia?'

'O, Sybil, dech chi'n ofnadwy.'

'Deud y gwir wrthot ti, on i'n meddwl 'mod i 'di cael un *Southern Comfort* yn ormod i'w yfed uffe'n.'

Ni fu'r trydan yn garedig i un rhan o'r Bermo, fel y tystiodd Alex yn gynnar y bore hwnnw:

'Mam, mae'r ffôn 'di marw, Mam,' a gwawriodd dydd arall o waith.

★ ★ ★

Wedi i'r stormydd gilio, roedd y Bermo'n llawer iawn ysgafnach erbyn y min nos canlynol. Ac un peth da am y dref yr adeg hon o'r flwyddyn oedd y gallech fynd allan a chanfod tapestri bywyd yn ei lawnder a'i liw, a chyfranogi ohono.

Gwisgai Cader Idris het o gwmwl gwyn fel breuddwyd, a bu gwylanod gwichlyd y Garn yn ymarfer eu lleisiau haf, fel côr Merched Beca fu'n cadw cyngerdd. Weithiau codai nodau sacsoffon o'r *Last Inn* — un o'r bysgwyr a ddaeth ar ei sgawt, a deuai rhywun i ddyfrio'r fasged flodau a grogai y tu allan yn gyson. Deuai'r sipsiwn i'r ardal â'i ffidil hefyd, ond yn Nhal-y-bont yr oedd o'n cartrefu fynychaf, a'i gi a'i geffyl yn mwynhau gorffwys. Bron fel bywyd sipsiwn Eifion Wyn. Bodlonai'r sipsiwn a'i gert ar adael i wareiddiad pwdr yr ugeinfed ganrif fynd heibio, ac fe ganai ei ffidil o hiraeth am 'hen bethau anghofiedig teulu dyn.'

Dyddiau a nosweithiau iach o heulwen ac awel hwyrol Mehefin i adfywio'r dref ydoedd y rhain. Weithiau deuai tair ergyd arswydol i ysgwyd ei seiliau, i ddynodi bod y bad achub yn anelu am y cefnfor i helpu rhywrai. Dotiai'r plant at gyffro pen y cei bryd hynny, a glynent at farau'r cei yn gwylio'n eiddgar; hynny er ei bod mor hwyr ac er bod tyrfa a gwylwyr y glannau wedi ymuno â nhw, heb ofid ysgol yn galw fory. Doedd dim amser i ofid o'r fath yn y Bermo — roedd yr haf yn llenwi eu byd.

Sgyrsiai Morus y Banc yn y Stryd Fawr yn condemnio tuedd y chwedegau i chwyldroi a dyrnu'r hen draddodiadau. Pwyntiai'n hiraethus at yr hen Go-Op lle y deuai pobl i gyfnewid nwyddau a hel ar gyfer siwt. Deuai Mr Morus o ardal y chwareli ac o gefndir o rannu, a bod ar yr un lefel â phawb arall. Calonogol oedd clywed rheolwr banc yn dyfynnu a rhybuddio er mwyn ei gymdeithas, a oedd, meddai yn mynd at y dibyn. *'Contentment is not riches . . . but wanting less.'* A dyna'r Bermo wedi cael gafael ar reolwr banc go anarferol.

'That's the way the cookie crumbles, cariad,' meddai Aintoinette Hughes.

'Ond gwranda, ffŵl, rhaid i mi gael wal yn y cefn. Roedd yr hen gi Carlo ene — ti'n gwybod yr un sydd wedi bod yn Crufts — wel roedd o wedi bod yn sniffian a chrafu yn y cefn. Bron i nrôrs i syrthio i lawr pan weles i ei gysgod du o hyd gefnau Arafa Don. Ac maw'n edrych mor neis yn y llun. Dwi bron a rhoi *slip disc* arall i'r cythrel.'

Dim ond blas ar sgyrsiau pawb wrth iddynt lithro lawr y stryd ar nosweithiau Mehefin. A'r Bardd, lle'r oedd o? Roedd o'n teimlo bod ei fywyd o'n mynd yn hynod o unffurf a diflas os nad oedd o'n manteisio ar un o'r nosweithiau hyn i gael rhoi ei draed yn yr heli, a'i ganfod yn dyner annisgwyl. Doedd ei fywyd ddim yn undonog wedi'r cwbl — petai pobl ond yn gwybod am yr hwyl a gâi ar ei ben ei hun bach, fel yr hen ddyddiau yn ystod ei blentyndod. Roedd o wedi priodi ei eiriau a'i gerddi, a heno dawnsiai efo nhw hyd y traeth.

Ar ddydd hwya'r flwyddyn, byddai'r môr yn lliw llefrith dan leufer arian, a'r nos yn gwrthod duo'n llwyr, a'r cread fel tae o'n gwybod ei fod rhwng dau fyd. Disgleiriai'r goleuadau arferol, ond rhywsut cynnig arweiniad i wawrio yr oedden nhw, ac yn sŵn y

tonnau cysgai'r dref. Ym mhen draw'r cei, braf oedd gwybod bod
dawns y don a chri'r gwylanod yn gryfach na rhialtwch yr ennyd
yng Nghlwb y Morwyr. A ger Llanaber, byddai'r tonnau a bref y
defaid yn cystadlu am y llais uchaf.

* * *

Prysurai'r wythnosau hyd at ddiwedd y flwyddyn ysgol, ac roedd
llawer o weithgareddau amrywiol. Un o'r tristaf, ac eto un â
rhyddhad personol ynghlwm ag o i Gareth, oedd y nofio olaf.
Cynhaliwyd profion i weld pa mor bell y gallai rhywun nofio ar
ddiwedd Mehefin — hyd y pwll, ar draws y pwll neu rywle tua
hanner ffordd — i ennill gwobr efydd neu arian gan mwyaf. Roedd
criw yn cael chwarae yn y dŵr tra byddai eraill yn cael eu profi.
Teimlai Gareth yn siomedig nad oedd y dyn pwll nofio caredig yno
ar gyfer y wers, ond doedd dim golwg ohono yn unman, er edrych
ym mhob man. Fe fyddai Gareth yn siŵr o gael yr un swnllyd a
waeddai nes bod ei wyneb yn goch. Byddai bob tro'n codi ofn arno
a gwneud iddo beidio bod isio nofio.

Daethpwyd â pholyn mawr du i helpu Thomas nofio lled y pwll
ac roedd y goruchwyliwr yn cael cymaint o drafferth â'r un bychan
yn y dŵr. Gwaeddai'r gŵr byr gwallt du gan ddychryn a byddaru a
gweiddi ei orchmynion yn Saesneg. Anogai ef i nofio, a'r anogaeth
bron â throi'n fygythiad. Fe synnodd Brian Walls ei hun drwy
gyflawni un lled am y tro cyntaf. Wrth ddal ati i refru, bu bron i'r
gŵr swnllyd faglu a syrthio i mewn i'r dŵr. *'More lesson time you
waste, less play time you get'*, fyddai ei hoff linell atgas.

Ni allai Gareth gredu'r peth pan ymddangosodd y dyn pwll nofio
caredig efo ffeil i nodi cyrhaeddiad ei grŵp o. Sioncodd calonnau
pawb drwyddynt. Roedd o'n amau bod yr athro nofio yma'n teimlo
rhyw chwithdod o golli'r plant. Beth fyddai hanes hen blant y pwll
heddiw'n gynhyrfus ieuanc, ffri yn y dŵr? Beth fyddai eu
gwyriadau, eu gwendidau a'u llithriadau ar lwybr bywyd? Beth
bynnag a fyddent, fe fu ganddyn nhw'r diwrnod hwnnw. Medrai
pawb gofio profi hapusrwydd a drachtio o'r atgof. Bu'r heulwen
ym mywydau pobl ennyd. Yna daeth gwaedd gŵr y pwll — i dorri

ar bopeth i'r athro a'r plentyn.

'*Come on, get on with your group. Which side of bed did you get out of this morning?*'

A chyn pen eiliad roedd Gareth yn nofio hyd y pwll ac yn cael ei annog.

'Tyrd . . . Da iawn . . . Dal ati . . . fedri di wneud o.' Ac fe gyrhaeddodd yr ochr arall. Yn dawel, annisgwyl wedi i'r gweiddi dewi, daeth y sylweddoli a'r wedd ddofn o ddealltwriaeth rhwng athro a phlentyn, wrth iddo gyflawni rhywbeth gwerthfawr. Roedd Mrs Alaw ddaeth efo'r bws o'r ysgol yn neidio y tu ôl i wydrau caffi'r pwll yn falch o bawb.

Ar y ffordd adre cafwyd canu nerth eu pennau gan y plant. Do *She'll be wearing frilly knickers when she comes* . . . *she'll be wearing pantaloons when she comes*, ac amrywiaeth o bethau eraill y byddai'r greadures yn eu gwisgo wrth ddod am dro o amgylch y mynydd. Ond wedi pennill neu ddau, doedd yr un arddeliad a fu ddim yn y canu, gan fod y plant yn gwybod yn reddfol fod rhywbeth yn darfod.

* * *

Penderfynwyd dros nos rywsut i gynnal ffair haf yn yr ysgol, yn y gobaith o ddenu cymeriadau'r dref i rodio rhwng y stondinau am y tro olaf cyn setlo i'w haf, ac i chwyddo'r coffrau. Roedd Bermo wedi cael digonedd o nosweithiau coffi yn y gorffennol '*but never a ffair haf*', chwedl Aintoinette Hughes, a ganfu ei hun yn ei hymddeoliad 'cynnar' ar bwyllgor arall, a Sybil arno fo hefyd yn gofalu am y bwyd.

'Pam mai merched sy' o hyd yn gneud bwyd? Ma' isio rhoi hws iawn i'r dynion 'ma. Mi fydda i'n *wreck* ar ôl hynny i gyd, ffŵl, yn *flamin' geriatric*.'

Roedd y pwyllgor wedi hen arfer â Sybil yn siarad yn blaen. Fe aeth y cyfarfod ar gyfeiliorn ychydig pan gyrhaeddodd Aintoinette Hughes yn llawn ffwdan. Bu bron i wylan ymosod arni ar y ffordd i mewn drwy giât yr ysgol.

'*It was awful* — roeddwn i'n gweld ei big o'n dod amdana'

i . . . ' ond roedd llawer yn meddwl ei bod hi wedi gwylio gormod ar ffilm Alfred Hitchcock *The Birds*. Ni chafodd Gareth weld y ffilm arbennig hwn ar y teledu, er fod Ceri yn ei wylio yn y stafell nesaf a hithau bellach adre o'r coleg ar ei gwyliau haf.

Er nad oedd pwyllgorau'n bethau i'w hystyried yn rhy ddifrifol yn y Bermo, eto rhaid dweud bod tuedd anffodus iddynt chwyddo'n epigau o gyfarfodydd. Ond nid bwyd a stondinau oedd yr unig bethau roedd angen eu trefnu. Cafwyd awgrym am ddawns werin a jig gan y band newydd, *Abracadabra*.

'*Tell me more*, maen nhw'n swnio'n hudolus iawn Mr Prifathro *if you pardon the pun. Book them* wir,' ebe Aintoinette yn theatrig. Cynigiodd gwraig y cigydd lwyth o selsig am ddim i helpu'r achos. 'Ma' isio cŵn poeth yn does?' gofynnodd hithau.

'Be ddiawl di rheina?' ebychodd Sybil.

'Rhôl efo sosej a nionod a llond gwlad o tomato sôs ar ei hyd,' meddai'r prifathro. 'O 'Mierica? O ia, ma' Beti Bog 'di bod yn gwerthu nhw yn y prynhawnie, ar ôl iddi fod yn llnau'r toilets.'

'O! diolch byth am hynny. Roedd o'n swnio fel ci *on heat* neu rywbeth erchyll, *and we don't want any such like* ar y cae, *do we*?'

'Fel Carlo yn stryt ni uffen. Dwi'n ffaelio cael gwared â'r cythraul. Bob tro dwi'n dod allan o Arafa Don, maw yno yn mynd am fy nghoes i.'

Penderfynwyd y byddai pawb yn talu am fwyd a chael salad ac yna byrger biff efo fo — a chŵn poeth i'r plant.

'Pryd 'dan ni isio'r bwyd?' gofynnodd y Prifathro yn bwyllog fel tae o am gynnig gras bwyd.

'*Well we'll have to stagger it darling*. Sut dach chi'n meddwl dan ni'n mynd i borthi'r pum mil?'

'Ia dach chi'n iawn Mrs Hughes, rhaid i ni gyhoeddi ynghanol y dawnsio fod y bwyd yn barod a rhaid i bawb ddod heb din-droi.'

'Tin-droi! Falle y bydd pawb wrthi os ydy'r *Abracadabra thingy* 'ma'n cael eu ffordd. *There'll be enough of that going on already*,' a'i chwerthiniad yn eco o gylch y stafell. 'Jôc fechan.'

'Ia, ym, pwy sy'n gyfrifol am y coginio?'

'Mrs Alaw.'

'At y peth nesa ar yr agenda,' meddai Mrs Alaw, a chwerthin mawr gan bawb.

'*Thank God for that*,' meddai Aintoinette dan ei gwynt 'o'n i'n meddwl am funud fod enw Beti Bog yn mynd i ddod i fyny *so to speak*. Dim ond Sybil a glywodd, ac yna awgrym i bawb:

'Be am gael y plantos i wneud ryw salad ffrwythau bach fel pwdin i ni?'

'Dan ni'm isio pwdin ar ôl y llall,' meddai un.

'*Speak for yourself darling*. Mae o'n beth digon hawdd i'w wneud. *Bring a plum* fel petai. Pawb i ddod â'i hoff ffrwyth.'

'Peidiwch ag anghofio'ch *plums*,' meddai Sybil a winc i'r Prifathro.

'O mhrofiad i o *fruit cocktails*,' ebe Aintoinette, 'rhaid i chi beidio â rhoi banana ynddo fo tan y funud ola neu mi fydd o'n troi'n ddu i gyd.'

'Fydd pawb yn ddigon *bananas* ynghanol hyn i gyd uffe'n.'

'Lemon ac oren i'w yfed.'

'A dipyn o *gin* o dan y cowntar.'

'Pwy sy'n fodlon bod ar y giât?' Cwestiwn olaf y prifathro i gloi'r cyfarfod.

'*Yes*, dan ni ddim eisiau i neb ddringo dros y wal i ganol y wledd.'

'Ti'm yn disgwyl i'r hen bobl wneud nene. Ti'n hamgofio be 'di hoedran nhw.'

'Y plant, *I mean*, Sybil fach. *They're the ones that'll spring a fast one on you.*'

* * *

Disgleiriai'r haul yn llachar y bore hwnnw a deffrowyd Gareth gan frwdfrydedd gyrrwr trên ar fore braf o haf yn canu corn nifer o weithiau i ddeffro'r dref. Cynhaliwyd cyfres o ymarferion at Barti'r Prins a oedd bellach ar y gorwel, ac o'r diwedd roedd Gareth yn dechrau deall ei symiau rhannu gyda chydig o gymorth Gwenfair. Ar ôl diwrnod o gerdd dant a symiau, cafodd gynnig cyffrous gan Brian Walls. Roedd hwnnw wedi cael llond bol ar ôl iddo gael y ddam am ddyrnu rhyw hogyn arall eto.

'Tyrd efo fi ar ôl ysgol i gael blasu gwin danadl poethion. Mae Mam ac Uncle Brendan i ffwrdd.' Roedd yr holl antur yn swnio mor ddengar.

Canodd y gloch ddiwedd pnawn a rhoddodd Mrs Alaw law ar bennau'r plant bob un cyn iddynt redeg am ddisgleirdeb y prynhawn ac at glwyd yr ysgol. Bu'r wers am Gymru a'i hanes a'i daearyddiaeth ac roedd Gareth wrth ei fodd, wedi ymgolli'n llwyr, ac wedi anghofio am y gwahoddiad i flasu'r gwin. Roedd rhai yn amlwg yn ymlwybro i'r traeth efo'u pecynau a'u tyweli, eraill am gael eu llusgo i'r dref efo Mam o amgylch *George Mason* a'i do gwastad, fel un o dai gwlad y Beibl. Ymlwybrai eraill yn unig tuag adref. Criai'r gwylanod fry uwchben fel petaent yn gwybod bod rhywbeth ar droed, fel llais cydwybod i'r weithred oedd ar fin cael ei chyflawni yn South Avenue. Bu Gareth yn ceisio dychmygu sut flas yn union oedd ar y diod danadl poethion yma. Fyddai ei geg yn lympiau bach i gyd fel y bydd bys rhywun ar ôl cyffwrdd â nhw? Efallai y byddai'n rhaid iddo rwbio'i geg efo dail tafol yn syth wedyn. Ta waeth, roedd Brian Walls a Gareth Lewis erbyn hyn ar lwybr caregog cefn y tai yn South Avenue, ac yn anelu am gefn y gwesty mawreddog, a'r rhan o'r tŷ lle'r oedd Brian yn byw.

Roedd Brian y creadur mwyaf drwgdybus o bawb yn yr ysgol, yn meddwl bod pawb yn ei erlid, ond rŵan roedd yn dangos yn gwbl agored y man lle cedwid goriad y drws cefn — o dan y fwced. Gallai unrhyw un efo'r wybodaeth honno fynd i mewn a dwyn y gwin i gyd, meddyliodd Gareth.

Tynnodd Brian ei gôt a'i thaflu ar y bwrdd. 'Dan ni'n saff. Does 'na neb yma,' ac fe aeth i nôl gwydrau. Yn y sied y cedwid y trysor a sleifiodd y ddau yno. Roedd yn amlwg fod ei deulu yn hoff o win cartref. Sgwn i os oedd yr ymwelwyr yn cael glasied?

'Uncle Brendan sydd wedi gwneud hwn.'

'Mae o'n andros o glyfar,' meddai Gareth yn crafu am bethau i ddweud wrth ei ffrind annisgwyl.

'*Yer, I suppose he is*,' oedd yr ateb.

Edrychai Brian mewn penbleth ar rai poteli heb gorcyn arnynt. Roedd rhywun wedi bod yn yfed ohonynt yn barod. Rhoddodd ychydig o win yn y gwydrau a daeth â nhw drwodd i'r gegin.

'Wel, tyrd yn dy flaen, blasa fo,' ac ar hynny llyncodd Brian hanner gwydryn ar ei ben. Lled flasai Gareth ychydig â min ei dafod.

'Mae hwnna'n blydi da,' meddai Brian. Parodd y sylw hwn i Gareth lyncu mwy nag a wnaethai hyd yn hyn o'r ddiod. Llowciodd Brian yr hanner gwydryn arall yn fohemaidd fel pe bai'n ceisio argyhoeddi Gareth nad oedd poen o fath yn y byd yn deillio o wneud hynny.

Ar hynny — fel bwgan i ganol y parti — agorodd drws y gegin, a daeth rhuad i ganol y gwmnïaeth. Aeth gweddill gwin Gareth i lawr y lôn goch yn chwerw ddiarwybod pan ymrithiodd y gwneuthurwr gwin ei hun yn lloerig o'u blaenau — Uncle Brendan.

'Blydi da wir. Be wyt ti'n feddwl wyt ti, *connoiseur*? Pwy roddodd yr hawl i ti regi o dan y to yma y moron bach hyll?'

Daliai Gareth ei wydr yn grynedig.

'Dwi'n meddwl ei bod hi'n bryd i Gareth fynd adre,' ebe Yncl Brendan gan annerch y wal. 'Mae Brian yn mynd i'w wely'n gynnar heno, ar ôl iddo dacluso hynny ydi.' Gwên goeglyd arall.

Ni chafwyd cyfle i ddweud 'Ta-ta' na 'Hwyl fawr, wela i di,' dim ond ymbalfalu o amgylch y stafell yn chwilio am ei gôt, ac yna am y drws cefn. Wrth ymlwybro'n ôl dros y llwybr cefn caregog, clywodd Gareth eco'n uno efo'r gwylanod:

'Dos i fyny i'r gwely 'na rŵan, a phaid â meiddio dod allan.'

Wrth groesi pont y rheilffordd i Ben Parc, dim ond gwylanod a glywid yn griddfan yn hunan fodlon, cystal â dweud 'Mi ddeudis i wrthat ti.' Ond roedd hi'n braf cael bod wedi dianc heb yfed gormod o win, mae'n rhaid ei fod o'n gwneud i chi regi.

Ar ôl te di-reg a di-jôc fe aeth Gareth am daith at y cei i anghofio am ddigwyddiad y prynhawn. Meddyliai am yr hen Brian Walls yn gaeth yn ei stafell, ac yntau fel arfer yn gymaint o rebel, yn ysgrifennu *I love Fiona* ar ei phlasdar pan dorrodd hi ei braich. Roedd ganddo deyrngarwch at rhywbeth mwy na Uncle Brendan felly.

Aeth Gareth heibio i Dŷ'r Baddon hardd ar ben y cei, lle cynt y ceid yr hen ffynhonnau iachusol a fu'n gyrchfan i steil oes Fictoria a oedd eisiau lleddfu eu doluriau yn y môr. Ceid pob rhyw feddyginiaeth yno. Heddiw, gwarchodai'r Tŷ gornel pen y cei ym mhob tywydd, a defnyddiai llongau ei do fel nod i anelu am yr harbwr.

Sgwn i pa gosb oedd Uncle Brendan wedi'i roi i Brian erbyn hyn? meddyliodd. Cafodd ffrae yn yr ysgol eto y diwrnod hwnnw am ddyrnu a dyrnu rhywun — dal ati a dal ati er ei fod o'n crio ei hun, yn benderfynol o orchfygu'r dydd. Llwybreiddiodd Gareth ar draws y ffordd ac at y Tŷ Crwn lle'r arferid cloi morwyr anystywallt yn eu carchar dros nos. Oddi yno gellid gweld sblander y bae i gyd, a theml o oleuni uwchlaw Bae Ardudwy a'i golofnau o wreichion euraid yn ymdebygu i sblander adeilad Groegaidd. Roedd y llanw yn uchel a chlir a glân ar stepiau'r fferi i Friog, ac roedd y tap dŵr ar ben y cei yn dal i daenu'i gynnwys ar hyd y lle, gan roddi braw i'r anghyfarwydd. Roedd y stondinau gwerthu paned a physgod y môr yn dal ar agor, a'r rheiny yng ngofal pobl ddiarth oedd wedi dianc o'r ras fawr wyllt y tu hwnt i'r mynydd. Byddent ar agor yn hwyr yn y gwyll.

Felly hefyd gaffi'r *Rendezvous*. Ac o ganol lle digon seimllyd llawn mwg, efo'i silffoedd yn llawn o *Tovali Dandelion and Burdock*, llifai lleisiau Sybil ac Aintoinette. Eryres Craig y Nos oedd yn siarad:

'Cariad, dwi newydd feddwl pa mor addas ydy *Rendezvous* fel enw ar y caffi 'ma — *Rendezvous avec Aintoinette*. Mae o fatha enw ar ryw *chat show* yn tydi? *Like Alan Whicker. Well I have been a bit of a globetrotter . . .*'

Ar hyn cerddodd y gweinidog i mewn ac ymsythodd Aintoinette gan wenu'n theatrig ei gwên dydd Sul. Doedd Sybil ddim am ffalsio heno.

'Lle ti di bod yn cuddio ers hydoedd? Yn towlu dy gorff o gwmpas yn rhywle mae'n siŵr?'

A oedd y cwestiwn yn destun pregeth, ni allai'r gweinidog feddwl yn glir heno, ac ni pheidiodd y cwestiynau. Doedd yr holl gyfarfodydd a'r ymddiddan a gafodd efo'r Henaduriaeth cyn ei sefydlu yn ddim o'i gymharu â chroesholi'r ddwy yma.

'Pam na wnewch chi rhywbeth gwbl groes i'r graen fatha poeri ar y llawr neu rywbeth?' awgrymodd Sybil, ac aeth y tri ohonyn nhw i chwerthin rownd y bwrdd.

'Dene chi, dwi'n eich trin chi fel mam yn tydw?'

'Ydach wir, Sybil.'

'Ti fod i ddeud 'Na,' ffŵl.'

O dipyn i beth fe aeth y sgwrs i sôn am y Bardd druan, a Sybil yn dangos dyfnder anarferol ei chrebwyll. 'Dyfnder "Gwyn Sabathau'r Rhos" a phawb ar yr un lefel' y galwai y gweinidog ddylanwadau bore oes Sybil, a dotiai at ei ffraethineb parod.

'Unig ydi'r Bardd yntê? Peth mawr. Mi fedra i gydymdeimlo. Ond doedd dim rhaid iddo fo drio gwneud amdano'i hun. Cariad. Ac yntau mor dalentog ac annwyl. Y rhai annwyl sy'n ei chael hi o hyd. Be ydy'r linellau ne gan I.D. Hooson:

"A dyna'r drefn yn hyn o fyd:
    Yr addfwyn rai
    Sy'n dwyn y bai,
    O hyd, o hyd,"

. . . rhywbeth fel ene. Dwi'n debyg — rhy sensitif i fyw meddai fy hen athrawes Gymraeg wrtha i flynyddoedd yn ôl, a dyna pam dwi'n trio bod yn gymaint o gês mae'n siŵr. Ar y pryd dwi'n cofio gwrthod y syniad, ond dech chi'n gw'bod be? Roedd hi'n iawn, yr holl flynyddoedd na'n ôl, mi roedd hi wedi neall i. Ond 'dan ni gyd yn gorfod ei batchio fo fyny yn tydan — ein sensitifrwydd, neu fe fydd pobl yn cymryd mantais ohono. Mae rhai yn gallu ei guddio fo yn fwy lliwgar na'r lleill.'

Yna aeth y sgwrs at ddannedd ac at Mr Froth, y deintydd lleol.

'Rhyngoch chi a fi, dwi'n meddwl fod ganddo fo ryw fath o *tactic.*' Roedd Aintoinette â dawn i ddweud stori, ac i ddal ei chynulleidfa.

'Tewch â deud,' meddai'r gweinidog.

Mae o'n mynd â chi allan i'r ardd cyn rhoi nwy i chi. *About as subtle as a brick.* I'r ardd cofiwch. Dwi'm yn deud dim nad ydy hi'n ardd neis — dwi'n siŵr ei bod hi, rhwng y graig a'r dril fel tae. *But it's a bit much just before you know he's going to half kill you in the chair.* Ydy wir.'

'Faswn i ddim yn ponsio efo fo ffŵl. Dwi'n dal i gael fy nannedd wedi'u gwneud gan Gittins yn Ponciau,' ebe Sybil.

'Wel, ar ôl y Froth roeddwn i mewn poen — *agony* — does 'na ddim gair arall i'w ddisgrifo fo, ac mor effro â chyw yn hwyr y nos. Dwi'n meddwl bod y nwy 'na yn eich gwneud chi'n *high* neu rywbeth.'

Ar hynny pwy ddaeth i mewn i'r parti haf ond Anti Meleri a Gwilym Glyn i ordro pysgodyn, sglodion a phys gyda golwg braidd yn euog arnynt. Doedd Anti Meleri ddim yn gweithio heddiw ac felly roedd ymweliad â'r *Rendezvous* yn gyfle iddi guddio oddi wrth Emyr ei brawd a chael sgwrs iawn efo rhai o drigolion y dref. Cafodd Gwilym Glyn *Vimto* a *Chips*, a gwaeddodd y perchennog ar Sybil i roi'r gorau i'w siarad ac i ddod i goginio'r *Welsh Rarebit* yn y cefn.

'A finne'n meddwl mai fi oedd honno, uffe'n.'

Gadawyd Aintoinette, Anti Meleri a Gwilym Glyn wrth y bwrdd. Fe adawodd y gweinidog ar ôl iddo gyhoeddi fod y trip Ysgol Sul yn mynd i Lyn Mair ar drên bach 'Stiniog, ac roedd Anti Meleri wrth ei bodd. Roedd Gwilym yn dal wrthi yn trio ynganu enwau'r ffilm stars a ddysgodd gan Gareth, a trodd at Aintoinette a holi am Gina Lollobrigida?

'Ow, wyddwn i ddim eich bod chi'n gyfarwydd â'r *big screen* Gwilym Glyn. Na cariad, *not quite. I'm more your Marlene Dietrich. Lili Marlene.*'

'Gwranda arni hi — Vera Lynn uffe'n,' gwaeddodd Sybil o gysgodion y *Rarebit*. 'O ailfeddwl, Gwilym Glyn, mae Mrs Hughes yn debycach i Mae West *'Come up and see me sometime*, i Graig y Nos.' A chwarddodd pawb yn fwy nag a wnaethant ers amser.'

Fe aeth Gareth yn ei flaen at ben y cei ac eisteddodd ar un o gadeiriau niferus yr haf i fwyta ei hufen iâ afrosgo. Fe'i prynodd yng Nghaffi Fflat Huw Puw, ond ni wyddai ei fod yn gymaint o lymed o ddŵr o hufen iâ, nes y llithrodd i lawr ei law, ac yntau heb hances.

'*Excuse me,*' meddai yn ei Saesneg gorau, '*Have you got a hanky?*' Cymerodd gwraig nobl gartrefol o swydd Gaerhirfryn dosturi drosto. '*Ere you are chuck,*' a daeth yr hances drwy law ei gŵr i'w ddwylo, tra oedd o'n ceisio cydbwysedd i weddill yr hufen iâ hylifol yn ei dwmffat meddal.

Ni fedrai Gareth beidio â gwrando ar sgwrs y ddau wrth ddiwyd sychu:

'You know what they say about places around ere don't ya Rene? Well it's in the middle of a seam int' land that runs up and down Wales lets energy out.' Ni ddeallodd Gareth, fwy na Rene.

'I dare say there's summat in that you know Percy, because me mind feels as if its 'avin a right good kip. You don't get all mithered up ere, do ya?'

Aeth Gareth oddi yno ar ei union. Doedd o ddim eisiau clywed mwy rhag ofn fod y grym yma am gyffwrdd ag o, ac wrth gerdded ar hyd y prom anghofiodd am ei ofnadwyaeth. Chwaraeai *I Want a Dream Lover, So I Won't Have to Dream Alone*, ar y disgo, ac yna'n sydyn *I Only Want to be With You*. Ond suddodd y rhain i'r cefndir. Cydiodd yr olygfa ynddo, a'i dywys adre ar hyd y promenâd — aur machlud Ardudwy yn suddo'n belen goch i'r lli a thu hwnt i Borthmadog. Hwn oedd y grym adwaenai ef, a thawelodd ei ofnau.

* * *

Wedi i Gareth fynd i'w wely, a'r penlinwyr wrth eu borderi bach yng ngerddi tawelwch yr hwyr gilio, fe drodd yn noson wyllt o awel o'r tir i'r môr, ac roedd yr eiddew yn siglo ar wyneb Aber House. Ond wedi iddo ddeffro drannoeth roedd yr awel wedi tirioni'n braf unwaith eto. Roedd y llwyni mwyar duon yn eu blodau a'r grug a'r aeron yn gefndir. Dros nos roedd posteri'r Sioe Haf yn Theatr y Ddraig wedi ymddangos, ac roedd hyn yn brawf, er bod tymor yr ysgol ar fin dod i ben, fod rhywrai wedi bod yn ddiwyd ddistaw yn ystod haf bach personol Mai a dechrau Mehefin yn y dref. Ac roedd y parti i ddiweddu pob parti arall ar y gorwel hefyd. Roedd ymwelwyr yn amlwg y Sadwrn hwn a phobl ddiarth yn camu ar fysus bach ffyrnig y wlad gan ddal yn dynn wrth chwyrlio i'r anwybod tua Thal-y-bont. Bu Gareth wrthi'n gwylio'r 'dyn main' ar y teledu. Enw Yncl Alwyn ar y Pink Panther oedd hwnnw — enw digon digri a dweud y gwir gan nad oedd o'n ddyn o gwbl. Ac wedyn daeth Winnie the Pooh, yr un cartŵn ac a welodd Gareth efo'i gefnder ym mhictiwrs Dolgellau — a Winnie yn cael ei ben ôl ynghanol cwch gwenyn ac yn fêl drosto i gyd, a'r gwenyn yn ei bigo'n ddidrugaredd.

Roedd Ceri yn amlwg wedi codi ar ochr groes y gwely y bore hwnnw gan na chafodd Gareth unrhyw groeso wrth holi am Eifion. 'Oeddet ti'n caru Eifion? Oeddet ti'n rhoi sws iddo fo? Oeddet ti?'

'Am gwestiwn gwirion i'w gofyn,' atebodd yn swta.

I ganol hyn oll daeth llais Mam ac fe ddaeth hwnnw yr un adeg â'r cyntaf o ergydion y bad achub a ysgydwai'r dref.

'*Two means* perygl, *I think*,' oedd yr ebychiad petaech chi'n digwydd mynd heibio i Graig y Nos dan glustfeinio.

'Paid â cholli'r bws beth bynnag wnei di.' Geiriau olaf Mam wrth iddo ddechrau hel ei bethau at ei gilydd i fynd at ben yr allt.

Araf deg oedd y cerddediad yn ôl tua Pen Parc wedi i'r bws adael yn gynnar am unwaith, ac roedd criw y capel arno — wel, roedd cymaint o fynd ar hen fysus bach y wlad y penwythnos hwnnw.

'Gareth, ti sy'na?'

'Ia.' Saib. 'Dwi 'di methu'r bws. Mi aeth o'n gynnar.' Ni wyddai a oedd hyn yn berffaith gywir.

'Fydd y Gw'nidog ddim yn falch iawn.'

'Ond Mam, dwi isio gwneud yr arholiad.'

'Wel, sut wyt ti'n mynd i fynd i Gapel y Gwynfryn 'ta. Fflio?' Dechreuodd grio, a gwelodd Mam ei bod wedi gwneud camgymeriad y Sadwrn hwnnw. Roedd o wedi dysgu'r darn i'w adrodd ar ei gof. Dechreuodd fwmian 'Cenwch yn llafar i'r Arglwydd yr holl ddaear . . . ' rhwng ei ddagrau.

Meddalodd Mam fel dyn eira a'r haul yn danbaid arno. Ac o ganol ei phrysurdeb, dywedodd 'Mi af i â thi yno yn y car.'

Roedd hi'n amlwg fod Gareth wedi cymysgu'r amser yn lân achos erbyn i Mam ac yntau gyrraedd Llanbedr a throi i fyny am Gwm Nantcol a Chwm Bychan, roedd nifer o gerbydau a bysus yn dod i'w cyfarfod yn llawn o blant byrlymus fel petaent wedi eu rhyddhau o'u caethiwed. Ac erbyn cyrraedd Pont y Glyn a Chapel y Gwynfryn roedd y plant olaf yn dod allan o gyfarfod bore'r

Arholiad Sirol. Roedd Gareth yn benderfynol o gael gwrandawiad, ac esboniodd ei gŵyn wrth wraig a gofnodai rhywbeth mewn llyfr wrth un o'r drysau.

Llifai'r heulwen yn llafn goleuni i mewn drwy ffenestri'r capel a chlywid yr afon yn siarad yn y cefndir.

'Fe fethais i'r bws o'r Bermo. Dwi fod i adrodd.'

'Ond mae pawb wedi mynd adre, ac mae'r plant hŷn yma y prynhawn yma. Gadewch i mi ddod o hyd i'ch enw chi yn y llyfr. O lle eto?'

'Capel Caersalem.'

'Bermo — Gareth?'

'Ia . . . Ga' i wneud y darn rŵan?'

'Wel, siŵr iawn . . . Dowch i eistedd ar fy nglin i yn fan hyn, ac mi wrandawa i arnoch chi efo'r glust arbennig 'ma sydd gen i.'

'Cenwch yn llafar i'r Arglwydd yr holl ddaear. Gwasanaethwch yr Arglwydd mewn llawenydd. Deuwch o'i flaen ef â chân . . .'

'Wel yn wir, perffaith. Heb wneud un camgymeriad. Dwi'n meddwl mai chi oedd y gorau o'r cwbl,' sibrydodd.

'Diolch yn fawr,' sibrydodd Gareth yn ôl.

'Wel diolch i chi am ddod.' Erbyn hyn roedd Mam wedi cyrraedd o'r car 'a diolch arbennig i Mam am ddod a chi hefyd,' a winc gudd i Mam, ond fe'i gwelodd hi.

Dyna ddynes glên oedd yn arholi. Gobeithiai Gareth iddo gael llwyddiant mawr ac y câi ei enw ei gyhoeddi ar ddiwedd y mis yng Nghaersalem. Roedd o'n awyddus i wneud yn dda gan fod yna griw o ddosbarth Ysgol Sul Mr Williams wedi cael marciau uchel iawn yn Arholiad Sirol y flwyddyn cynt. Yn ei gynnwrf wrth ffarwelio, cerddodd ben ben â stand y Beibl anferth a chleisio'i fraich fel y bu bron iddo weiddi ar hyd y capel. Ond dioddefodd yn ddagreuol arteithiol nes cyrraedd y car. A thros yr wythnosau nesaf gwelodd y clais yn newid lliw fel tymhorau'r flwyddyn yn diflannu.

★ ★ ★

Brynhawn Sul teimlai Gareth yn falch drwyddo'i gyd wrth gael cerdded ar draws yr ystafell ysgol Sul feinciog a thameidiog ei charped a chael mynd i fyny'r grisiau bach i oruwchystafell y plant hŷn — at y dywededig Mr Williams, ei arwr. Roedd fel Iesu Grist, ac roedd yn hen chwedloniaeth yn y teulu fod Gareth wedi dod adre'n ifanc iawn a dweud nad oedd Iesu yn yr oedfa rhyw fore pan oedd Mr Williams i ffwrdd. Roedd o'n cael ymuno â dosbarth Mr Williams gan mai ef oedd yr unig un yn digwydd bod yr wythnos honno o'i ddosbarth arferol. Roedd hi'n hawdd gweld fod yr haf wedi cyrraedd! Dyna ddifyr oedd cael edrych ar y mapiau enfawr o wlad Canaan ar wal y stafell bren, a'r Iorddonen fel gwythïen las ar y memrwn.

Dyna oedd gwir ryfeddod Gareth yn dal i fod, rhaid cyfaddef — afonydd a dŵr yn rhedeg ym mhob man, ac fe fyddai Mr Williams yn dal i hybu ac ychwanegu at y diddordeb anhygoel hwn pan gâi gyfle. Byddai Gareth yn holi am bopeth — am rin y Mississipi, a danedd miniog anghenfilod yr Amazon, yn ogystal ag afon Ysgethin, fel pe bai'r athro druan yn gwybod am y llecynnau hyn i gyd. Ond byddai Gareth yn cael ei gornelu hefyd. Gofynnwyd iddo a fu ei daith i weld nant Amffra yn llwyddiant, ac wedi'r gofyn daeth holl arswyd yr ymgais i gyrraedd ffrwd fechan hen borthladd Aberamffra yn ôl i'w gof.

'Nag oedd,' cyfaddefodd. 'Mi wnes i weld Mrs Letus cyn cyrraedd yno.' Ni holwyd ymhellach am Mrs Letus. Mae'n rhaid fod Mr Williams yn ei 'nabod hi hefyd.

Cafwyd neges ganddo fo am 'y llais bach y tu mewn' y byddai Duw yn ei roi os oedd o am i rhywun weithio iddo Fo, a bod yn weinidog. Bu Gareth yn meddwl llawer am y llais yma, a methai'n glir â deall sut beth oedd o.

'Ond mi fyddi di'n gwybod pan glywi di'r llais bach y tu mewn i ti,' oedd yr ateb a gafodd. Dychmygai Gareth yr hyn a ddywedai'r llais, a'i sŵn a'i oslef. Cyn cloi'r Ysgol Sul am yr haf cafwyd adroddiad gan Mr Williams ar hynt a helynt pawb dros y misoedd diwethaf — yr hanes yn gyflawn.

Crwydrodd Gareth ar y prom ar ei ffordd adre o'r Ysgol Sul olaf. Pwy oedd ar y fainc ger y Llecyn Du yn sylwi a sgrifennu am ei bobl ei hun unwaith eto ond y Bardd. Roedd y Bardd yn gwybod fod yr hen dref yn rhy feddwl agored i lyncu mul efo fo, ac yntau'n cael dipyn o hwyl diniwed. Gwyddai fod y trigolion wedi'i hen fesur a phwyso yntau hefyd. Y dref oedd ei gartre wedi'r cyfan. Ar ddisgo'r ffair breuddwydiai'r ieuenctid brynhawniau Sul eu rhyddid *Why Must I Be a Teenager in Love?* Ysgydwodd y Bardd ei ben. Yna daeth *Lipstick On Your Collar, Told a Tale on You*, a chwiban anfoesgar ar ei diwedd. Ysgydwodd y Bardd ei ben eto am iddo yntau dorri'i galon unwaith:

'Mi dorrais i fy nghalon. Dyna pam dw i'n byw fy hun, achos dydw i ddim isio torri calon fel yna eto.'

* * *

Dawnsiai'r tonnau'n ysgafnach a mwy hoenus yn Ardudwy, a gloywai'r ffurfafen yn ddisgleiriach nag unman yn y byd. Felly yr ymddangosai pethau i blentyn bach bron yn naw oed a garai'r tonnau, ac a oedd wedi penderfynu y byddai'n geidwad goleudy pan dyfai i fyny. Yn glyd a chynnes ac eto ynghanol y tonnau mawr. Cerddai Katie Cheedle i'r ysgol gan edrych ar ambell i gwmwl yn yr awyr yn mynd tua'r mynydd; gwelai ffigurau yno — hen ŵr bach blin efo trwyn miniog, ci, bachgen bach, siarc a hen ŵr bach hapus — i gyd wrth i'r cymylau symud yn yr awel. Doedd neb yn cerdded efo hi i lawr Marine Road i rannu ei rhyfeddod — ond dyna fo, fe fysa pawb yn gallu gweld pethau ym mhob man tasa hi'n dweud ei chyfrinach.

O South Avenue deuai Brian Walls yn llawn syniadau gan ei frawd mawr Nicky ar sut i guro'r peiriannau ceiniogau yn y neuadd ddifyrrwch. Roedd y brawd mawr wedi medru cael llawer o bres o'r peiriannau yn Lerpwl, ac ar fore di-frecwast dyna yr hoffai Brian ei wneud. Roedd yn meddwl y byd o Nicky, brawd drwy'i dad iawn, ac roedd presenoldeb Brian yn yr ysgol yn llai mynych rŵan wrth i brysurdeb y gwesty gynyddu a gofynion anturio efo Nicky amlhau.

Ar fainc ger croesfan y rheilffordd y ceid criw ifanc y dref bob bore a hwyr, wedi gwasgaru o glydwch gaeaf Caffi Belmont ac yn barod am sgwrs a haul a hwyl. Yn y boreau nid edrychent mewn unrhyw frys i fynd i Ysgol Ardudwy. Roedd trên Harlech yn disgwyl yn yr orsaf ond doedd dim pryder ynglŷn â cholli'r trên. Dyddiau llon, hamddenol — nid fel yr hen fyd a fyddai'n galw rhyw ddydd, ac y tystiai staff y rheilffordd iddo wedi iddynt deithio y tu hwnt i'r bryn ar y G.W.R. Dim ond pobl ddiarth oedd i'w gweld mewn penbleth — ai platfform un neu ddau i Dalsarnau?

Cyrhaeddai rhai o blant y ffair yr ysgol gynradd yn ystod tymor yr haf, ac yna mudo ddiwedd Medi yn ôl i Firmingham. Brian Walls fyddai eu tywysydd yn ystod eu dyddiau cynnar yn yr ysgol, ac fe'u cyfeiriai ar eu camau ansicr i lawr llwybr direidi neu ddrygioni. Hebryngwyd Jessica i'r ysgol y bore hwnnw yn ofalus iawn ar ôl y digwyddiad bach ddydd Gwener wedi iddi lyncu aeron o'r coed. Ac roedd nain Jessica wedi bod yn dwrdio'r athrawon, a'i llais yn adleisio o stafell y prifathro:

'Dyma'r Ail Gwymp.'

Dywedodd Mr Williams y Capel rhywdro mai'r ffordd i 'nabod y bobl leol yn yr haf oedd sylwi ar y rhai oedd yn cerdded ynghanol y ffordd fawr ac yn rhuthro pan fo'r lle yn orlawn a'r bobl ar eu gwyliau yn llenwi'r palmentydd. Ond roedd llygaid gwyliadwrus y bobl leol hyn wedi hen arfer efo'r adar o bob lliw a ddeuai i nythu yno haf ar ôl haf.

'*Let's face it,* cariad,' chwedl Aintoinette Hughes, 'Gwenoliaid 'dan ni i gyd yn y Bermo. 'Dan ni gyd yn dod allan yn yr haf.'

Y prynhawn hwnnw fe gafwyd storom haf wedi cyfnod o hir gasglu a chynhesu. Daeth i ffrwydro a chrafu a rhwygo'i bresenoldeb ar Ardudwy, gan ysgwyd y ddaear a dod â'r glaw bendithiol i wlychu popeth ac i ysgafnu meddyliau ym mhob man. Roedd y gwenoliaid wedi cynhyrfu'n lân fel pe bai'n amser mynd adre ymhell yn barod; a'r gwylanod hwythau yn mynd i'w noddfa ar Garreg y Gribin, yn llai swnllyd nag arfer y tu ôl i'r *Last Inn*. Y noson honno er bod y plant yn chwarae i lawr wrth Bont y Bermo ar waelodion Bro Gyntun, doedd y storm heb gilio'n llwyr.

'Dario.'

Gwyddai Gareth y munud y gadawodd y garreg ei law nad oedd wedi taflu digon arni. Ond y cyfan allai wneud oedd syllu'n gwbl ddiymadferth wrth iddi ddaro talcen y ferch a chwaraeai ar lan y dŵr. Wedi taflu'r garreg dilynodd un o'r adegau hynny pan fydd amser yn aros yn ei unfan, yn sïmsanu, a thaith y garreg arteithiol yn araf deg. Ond roedd hi wedi ei chondemnio o'r eiliad y gadawodd ei ddwylo, er gwaethaf y ffaith mai ceisio creu cylchoedd yn afon Mawddach yr oedd o.

Cyn i'r garreg gyffwrdd â phen y ferch, roedd arswyd wedi meddiannu Gareth ac roedd o am ddianc. Beth a barodd i'r garreg daro'r ferch fel Dafydd yn bwrw Goliath? Oedd rhywun neu rhywbeth yn ceisio dysgu gwers iddo? Trawodd y garreg lefn dalcen y ferch â chlec. Atseiniodd ei sgrech dros y Fawddach a diflannu o dan y bont, a chyrhaeddodd Gwm Mynach, Tai Cynhaeaf, Tŷ Nant a Llyn Perfeddau. Daeth llif gwaed i redeg i lawr ei hwyneb.

Rhuthrodd dros gerrig mawr wal y môr i lawr ati. Erbyn hyn roedd Rebecca ei chwaer fawr yno a'i llaw yn pwyso ar ben Karen yn ceisio atal y gwaed rhag llifo.

'Look what you've done to my sister. She's bleeding to death . . . death . . . death . . .' Atseiniodd hyn hyd Gerrig y Gorllwyn ar draws yr aber.

'Wyt ti'n iawn?' gofynnodd Gareth yn ei fraw, ond sgrechiadau a dagrau a gai'n ateb.

'Dwi'n mynd i ddweud wrth Nana a Grandad yn y parc be wyt ti wedi'i wneud i'n chwaer ni,' ac fe ddechreuodd hithau grio. Dychrynodd Gareth drwyddo.

Medrai Gareth weld Nana a Grandad ar y gorwel uchel yn y parc yn edrych draw â chywreinrwydd pell a pheth annealltwriaeth. Rhaid oedd dianc. Rhediad euog, ymwybodol, ydoedd hwnnw ar hyd y foryd a'i lanw isel. Drwy gornel ei lygaid gwelai Nana a Grandad yn syllu ar ei ôl, fel petaent yn dod yn nes wrth iddo stryffaglu dros y creigiau. Atseiniai griddfan y ferch hyd ddyfnder ei euogrwydd. Cymerodd olwg frysiog yn ei ôl. Y cip olaf a gafodd oedd Grandad yn pwyntio ato, a Nana yn ceisio denu ei sylw drwy chwifio ei breichiau'n chwyrn. Ond rhedodd oddi yno, gan roddi gwên euog i ymwelwyr y strydoedd. Beth fyddai'n ei ddweud wrth Mam a Dad?

* * *

Gyda phob trosedd mae'n rhaid wrth edifarhau ac ymddiheuro, ac roedd hi'n anodd y tro hwn gan fod diwrnod neu ddau wedi mynd heibio, a Gareth wedi hel ambell i stori a phawb wedi mynd ar ôl sgwarnogod ei gelwydd. Roedd y bererindod i ymddiheuro law yn llaw efo Mam yn y daith arswydus o hir drwy'r dref oedd mor gyfarwydd iddo. Llusgo heibio wnâi popeth, ac roedd Mam yn edrych yn ddigon llwyd, fel pe bai'r ymddiheuriad hwyr yn pwyso arni hithau hefyd.

Heibio Caersalem a'r cei a phasio'r creigiau oedd yn crio ar y ffordd. Teimlai Gareth y gallai wneud hynny heddiw ei hun. Yna at wastadedd Bro Gyntun, a'r tai teras uchel lle y ceid golygfa glir o safle'r drosedd ddyddiau ynghynt.

Aethant at ben y rhes, ac yna i'r cefn at ddrws gwyn modern. Canodd Mam y gloch ac fe baratodd Gareth unwaith eto ar gyfer geiriad yr ymddiheuriad.

'*Hello, Mrs Buckley?*' meddai Mam pan ddaeth dynes i'r drws, a golwg ddigon amheus arni. Dim ateb.

'*This is Gareth and I'm his mother. We've come to apologize about little incident recently,*' a phesychodd Mam yn awgrymog ac yn nerfus.

'*I'm sorry I threw the stone. I didn't try to hit Karen,*' ebychodd Gareth yn herciog, gan obeithio fod ei araith drosodd. Ac ychwanegodd Mam, '*We didn't get to know about the little matter until very recently did we?*' gan edrych drwy gil ei llygaid ar ei hepil. '*I think he's learnt his lesson though. We had a cock-and-bull story about a man trying to kidnap him in the car to Dolgellau. Emyr, that's my husband, was down at the Police Station telling them all these lies. But his father has been preaching at him . . . um . . . to him about the matter.*'

Edrychai Mrs Buckley druan yn llawn embaras fel pawb o amgylch y drws ffrynt gwyn, modern. Wedi derbyn y genadwri fe gaewyd y drws gyda '*Bye*' a dim sbec ar y ferch a fu'n dioddef yr arteithiau. Chwedl Rebecca yn yr ysgol, 'Mae Karen wedi bod yn byw ar *pills* ers i ti ei tharo,' ac fe gafodd Gareth y fath fraw amser chwarae yn yr ysgol efo datganiad o'r fath. Penderfynodd na fyddai byth eto'n ceisio dangos ei hun efo'r taflu cerrig — pa ots pwy fedrai daflu bellaf? Roedd o wedi taflu'r bêl ymhellach na Brian Walls yn y mabolgampau, ia Brian Walls — roedd hi'n anodd credu. Dyna oedd ei unig fuddugoliaeth yn y diwrnod llachar lliwgar hwnnw a'r rhieni o amgylch ffensiau'r ysgol, ac ambell un cynnar yn llenwi'r lloches ar y prom oedd â'i gefn yn wynebu cae'r ysgol. Oddi yno, byddai ambell riant yn hybu stamina eu plant drwy basio diodydd iddynt, ond digon yw dweud i Gareth hefyd gael ei funud o fri.

Gollyngodd Mam ochenaid fawr o ryddhad wrth ddod i lawr y stepiau y tu ôl i Fro Gyntun, a chymerodd Gareth gipolwg arni. Roedd y gwrid yn araf ddychwelyd i'w gruddiau ac yr oedd yn amlwg fod pwysau mawr wedi ei godi oddi ar ei hysgwyddau. Ar y ffordd yn ôl cawsant hufen iâ helaeth '99' yr un, a cherdded ar hyd y prom — ac roedd yn amlwg fod Mam yn fam go iawn eto, ar ôl iddo yntau addo peidio â dweud celwydd eto.

* * *

Agorodd drws y *Rendezvous* ac yn sefyll yno'n ddramatig drasig efo colur y bore'n cuddio pechodau roedd Aintoinette Hughes. Doedd codi cyn cŵn Caer yn ddim o'i gymharu â chyrraedd cyn yr ymwelwyr.

'Sybil, dwi 'di cael llythyr.'

'Ty'd i mewn i'r gegin gynnes.'

'*I've been invited to the Drama, Music and Dance Committee of the W.I.* a dwi ddim yn gwybod beth i'w wneud. Be nesa?'

'*Broadway* siŵr. Miwsig, goleuadau ac Aintoinette Hughes.'

'*Stop the world, I want to get off.* Ga' i goffi du, stiff?'

'Dwi'n clywed dy fod ti'n dawnsio fel Tylwyth Teg o amgylch Craig y Nos.'

'*That's hardly a compliment.*'

'Mae'n well na deud dy fod ti'n dawnsio fel eliffant, uffe'n. Sôn am eliffant, ddeuda i wrthat ti pwy fuodd yma ddoe a'i gwyneb wedi sgriwio i fyny fatha pen ôl eliffant, ond Beti Bog. Mae hi'n gweithio yn siop ei chwaer rŵan — siop Heulwen.'

'O fedra i ddim siarad am Beti rŵan. Dwn i'm beth i'w wneud. Dwi'n meddwl y gwna i ddechrau si 'mod i'n mudo. *That'll set the cat amongst the pigeons.* Doedd 'na ddim bref i'w gael allan o'r cadeirydd presennol, *so at least she's not a hard act to follow.*'

'Ti'n meddwl fod gen ti broblemau? Mynydd y Rhos yn erbyn Everest ydy dy rai di. Maen nhw 'di'n entro i ar gyfer arholiad uffe'n. Basiais i fawr ddim pan o'n i'n y Grango heb sôn am drio gneud rwbath rŵan. I mi, diffiniad teidi o *velocity* yn Physics oedd 'mynd fel y cythraul'. Dwi'n trio rhoi trefn ar fy mhapure a dwi'n mynd i fwy o *mess*. Waeth i mi fod yn onest, dwi bron â gwneud yn fy nghlôs yn meddwl am y peth. Bos y lle 'ma sy 'di rhoi'n enw i lawr efo ryw arholiad ynglŷn â chadw'r gegin yn lân uffe'n. Mae'r dyn 'di deud ddaw o yma i'n nôl i os dwi ddim yn cyrraedd i wneud yr *exam.*'

'O Sybil bach. Ploryn ydy mhroblem i o'i gymharu â hynna. *Blind them* wrth *science*, cariad. Ond mae fy mywyd i yn mynd o un ddrama Pinter i un arall — a *complete lack of communication.*'

'Paid ti â phoeni — dwi'm yn dod o Rhos heb gael fy nannedd i mewn i rwbeth uffe'n. Rho di fi yn y gornel ac mi baffia i fy ffordd allan. *I'm not a Jacko for nuthin.* Hei ffŵl — be ti'n galw *vampire* o Rhos? *Jackobite.* Den ti dda — rhwfun o dre ddeudodd honne wrtha i, ac roedd raid i mi chwerthin. Pobl Wrecsam uffe'n — pwy ddiawl ma nhw'n meddwl yden nhw?'

Erbyn amser cinio roedd Sybil ynghanol ei pherfformio wrth weini ar yr holl ymwelwyr, ac roedd Aintoinette wedi penderfynu aros am ginio.

'Dwi isio meicroffon yn y lle 'ma, er fod gen i ddigon o geg.'

'Sybil.'

'Aintoinette, iesgyn dwi 'di bod yn rhedeg rownd fatha *Keystone Kops* bore 'ma, be 'dech chi'n gneud yn fan hyn yn eistedd efo'r *rabble*?'

'Be sgen ti i fwyta heddiw?'

'Mi elli di gael *chips*, taten yn ei chroen, tatws 'di berwi, neu fi — a fi 'di'r rhataf o'r cwbl.'

'Mi gymra' i *omelette* fechan efo dau ŵy.'

'Pam na chymri di'r tri?'

'O na, mae'n ormod.'

'Uffe'n, ti'm 'di gweld yr wyau. Wyau bach c'wennod ydyn nhw.'

'Paid â thynnu 'nghoes i.'

'Olreit, olreit, *omelette* efo dau ŵy,' a'i weiddi yn uchel i bawb glywed, a winc i Aintoinette.

'Sybil, ti'n ofnadwy. Ti'n gwybod hynny?'

Eisteddai'r Bardd yng nghornel y Caffi yn ysgrifennu ei jôcs hi ar bapur.

'Ty'd yn dy 'laen ddyn,' meddai Sybil drwyn drwyn ag o, 'does gen i ddim amser i rechu, ty'd i roi help llaw achos gest ti dy fwydo wsnos dwytha.' Cafodd y Bardd gymaint o fraw fel y llowciodd weddill ei goffi yn sydyn a rhedeg am y drws, ac am ben y cei, ac yn ôl yr hanes arhosodd yn ddiawen am rai dyddiau wedi'r ysgytiad hwnnw.

Chwythai'r awel yn gryf y noson honno, a thinc o hen aeaf yn eironig yn ei chynffon. Arhosai'r gwylanod yn eu hunfan fel petaent wedi eu hudo, ac roedd y tywod wedi ei wlychu ychydig gan y gawod — digon i beidio â dallu rhywun.

Roedd yna gabaret yn cael ei gynnal yng Ngwesty Ger y Lli efo rhywrai diarth o bell yn dod i ddweud eu straeon, ' . . . a ninnau efo digon yma ein hunain,' chwedl Huw Dyls. Gan fod Sybil wedi treulio'r dydd yn tynnu coes Aintoinette yn ddidrugaredd, fe ddywedodd wrthi fod y 'seren' o'r clwb parc carafanau y buont ynddo wedi gofyn am ei chael hi yn y gynulleidfa yn y Bermo.

'*Oh*, paid wir, dwi'n gwybod dy fod ti'n tynnu 'nghoes i, achos dwi 'di gweld y posteri diarth i fyny ym mhobman. Rhyw Jen Voltaire i ganu.'

'Lle mae hi'n meddwl mae hi 'di bod? Dylen nhw ddanfon hi i'r *Old Swan* yn Rhos os 'di isio gwbad be di canu. Ew, den ti berfformans ro'n i a mrawd yn ei roi iddyn nhw yn fanne. Mi fyddwn i yn plygu wrth ei lin a gafael yn ei law (pan o'n i'n *well oiled* uffe'n) a chanu *The Barefoot Days When I Was a Kid*. Den ti gân.'

Erbyn dechrau gwyliau'r haf, roedd rhannau newydd o'r ffair symudol yn cyrraedd bob dydd a mwy o olau i'w weld yn y carafanau yn y cefn wrth y rheilffordd yn barod am ryddid y plant cyn hir. Y noson honno, roedd Gareth â'i ben yn ei blu gan fod rhywun wedi'i alw o'n *Whizzy Bum* yn yr ysgol, a doedd hyn ddim wedi ei blesio, er fod Anti Meleri yn meddwl ei fod o'n reit ddoniol. Fedrai Gareth ddim rheoli symudiadau ei ben ôl, chwarae teg. Fe ddangosai'r *Whizzy Bum* i'r taclau. Beth bynnag roedd Brian Walls, bachgen cletaf yr ysgol, yn ffrindia annisgwyl efo fo.

Suddai'r machlud ar diroedd y Bermo a Mynydd y Môr gan daenu ei 'Nos da' yn garisma nad a'n angof ym Môn y Maen. Bu'r mynaich yma ddoe ac echddoe yn canfod eu heddwch, a bellach tyrrai'r pererinion modern yma am eu balm — nid i Abaty Cymer y tro hwn, ond i fro Hendre Mynach ac Ynys y Brawd, i'r Gellfechan a'r Gellfawr. Roedd y bws olaf adre a'r trên olaf y noson honno yn paratoi am ras i'w gwely, a'r neuadd ddifyrrwch yn dal i droelli ei cherddoriaeth ymysg oriogrwydd ei pheiriannau. Erbyn i dad Gerallt gilio o'r blwch signal roedd disg olaf y noson ar gorn y disgo *'Like a rubber ball I'll come bouncing back to you . . .'*

* * *

Wedi pob gweithgarwch daeth diwrnod olaf tymor yr ysgol, ac roedd pob dosbarth wedi clirio popeth yn dwt, ac yn barod i gael mynd am dro. Roedd Gareth yn falch nad oedd yn rhaid canu cerdd dant heddiw. Buont yn ymarfer tuag at 'Barti'r Prins' ers dyddiau. Y Panorama uwchlaw Bermo oedd nod y daith gerdded eleni.

Ymgynullai pawb yn afrosgo yng nghyntedd yr ysgol a'r lleisiau'n cael eu chwyddo'n goridorol groch. Cafodd y plant i gyd rybudd taranllyd i beidio â cherdded o flaen y prifathro, i gadw mewn deuoedd ac i groesi'r ffordd yn ofalus. Yn y diwedd, cychwynnodd yr ysgol i gyd dan ofal yr athrawon ar y bererindod fawr. Partner Gareth oedd Gwynedd, ac roedd o'n rhigymu penillion doniol wrth i'r osgordd ddechrau ar ei ffordd hyd at y traeth, ac ambell hogyn yn siarsio un arall y byddai'n dweud wrth yr athro fod yna neidio'r ciw yn digwydd. Dywedodd Brian Walls, oedd y tu ôl i Gareth, y byddai unrhyw un oedd yn cyffwrdd â'r craciau yn y pafin yn *gonner*; roedd eraill yn anfoddog â'r holl fenter a'r merched yn sisial a llygadu yn fwy aeddfed, efo rhubanau yn eu gwalltiau rhydd.

Pan gyrhaeddwyd y prom dechreuodd Luned Parri ffwdanu: 'Na, dwi ddim isio croesi'r cerrig 'ma. Fedra i ddim. Na.'

Druan, y beth fach fawr. Y munud nesaf roedd hi ar gefn Syr yn marchogaeth yn ofnus dros y cerrig. Roedd cyflymder cerddediad y sawl ar flaen y gad ifanc yn achosi cryn gymhlethdod i rai oedd am geisio adeiladu caerau tywod ar fin y tonnau, neu i gariadon bore oes oedd yn ceisio arwyddo 'True Luv' efo'u bysedd rhwng y gronynnau gwlyb. Byddai Mrs Alaw yn cadw'r afradloniaid yn eu lle gan adael iddynt wyro ychydig — ond nid gormod — oddi wrth y rheolau!

Ymestynnai ehangder Ynys y Brawd o'u blaenau, a'r *Perch* — y cyfarwyddyd i longwyr — yn glir fel ymbarél wyneb i wared a'r llanw allan heddiw. Ond fe ddeuai llanw cyn hir. Rhybuddiwyd y plant oll i ddychwelyd i gyfeiriad y prom ar ôl cerdded cryn bellter, gan fod y dŵr yn beryglus wrth Dŷ'r Baddon ym mhob tywydd a chyflwr. Wrth fynd o amgylch pen y cei cafodd Gareth gwestiwn a gofiai am byth gan Brian Walls, fel pe bai'n synhwyro rhyw ysgaru eto.

'Fyddi di'n ffrindiau efo fi am byth, byth, byth? Wnei di addo? Wnei di?'

'Gwnaf siŵr,' cadarnhaodd Gareth, 'Gwnaf.'

Roedd rhai pysgotwyr yn dychwelyd efo'u cimychiaid ac yn eu gosod ar y lanfa er syndod i ymwelwyr. Derbyniodd Gareth law hen wreigan ar ei ben wrth fynd heibio un o'r seti newydd-eu-paentio ar gyfer yr haf.

'Am hogyn bach neis,' sisialodd wrth gyfeilles iddi.

'*What about me then?*' meddai Brian Walls gan stwffio'i wyneb o'u blaenau. Chwerthin a wnaeth Gareth, a Gwynedd hefyd, oedd yn dal i rigymu wrth ei ochr. Ond roedd Gareth wedi'i blesio ymhell cyn dyddiau clywed am y fath beth ag *ego*.

Goblyn o ges oedd Gwynedd:

'Gwynfor John
  yn bwyta scon
  wrth chwarae efo ffon.

Dwi'n gweld efo fy nhrwyn bach i . . .' a phawb mewn
penbleth. Aeth Alex ymlaen wedyn i sôn am un y byddai ei dad yn
ei ddysgu iddo:

'Cyntaf glyw
hwnnw nid yw,
ail a gegodd
hwnnw rechodd.'

Ond Gwynedd oedd y seren yn yr ymryson annisgwyl, ac roedd y
Saeson hyd y cei hyd yn oed yn gwrando'n astud.

'*Nanny goat* a *billy goat*
a dau dwll tin,
un yn sychu llestri
a'r llall yn sychu'i din.'

Anesmwythodd Mrs Alaw wrth iddi godi o'r twyni a llwyddodd i
dawelu direidi'r criw mewn digon o bryd.

'Dyna hen ddigon Gwynedd a Gareth.' Ac yna dechreuodd
hithau chwerthin! Rhaid dweud fod ambell un afradlon wedi
gwyro tua'r tŷ bach ar ben y cei ac un wedi llwyddo i ordro hufen iâ
slwts o Gaffi Fflat Huw Puw, heb ragweld y trafferth a gâi gydag o
wrth gerdded y trac blinedig i fyny cant o stepiau i weld Garn
Gorllwyn a'i holl nythleoedd gwichlyd a'i llwybrau mynyddig. Fe
fu'r gwyro hwn yn ddigon i feddalu calonnau'r athrawon fel yr
hufen iâ hylifog ei hun, ac fe gafodd pawb glamp o hufen iâ neu '99'
cyn ailddechrau. Diolchodd Gareth yn ddistaw bach wrtho'i hun
am gael mynd i fyny'r cant o risiau er mwyn osgoi hen lwybr
euogrwydd taflu'r garreg honno gynt. Atgoffai'r hufen iâ ef o
faddeuant Mam.

Roedd Luned 'draenen-yn-fy-ystlus' Parri yn argyhoeddiedig
mai naw deg naw o stepiau a gyfrodd hi, a thra oedd yn y broses
hirwyntog o ymhelaethu am ei damcaniaeth wrth Syr, fe ollyngodd
un o wylanod afradlon y Bermo ei charthion yn anffodus a helaeth
ar hyd ei braich. Cyrhaeddodd sgrech a nadu Luned Parri hyd Lyn
Perfeddau hefyd. Am yr eildro y prynhawn hwnnw daeth Syr i'r
adwy fel rhyw Flash Gordon cyfoes efo hances boced i sychu'r
gawod anffodus a anelwyd mor ddeheuig.

Yn chwys talcen i gyd, dyma beth oedd rhyddid haf o'r diwedd: rhes o blant yn edrych dros foryd Mawddach yn hollol ddistaw, yn cydnabod yn eu tawelwch fod Rhywun wedi bod yn artist. Cader Idris a'i gap swil o gwmwl a llwybrau oducha Fegla Fawr ac Arthog, a swyn hen enwau Pant yr Hen Erw, Hafoty a Deildre, ac yn ôl at yr afon — Min y Don ac Ynys Gyffylog. Daeth dau o blant y ffair at Syr i holi am y cawr Idris 'ma roedd yr hogiau Cymraeg yn sôn amdano. Ac fe gipiodd arswyd eu calonnau, yn ogystal â'r babanod. A fyddai Idris y Cawr yn padlo'i ddwy droed anferthol yn yr afon pan oedden nhw yno yn gwylio? Esboniodd Syr wrth Luned Parri a gweddill y criw yn Safon Un mai amser maith yn ôl oedd hynny ac na ddeuai fyth yn ei ôl i eistedd ar ei orsedd. Anadlodd Jane ochenaid o ryddhad.

'Dach chi'n siŵr rŵan?' holodd Luned Parri.

Wrth ddal ati ar i fyny ar ffordd y Panorama, ni sylwodd neb ar yr olwg amheus a ddatblygodd ar wyneb Mrs Alaw a gweddill yr athrawon. Llygadent y cwmwl du a sleifiodd atynt gan droi pelydrau'r haul o gefnau'r plant. I Luned Parri roedd Syr yn Batman, yn Flash Gordon, yn Steed o'r Avengers — ef oedd pob arwr. Roedd pawb bron â chyrraedd brig yr olygfa banoramig ac roedd Mrs Alaw a Syr mewn cyfyng-gyngor; dilyn y trywydd i'r copa neu droi'n ôl i osgoi trochfa?

Ni chafwyd cyfle i ystyried. Daeth dafnau mawrion o law i lawr — y cyntaf yn eirias ar fraich Luned Parri. Ymatebodd fel pe bai wedi cael pigiad sydyn gan bryf. Rhedodd pawb i gysgod y coed, ond bu Syr yn ofalus i graffu i'r nen rhag ofn fod mellt yn tanio. Sôn am Siwpyrman!

* * *

Ni chyrhaeddodd y fintai fawr y Panorama uchaf un ar y diwrnod hwnnw a'r olygfa ogoneddus o foryd Mawddach, ond cawsant siars i fynd yno dros Wyliau'r Haf, ac i ysgrifennu stori am eu profiad. Ar ddechrau'r gwyliau fodd bynnag, nid y Panorama oedd yn denu, ond y ffair a'i hasbri. Medrai Gareth glywed lleisiau'r peiriannau Americanaidd yn datgan enillwyr, a bod y gêm drosodd; medrai weld y peli'n taro'r naill ddarn ar ôl y llall a'r sŵn electronig yn diasbedain. Clywai ei draed yn llusgo hyd lawr pren simsan neuadd ddifyrrwch y twyni, ac ofnai ddisgyn drwy'r llawr brau.

'*C'mon Everybody*' a seiniai ar y jiwc bocs, ac yno yn y gornel y byddai ffrindiau'i chwaer a Ceri ei hunan, pan nad oedd yn gweithio yn y Dafarn Laeth. Yno hefyd roedd y *Beach Boys* a'u *Do It Again*, a'r *Beatles Twist and Shout*. Seiniau haf i ysgwyd a siglo a syfrdanu'r promenâd. Dyma pryd y cofiai Sybil wisgo ei hen *peep toes* a'i ffrog taffeta, i roi braw i bawb. Rhain oedd dyddiau *The Night Has a Thousand Eyes, Raining in my Heart* a *Jailhouse Rock* iddi hi, heb anghofio *Yesterday* gan y *Fab Four*.

Yn y neuadd ddifyrrwch, Wil Bingo a'i wraig Cilla Sue oedd yn rheoli. Arhosai hi yn ei chaban gwydr yn anghyrraeddadwy, oni bai bod gofyn iddi weiddi 'bingo' yn lle Wil. Byddai'n tynnu coes pobl o'i chwmpas ar y meic o gael ei rhyddid, yn enwedig y rhai newydd.

'*You've got to get used to me, love,*' oedd ei harwyddair, ac roedd pawb mewn perygl fel y canfyddodd rhai o athrawon Gareth pan ddigwyddodd un neu ddau daro i mewn i gael hwyl diwedd tymor. Ond y tu ôl i'r cwpwrdd gwydr ynghanol y neuadd ddifyrrwch yr oedd Cilla Sue yn teyrnasu i Gareth, yn cydganu geiriau'r jiwc bocs. Cilla Sue yn breuddwydio ei bod hi'n Peggy Sue, ac yn gwybod y geiriau i gyd.

Gosodai ei hun yn ei throwsus lledr tynn ar ongl anhygoel o gelfydd ar y stôl, ac fe geisiai edrych tuag ugain mlynedd yn iau na'r deugain oed. Addolai'r *Rolling Stones*. Roedd ganddi un ferch yn yr ysgol, yr unig ferch yr oedd gan Gareth a rhai o'r bechgyn eraill ei hofn — hyd yn oed yn y ciw cinio efo Antil Sybil o gwmpas.

'Ma' hon yn wynebgaled yr e'th 'ma o Firmingham. Isio iddi fynd yn ôl sy' os di'm yn leicio be mae hi'n weld ynte?'

Colurai Cilla Sue ei hwyneb yn drylwyr a chredai fod ei hymddangosiad yn denu'r dynion i wario mwy o bres yn y peiriannau. Craffai i'r gornel ar sgrin deledu, ac yno'n cyflawni ei gampau mabolgampol yn y jyngl oedd gŵr yr *Wmgawa* — Tarzan.

Ac am rai munudau cyn i Gareth ddod i dorri ar ei myfyrion, does dim gwadu mai hi oedd Jên — yr ateb i ddyheadau pob darpar Darzan a ddeuai i arddangos ei gyhyrau yn y Bermo yr haf hwnnw.

Ond buan y chwalai'r ddelwedd hon ohoni. Taflai y newid at ei chwsmeriaid fwy neu lai — yn enwedig y plant, gan obeithio y byddai'r *punters* yn gwneud y gorau ohoni. Ond a oedd rhywun efo Cilla Sue yn ei munudau dwysaf tybed?

Roedd 'na adegau pan deimlai fel rhoddi'r cyfan o'r neilltu — diosg y pethau croendynn a dod i 'nabod hi ei hun, y wraig y tu ôl i'r colur. Ond dim ond ar adegau slac o'r dydd fyddai hynny pan doedd Tarzan ddim ar y bocs, pan oedd sŵn di-baid y peiriannau bron â drysu ei nerfau, neu gwmwl yn rhwystro'r haul ar draeth y Bermo.

Ambell dro byddai'n rhoi ei theimladau ar bapur wrth ysgrifennu at Jan ym Minorca — ffrind ysgol o Birmingham: 'Biti dy fod ti mor bell, neu mi allen ni'n dwy aros i mewn a chael noson dawel yn gwrando ar recordiau caneuon serch a galaru am gariad a gollwyd, a chrio i *You Were Always on my Mind*. Jan oedd yr unig un a gâi y gwir gan Cilla Sue, a'r gresyn oedd mai dim ond unwaith bob blwyddyn y câi ei gweld ers iddi symud i mewn efo Des. Jan gâi rannu ei munudau personol, a gallai ddod â'r darnau ynghyd rywsut ac ailgyfeirio'r dyfodol. Roedd Sweeney, cariad ei merch hynaf, Desna, yn rhoi rhyw wefr iddi pan oedd hi'n isel — ac ambell i un a ddeuai i nôl newid ar ôl i'w gŵr wneud y *dirty* arni hi, chwedl hithau.

Ar ôl bywyd priodasol tymhestlog roedd gweld Wil Bingo yn rhoi ei gyfeiriad a'i rif ffôn i ryw hwran fach hanner ei hoed yn ergyd iddi. Pam y gwnaeth o beth felly? Bu bron iddi ei adael o y tro hwnnw — fo a'i neuadd ddifyrrwch. Tŷ ar y tywod oedd y cyfan, gwyddai hynny. Ond roedd yn rhaid gwneud yn siŵr bod y sioe yn dal i fynd yn ei blaen, er na wyddai pam yn union. I ble byddai'n mynd? Yn ôl i Birmingham? Dim peryg.

Fe gâi Jan lythyr heno, galon wrth galon, a byddai hithau'n teimlo'n well eto, am ryw hyd. Ac roedd Sweeney yn gweithio'r Bingo fory, a Desna o'r ffordd yn Ibiza efo'i thad. Ac fe fyddai'r trowsus lledr croendynn yn barod am ddiwrnod arall. Siani

142

Llygaid y Geiniog oedd enw tad Gareth arni, ac fe rybuddiwyd Gareth i beidio â mynd i wastraffu ei bres poced yn 'y ffair wagedd'. Bu Dad wrthi'r bore hwnnw yn rhoi darlith i Mam ar sut y dylid defnyddio cyn lleied â phosib ar y ffôn. Roedd yn amlwg o'r ffigwr ar y bil fod Mam wedi bod ar y ffôn efo'i hen ffrindiau — Jennie ym Mhenmaenmawr ac Annie yn y Rhyl.

'Dim ond teclyn i gyfleu neges ydy o ac wedyn *off* y lein, neu ti'n llosgi pres efo rhyw fân *chit-chat*.'

Ond yn ôl yn y neuadd ddifyrrwch yr oedd Gareth yn sylwi ar Cilla Sue. Seiniai *Only the Lonely*, un o'i hanthemau hi o'r pumdegau, ar y jiwc bocs. Hi ddewisodd y gân eto heno a phwyso'r nobyn yn ddistaw heb i neb weld. Ceisiodd gyrraedd yn ôl i'w lle cyn i'r gân seinio, ond ni lwyddodd y tro hwn.

Fe aeth Gareth ar ei sgowt arferol o gylch y peiriannau a fyddai'n debygol o fod wedi pesychu peth o'u pres ar hap — rhywbeth a fyddai'n hwb i'r gronfa gyfyngedig yn y boced wlyb wedi'r daith gerdded wrth y tonnau. Cofiai â melyster arbennig y diwrnod pan arllwysodd yr hen wraig o Graigle ei newid o'i phwrs am iddo ei helpu ar draws y ffordd. Nid oedd wedi sylweddoli fod ganddi cymaint o bres mae'n rhaid, ond nid oedd Gareth am ddweud dim ychwaith. Gwahanol iawn oedd ei sefyllfa dlawd heddiw, ac er byseddu'n feiddgar mewn tyllau a chorneli tebygol, chafodd o fawr o lwc.

Ynghanol yr helfa drysor swnllyd fe welodd Gareth ynys o warineb cyfarwydd; dyna lle'r oedd Mrs Gweneurys Bowen Morgan, capelwraig selog gyda llaw, yn ceisio ei gorau glas i achub y blaen ar y Pistyll Pres. Dyna'r gêm lle y gobeithid bwrw un geiniog i lawr ac felly ymlaen i lawr gwahanol raeadrau nes iddynt gyrraedd llaw y buddugol yn y gwaelod.

'*They come cascading down at me*, wyddoch chi,' oedd fersiwn Aintoinette Hughes am yr un tro y sleifiodd hi at y peiriant. Dal llond dwrn oedd y nod, ond weithiau diflannent i fol y peiriant yn annheg. Gwyliai Mrs Gweneurys Bowen Morgan y cyfan dros ei hanner sbectol — y rhai a wisgai i edrych ar y sol-ffa yn ei llyfr emynau. Cofiai'r dawnsfeydd adeg y Rhyfel yn yr *Assembly Rooms* a ddymchwelwyd erbyn hyn. Dawnsio ar loriau pren hardd. Cofiai

143

hefyd fynd o dan y lloriau pren yn yr hen neuadd ddifyrrwch yn chwilio am geiniogau a lithrodd rhwng ystyllod. Dyddiau da.

'Go drapia,' meddai hi'n uchel, heb sylwi ar Gareth wrth ei hochr yn byseddu'r gwydr.

'Ydech chi isio ceiniog arall?' gofynnodd Gareth.

'O helo Gareth. Sut ydach chi? Dwi'n cofio'ch Taid wyddoch chi. Un da oedd o yn Ardudwy 'ma. Dyna ddangos f'oed i chi. A phan ddaeth ei lyfr o allan, wel mi allwch chi ddeud fy mod i'n mynd i'r gwely efo fo bob nos.'

'Wel . . .'

'Rhoswch funud. Ewch i nôl newid imi, ewch chi? Fydda i ddim yn gwario rhyw lawer ar hen bethau fel hyn. Lladron yden nhw,' meddai hithau gan agor ei bag llaw a datguddio papur pum punt.

'Cofiwch ddod â'r newid i mi rŵan yn gnewch Gareth?'

Aeth yntau at gownter y dihidrwydd mawr, at Cilla Sue. Yr unig beth oedd o ddiddordeb iddi hi oedd fod pobl yn colli eu pres, ac efallai yn sylwi arni hi wrth gael eu newid. Erbyn hyn craffai ar ffilm yng nghornel y caban gwydr — am y byd cyntefig. Ynddo roedd merch bert yn nwylo rhyw arth fawr. Dywedodd Gareth 'Diolch yn fawr' er nad oedd fawr o ddiben gwneud hynny.

Dychwelodd y newid i'w berchennog, ac roedd yn union fel pe bai amser wedi sefyll yn ei unfan a hithau'n dal i syllu'n ddeisyfgar benderfynol ar y rhaeadr ceiniogau, bron mor eiddgar ag y syllai ar y Sul ar sol-ffa emyn-dôn ddiarth yn ei *Detholiad*.

'Dyma ni,' meddai Gweneurys, gan fwydo mwy o geiniogau i berfedd y peiriant a chanolbwyntio ei holl ymdrechion ar y rhaeadr pres y tu ôl i'r gwydr.

Roedd sŵn arbennig i'r ffair bob amser — yn gymysg â sgrechian a miri'r plant, clywid sŵn peiriannau'n troi, a rhai eraill yn symud yn ôl ac ymlaen hyd eu cledrau. Roedd y sleid yn ffefryn mawr, ond dyna i chi waith oedd llusgo'r sachau i fyny'r hen stepiau blin yn ôl. Deuai'r plant yn llu i lawr y sleid ar eu sachau gyda Mam neu Dad yn dal disgleirdeb eu hwynebau ar y gwaelod gydag anfarwoldeb y camera, a'r llun a fyddai ymhen blynyddoedd yn ailgynau ddoe, a dod â rhan o'r byw a fu yn ôl drachefn. Mawr oedd yr hwyl a'r helbul ar y castell neidio a'r plant yn nofio yn y môr o beli bach lliw y tu mewn iddo. Fe âi'r trên bach bach rownd y byd ac yn ôl at Mam, er bod golwg ddifrifol iawn ar wynebau rhai. Ond roedd ailganfod Mam neu Dad bob tro y deuai'r trên bach o amgylch yn werth y byd — yn wên o ymddiried i gyd. *Hook a Duck* oedd ffefryn Gareth ac er bod gwobr am bob ymgais roedd hi'n dipyn o gamp bachu chwadan.

Un tro arall yn y neuadd ddifyrrwch cyn mynd adre. Ni oleuai'r *'Plus Money'* mawr, ac fe gynddeiriogai Nicky, brawd Brian Walls a daflai ei bres i mewn. Ofnai fod ei hen hud o fedru twyllo'r peiriannau wedi darfod.

Gwaeddodd a rhoddodd fraw i Cilla Sue y tu ôl i'r gwydr.

'Has anyone washed this out luv?'

Ni ddeallai pam nad oedd 'y drefn' yn taro deuddeg fel yr arferai wneud dan ei law fedrus, dwyllodrus. Roedd ei gyfuniad o *nudge* a gwthiad sydyn yn ei bryd i fod i sicrhau llwyddiant efo'r peiriannau fflachiog.

'You what?' croesholodd Cilla Sue.

Ond nid Nicky oedd yr unig un oedd yn daer am gael blas o'r enillion — ac edrychai'r ymwelwyr yn fygythiol ar ymyrraeth plant fel Gareth. Wedi taro un olwg olaf ar y Trên Bach Ysbrydion cyn mynd adre, cyrhaeddodd Gareth Pen Parc yn benderfynol o adeiladu un ei hun. Rhuthrodd o stafell i stafell storio yn y seler yn ceisio penderfynu pa un fyddai'n addas. Byddai'n rhaid rhoi gorchudd ar y ffenestri neu fe fyddai pawb yn medru gweld, a châi neb fraw o gwbl. Wedyn, byddai'n rhaid cael clustogau meddal ar lawr, er mwyn dychmygu yn y duwch bod rhywun yn troedio dros gyrff. Ŵ! Fe fyddai'n rhaid i'w ffrindiau guddio yn y stafell hefyd a bod yn wahanol fwganod, a gyrru Dad neu rywun i mewn, neu byddai'r cyfan yn fethiant. Câi yrru Ceri i mewn cyn iddi fynd yn ôl i Fangor i'r Coleg, a chyn iddi ddod â mwy o gathod digartref y ddinas honno yn ôl efo hi. Roedd y cynllun yn un uchelgeisiol a byrlymai ei asbri i'r cyfeiriad hwn yn ei freuddwydion.

★ ★ ★

Roedd y byrddau'n rhesi a meinciau ar hyd eu hochrau, a phlant yn cael eu harllwys i'w seddau. Gwawriodd dydd te parti'r Prins of Wêls, pwy bynnag oedd o. Eisteddai'r dosbarthiadau Saesneg yn yr ysgol yn gartrefol barod efo'u baneri Draig Goch a baneri lliw Sul y Cofio. Ar y diwedd cafwyd addewid y câi pawb fwg i fynd adre hefo nhw.

Amgylchynwyd ffiniau buarth y Clwb Ieuenctid a'r hen ysgol ynghanol y dref gan goed fflur ceirios oedd wedi hen fwrw'u blodau. Heddiw yn hongian o'u hysgerbydau ceid addurniadau coch, glas a gwyn. Gwelid ambell i Ddraig Goch o gwmpas hefyd. Roedd pob man yn hynod o liwgar, ac erbyn hyn roedd torf o bobl yn ymgasglu o gwmpas y ffiniau ac yn pwyso ar y wal.

Cerddodd Gareth i mewn i'r buarth yn falch, gan wybod bod yna de o frechdanau, sudd oren a jeli yn disgwyl pawb. Aeth ef a'r grŵp cerdd dant i eistedd efo'i gilydd, a chafwyd cryn hwyl yn edrych o gwmpas. Roedd pob digwyddiad yn fater teuluol yn y Bermo gyda'r un bobl yn helpu hefo'r bwyd ym mhobman. Pwyntiodd Gwynedd at ddau o blant y dosbarth Cymraeg yn cerdded gyda'u mam y tu allan i ffiniau'r jamborî — y tu draw i goch, gwyn a glas y wal. Pam na ddeuent i mewn? Edrychai Rhian a Sian yn drist, ddisgwylgar tuag atynt, ond roedd eu mam yn benderfynol, a cherddodd yn dalsyth heibio i safle'r gyfeddach heb fedru edrych arno. Roedd fel petai'r cyfan yn codi pwys arni, a suddodd yr edrychiad i galon Gareth gan fod mam Rhian a Sian yn ddynes mor annwyl fel arfer, yn gafael yn y plant i gyd a rhoi sws iddyn nhw. Heddiw fe aeth heibio i bawb â'i phen yn uchel. Gobeithio nad ydy hi wedi troi'n snob, meddyliodd Gareth.

Roedd y cyfan i gyd yn ormod o sioe ac o sbloet i Sybil.

'Uffe'n, roedd y Band Un Dyn yn ddigon o Brins of Wêls pan o'n i'n fechan yn y Rhos. I fyny Allt y Gwter, ffŵl, a heibio Stryt y Go enai!'

Ond roedd Aintoinette Hughes yn y dyrfa o amgylch y waliau amryliw am ychydig o amser er mwyn cael gweld pwy oedd yno. Bu bron i brynhawn y parti gael ei ddifetha iddi pan faglodd dros Carlo y ci — yr un drwg a fu'n sniffian Sybil bob cyfle a gâi ger Arafa

Don. Rywsut roedd Carlo wedi torri'n rhydd y prynhawn hwnnw ac roedd yn creu drama lle bynnag yr âi yn ei wasgod swel. Hen gi drwg.

Gyda Gwynedd wrth ochr Gareth yn bwyta, doedd dim posib dal pen rheswm — roedd popeth o dan y lach, y jeli a'r brechdanau spam.

'Ydy'r Prins of Wêls yn mynd i hoffi spam, spam, spam ac wedyn fe gaiff o dipyn o spam a mwy o spam heb anghofio pwdin spam wrth gwrs.'

Daeth yn amser i'r Dosbarth Cymraeg ganu eu cerdd dant i'r Prins of Wêls — os oedd o wedi cyrraedd — a thra oedd pawb yn ymgynnull ar y llwyfan simsan yn yr haul, stryffaglodd un gŵr a fu'n eistedd ar y byrddau pwysig yn y tu blaen i newid y fflag coch, gwyn a glas yn y ffrynt am Ddraig Goch — yn arbennig ar gyfer y gân. Daeth yr un gŵr a oedd wedi pesychu ei ffordd mor hunan ymwybodol o gwmpas y lle efo'r faner â thwmffat taflu llais anferthol i chwyddo sŵn y plant, a cherddodd yn hamddenol nes ei dodi yn drwsgwl o'u blaenau. Safai o flaen Gareth, ac wrth ganu clodydd y tymhorau i gyfeiliant telyn teimlai Gareth fod ei nerfusrwydd yn cael ei chwyddo a'i daflu ar draul y lleill i'r canghennau coch, gwyn a glas, yn taro'r tar caled islaw, yr *arcade* siopau ac yn atseinio i fyny at Graig y Nos. Roedd Gareth yn falch pan ddaeth yr ail gân fwy ffwrdd â hi a phawb yn ymuno gyda 'Bing bong a bing bong be'.

'Ew mae gan hwn andros o lais,' meddai'r gŵr dros bob man wrth newid y faner yn ôl ar ddiwedd y gân. Roedd Gareth wedi plesio'r Prins of Wêls efo'i lais.

* * *

Wedi'r parti, treuliodd Gareth y min nos yng nghwmni ei gyfnither, Eleri, o Dyffryn. Robert Wyn o'r Bermo oedd ei chariad ar y pryd, ac roedd y ddau efo'i gilydd yn Ysgol Ardudwy, Harlech. Roeddent wedi trefnu i gwrdd. Byddai Eleri Dyffryn yn dangos ei chasgliad o gardiau post i Gareth bob tro yn âi yno efo

Mam a Dad. Roedd yna ryw fath o sefydlogrwydd yn lluniau'r albwm.

Cerddai'r tri yn y gerddi oedd ar sawl lefel islaw Bro Gyntun, yn wynebu Bont y Bermo. Roedd y creigiau y tu cefn iddynt yn crio heddiw, ac edrychai Gareth ar y garreg enfawr ynghanol y parc. Roedd y gawod yn bygwth y min nos, ac fe anelodd y tri i gyfeiriad y lloches. Syllai Gareth ar yr ysgrifen newydd ar y garreg enfawr yn y parc. Arni roedd un o'r arwyddion rhyfedd mewn paent gwyn oedd ar hyd ochrau'r mynyddoedd. Roedd Brian Walls wedi dweud wrtho am droedio'n ofalus pan welai yr arwydd, gan mai bomiau o'r rhyfel diwethaf oedd wedi eu claddu yn y graig. Hefyd ar y garreg mewn paent newydd roedd y geiriau 'Cymru Rydd'. Ystyriai Gareth arwyddocâd hyn tra oedd y ddau gariad yn sôn am pa mor bell y medrent daflu carreg.

'Be ydy 'Cymru Rydd'?'

Robert atebodd: 'Dan ni'n rhydd rŵan.'

'Be?'

'Mae Dad yn deud mai rhyw hen bobol wirion heb ddim gwell i'w wneud sydd wedi bod i fyny yno efo'u paent yn poetsio am ddim rheswm.'

Ar hynny cododd Eleri a throi fel top o flaen Robert Wyn a Gareth gan chwerthin.

'Ylwch . . . dwi'n rhydd hefyd.'

Cerddodd y tri i lawr y grisiau troellog o'r gerddi at y foryd a'r creigiau a naddwyd gan dafod y tonnau yn is i lawr. Yna disgyn fel tunnell o frics ar gerrig mân, llyfn y gwaelodion gan darfu ar draeth preifat Gareth lle y byddai'n trio padlo am y tro cyntaf bob blwyddyn wrth forglawdd llwybr y trên. Byddai'n dengid yma, hyd yn oed pan oedd Mam yn dweud wrtho am beidio â mynd ar gyfyl y dŵr.

Ciciai'r ddau hŷn y cerrig o'u lle, a cherddodd Gareth yn ei flaen fel pe bai'n ceisio curo'r llanw. Ac wrth i Eleri a Robert Wyn ddechrau taflu cerrig bymtheg y dwsin i'r foryd hwyrol, bron nad adseiniai'r sŵn yn ôl o Gader Idris a'u taro ar eu talcen. Bob tro y teflid carreg cofiai Gareth fel y bu iddo daro rhywun heb drio, unwaith. Deuai'r ofnadwyaeth yn ôl efo bob tafliad.

* * *

Greddf, rywsut, sy'n peri bod hogyn bach naw oed eisiau atal llif nant o'r ffynnon ar lan y môr, fel petai'n ceisio herio'r drefn sydd ohoni. Weithiau, diflannai'r ffynnon i dywod yr haf ond bore drannoeth byddai yn ôl yn ei hanterth. Ni allodd argae Gareth fennu dim ar y llif, mwy nag y gallai ymdrechion y plant eraill — duwiau yn eu byd bach eu hunain. Yn y fan hyn roedd y bobl o'r Ysgol Sul Saesneg a phobl ddiarth yn cynnal eu *Beach Mission*, yn dysgu o esiampl y ffynnon o ddŵr bywiol a ddychwelai o hyd i'r wyneb.

Wedi methiant ei ymgyrch, gwnaeth Gareth drac gwahanol ar ei lwybr adre. Anaml iawn yr âi adre dros y mynydd yn yr haf gan ei bod hi'n gymaint o ymdrech yn y tywydd poeth. Codi i fyny'r bryn a rhyfeddu bob tro sut y bu i dŵr cadarn Eglwys Sant Ioan ddymchwel. Darllenodd y ffaith honno mewn llyfr o fanylion i ddiddori ei ffrindiau a gafodd gan Dad, *Useless Information You Can't Afford to be Without*. Teimlai mai dim ond ef a wyddai gyfrinach fawr yr eglwys. Troi i'r chwith ac i fyny'r lôn gefn gul sy'n hunllef i yrwyr heb afael da ar frêc ar eu ffordd i lawr, a heb gydymdeimlad â'r gêr gyntaf ar y ffordd i fyny. Hanner ffordd i fyny clywai holl sŵn y dref islaw yn cronni, fel pe bai'n gefndir ar record effeithiau sain. Gosododd ei ben rhwng dau o feini'r wal a sefyll ar flaenau'i draed i gael gweld holl irder diwrnod o haf yn ymagor o'i flaen.

Ail fwriodd iddi er mwyn cyrraedd pen yr allt lle teyrnasai Craig y Nos. Gorchwyl yn wir. Wedi'r holl firi efo'r ffynnon ddŵr ar y traeth, sylwodd ymhlith canu'r adar a gwahanol synau'r perthi, fod ei hen gymar ar hyd ochr dde y trac yn fud. Roedd y nant a oedd yn llai nac afon Amffra hyd yn oed wedi sychu dros yr haf, ac roedd Gareth yn gweld eisiau ei chwmni. Gwyddai am un man lle ceid dŵr bob adeg o'r flwyddyn ond nid âi yno heddiw — yr Ogof Ddymuniad, i fyny'r llwybr i'r mynydd. Ond nid heddiw.

Fel y cerddai heibio i Graig y Nos daeth ci i gyfarth yn warcheidiol, a dychrynwyd ef yn annisgwyl gan lais o du ôl i'r blodau haul mawr, melyn a bwysai dros y wal. Ymdebygent i wên Aintoinette Hughes.

'Gareth. *Yoo hoo*. Dowch yma del!'

'Helo Miss Mrs Miss Hughes.'

'*It's make your mind up time darling*, fel mae'r hen Hughie Green druan yn 'i ddeud bob wythnos ar *Opportunity Knocks*. Roeddwn i jyst eisiau dweud mod i wedi'ch clywed chi y diwrnod o'r blaen yn Parti *Investiture y Prince of Wales at Caernarvon Castle*.'

'Lle?'

'Yn y shindig ar y *patch* i lawr fanne cariad.'

'Oeddech chi yno?'

'Am ychydig cariad . . . dwi fatha'r *elusive* Pimpernel, ond 'dan ni'n clywed pob dim yn fan hyn. Pob siw a miw o'r dref islaw. Ond eich llais — roedd o'n dod drosodd yn hyfryd efo cymorth y tafleisydd 'na. *Quite breathtaking* cariad. Diolch i chi.'

'Mi wnaeth y Prins of Wêls ddal y corn siarad i mi.'

'Ym . . . *oh yes, quite,* cariad. Beth bynnag, diolch i chi am roddi tipyn o chi eich hun i mewn yn y canu. Roeddwn i dros y lleuad, cariad. Dydy o ddim yn beth hawdd i'w wneud yn y byd brwnt 'ma — *but you showed that we are more than merely clones* — diolch cariad.'

Canodd y ffôn. Clywai Gareth lais Aintoinette yn atsain o'r tŷ.

'Ia, y props. Mae'r bocs ar ei ffordd i chi. *Yes pick up the box. No, Felicity's been.*'

Agorwyd y giât a'r drws ffrynt i Graig y Nos mewn un symudiad theatrig, gosgeiddig. Yna'r waedd o'r cyntedd 'Nain . . . *Yoo hoo* . . . Nain bach! Mae'n fisityr i lawr staer sy'n mynd i ganu i chi. Gareth peidiwch ac edrych ar y llanast. Dwi newydd fod yn cael diod o *creme de menthe* yn disgwyl i'r dyn ddod i drin y *crack* yn yr *Austrian glass*.'

Llyncodd Gareth ei boer.

Daeth wyneb coluredig Aintoinette Huhges yn nes ato nag a wnaeth erioed o'r blaen, at ei glust.

'Os canwch chi i Nain, mi gewch chi rywbeth i brynu da-da efo fo. *Sweeties*. Wnewch chi ganu'n swynol iddi dwi'n siŵr?'

Nod o gadarnhad petrusgar.

'Nain, mae o'n mynd i ganu.'

Dim sŵn gan Nain.

Ac fe ganodd Gareth, 'Mae gen i ddafad gorniog, ac arni bwys o wlân,' fel pe bai'n ei chanu am y tro cyntaf. Syllai Aintoinette ar ei ddiniweidrwydd glân, parod, agored. Tawodd y gân.

'*Oh, darling* roedd o'n *delightful*.'

Wrth iddi chwifio'i breichiau yn yr awyr, syrthiodd rhaglen tymor newydd y Bermo Dramatics ar y llawr, a chofiodd fod yn rhaid iddi bostio ei chadarnhad y byddai'n ymgymryd â'r swydd efo'r W.I. '*Wild Indians* uffe'n,' chwedl Sybil, ond Sybil oedd wedi ei darbwyllo y gallai wneud y gwaith.

Ni chlywid yr un smic gan Nain. 'Mae hi'n huno fy nghariad i ers blynyddoedd o amser,' meddai Aintoinette, ond roedd Gareth swllt yn gyfoethocach. Safodd wrth y giât yn syllu arno'n cerdded dros y grib. Llanwodd ei llygaid yn llawn dop am nad oedd anwyldeb hogyn bach wedi ei wneud i fyd o frifo a dagrau. Dychwelodd at ei thŷ gwag a gadawodd i'r blodau n'ad â'n angof guddio y tu ôl i'r blodau haul a'u gwên amlwg, yn falch bod plentyn heddiw wedi troedio llwybr yr ardd.

* * *

Bore o syllu hyd y glannau gafodd Gareth y bore hwnnw ar ddechrau Awst — rhyfeddu at symudiad bach pysgod llai na 'T' chwarae golff ar faes golff Harlech. Roedd hi'n wefr eu gweld yn crynu drwyddynt wrth synhwyro llaw yn y dŵr llachar. 'Radeg yma o'r flwyddyn fe fyddai'r pyllau hynny yn ganolfannau da am sgwrs; yno y cronnai darpar ymdrochwyr o bob oed yn y basddwr cynnes i gael blas ar y dŵr. Rhyfeddai Gareth o hyd at y malwod du a lynai ac a sugnai'r prennau oedd yn torri asgwrn cefn llid y tonnau am oriau bwy gilydd bob dydd. Llanw a thrai.

Ambell dro caech sgwrs ar y traeth efo gwragedd o ganolbarth

Lloegr, a byddai Gareth yn athronyddu fel hen ŵr am ogoniannau'r llecyn hwn o Gymru, a'r ffaith ei bod hi'n saffach i ymdrochi yr ochr draw i'r bibell garthion — ym mhen draw'r prom, ac ymhell o'r afon Mawddach. Pe deuai sylw am y tywydd, byddai'n pwyso a mesur fel rhai o henwyr ffraeth meinciau'r cei, ac yn ateb fel yr arferai ei dad ei wneud: 'Mae hi wedi bod yn braf yn ystod y dyddiau diwethaf 'ma yntydi?' Byddai wrth ei fodd yn gwrando ar yr hen longwyr yn sgwrsio am eu bywydau hamddenol ger Amgueddfa'r Bad Achub.

Doedd yr ymwelwyr heb glywed am yr un o draddodiadau anrhydeddus yr hen Ardudwy wrth gwrs. Gan mai Gareth oedd biau'r môr weithiau, fe gai gerdded drwy byllau heli ac ar fin y don yn ei sandalau a'i sanau hefyd.

'*Ere duck, what are you doing walking through the pool with yer socks on?*'

Mwynheai Gareth ryfeddod y dŵr yn treiddio at y croen, a'r synau gwirion a'r trymder a ddeuai wrth droedio ymlaen. Dau ysbwng trwm am bob troed. Gwenai ar y bobl a ryfeddai ato.

Peth syn oedd gweld yr holl bobl haf efo'u cysgodfeydd rhag gwynt ar y traeth. Cofiai Gareth fel yr arferai geisio gwneud un o'r rhain ei hun yn ystod swildod y gwanwyn pan nad oedd enaid byw ar y traethau. Roedd o ar drugaredd y gwynt miniog, oer, a methai'n glir â chael ei gôt a'r darn o bren i sefyll.

Ynghanol holl liw a llawnder yr haf, daeth bedd i feddwl hogyn bach. Man heb feddau oedd y Bermo. Doedd yr un safle yn y dref i atgoffa rhywun fod amser chwarae mawr y byd yn dod i ben. Rywsut doedd marwolaeth ddim yn rhan o eirfa'r dref, i blentyn, beth bynnag. Ond mi roedd yna safle filltir neu ddwy go lew i ffwrdd yn Llanaber. Safle yn syllu i'r môr yn eofn ar gyfer y fordaith olaf.

Wrth gwrs, fe ddeuai marwolaeth yn ei dro i dywys eneidiau o'u cynefin, ond heb fynd a hwy ymhell i ffwrdd ychwaith. Dros dwyni Ynys y Brawd efallai, neu i swatio ym mhlethiadau'r Gader, neu draw am Lwyngwyril, ond byth ymhellach na'r bae, dim ond rownd y gornel. Roedd presenoldeb pawb dal yn fyw.

Penderfynodd Gareth yr hoffai ddal i gerdded ar y traeth, a mynd i weld y fan y siaradai'r hen bobl amdano. 'Dwi'n mynd â bloda i Lanaber.' Wedi cyrraedd pendraw y prom, daliodd ati a dilyn llwybr herciog dros gerrig mân y glannau. Creai'r cerrig forglawdd naturiol i ddiogelu'r rheilffordd. Wedi teithio milltir go dda, roedd yn rhaid dringo grisiau cul, mwsoglyd a pheryglus ar lanw gwyllt i fyny at lefel y rheilffordd. O'r bont gerdded fechan medrid gweld y beddau'n uwch na'r cloddiau cadarn gwledig y bu ei gyndeidiau yn eu codi yn Eithinfynydd.

Cyrhaeddodd Gareth y fynwent ac wedi mynd i mewn drwy'r glwyd, dyma grwydro'r diriogaeth gan lynu at y llwybr tar meddal mewn tawelwch. Darllenai yr hyn a ysgrifennwyd ar y cerrig, a chofiodd i Richard bach yn y babanod feddwl mai cadeiriau oedden nhw pan welson nhw feddau Capel Salem ar y wibdaith ysgol dro yn ôl. Rywsut gwnâi'r sgrifen ar y cerrig iddo deimlo'n sâl; 'Hedd, perffaith hedd', 'Ymdrechodd ymdrech deg.' Ond roedd yn well ganddo rai na'i gilydd hefyd.

'Hyfryd fore y caf rodio'r palmant aur.'

'Gwaith a gorffwys
bellach wedi mynd yn un'

ac   'Yn rhy annwyl mewn bywyd
i'w anghofio mewn angau.'

Doedd hi ddim yn bwrw glaw. Serch hynny, daeth ffrwd o ddŵr llwyd ar hyd llwybr ei draed mwyaf sydyn, ac ar hyd y tar. Roedd arogl y dŵr yn ofnadwy, yn bydredig ac yn afiach. Arogl marwolaeth, mae'n rhaid, meddyliodd. Wrth droi'n ôl yn sydyn am y glwyd a'r traeth islaw, penderfynodd Gareth nad oedd yn hoffi arogl marwolaeth. Ond ni ddywedodd wrth neb. Ac yn fuan daeth arogl heli a gwymon i feddiannu lle'r arogl drwg, a daeth traeth yr haf yn ôl i adfer cydbwysedd meddwl hogyn bach.

* * *

Diwrnod arall eithaf arferol o haf yn y dref, ac roedd Anti Meleri wedi mwynhau y trip Ysgol Sul i Lyn Mair. Taerodd Gareth fod Charlie Drake wedi dreifio drwy Bermo, a bod yr heddlu wedi'i stopio fo wrth y Swyddfa Bost wrth iddo bostio llythyr am nad oedden nhw'n medru gweld pwy oedd yn dreifio. 'Reit wrth waith Dad.' Ond doeddech chi byth yn gallu bod yn rhy siŵr efo straeon Anti Meleri. Roedd y dref yn dal ar wyliau ac *All I Have To Do Is Dream, Dream, Dream Dream* ar gorn y disgo, a rhyw bobl ddiarth yn chwyrlïo'r seddau tro ar y *waltzer*. Yna daeth *Be Bop a Lula* i ddeffro'r dref ar yr union adeg pan losgodd Ceri ei bysedd yn y Dafarn Laeth efo'r peiriant berwi llaeth. Ac er i Mrs Jones daenu ryw hylif ar eu hyd, buan iawn y daethant i fyny'n swigod mawr. Ffieiddiai Gareth yr olygfa wrth fynd i gael ysgytlaeth mefus. Yn y cefn, gwelai ferch yn diawlio ryw hogyn am sychu dim ond top y llestri gan wlychu'r cyfan unwaith eto a'u dodi ar ben ei gilydd. Gwelodd hefyd y ddynes o'r Alban a'i gwallt fflamgoch a oedd yn helpu Anti Sybil yn y cantîn weithiau, a gwenodd yn llawen arni. Eisteddai'r gweinidog yng nghornel y Dafarn Laeth yn siarad efo'r Bardd. Wrth i Aintoinette fynd heibio ar ochr capel Siloam, yn wyneb y llif ymwelwyr gwelodd mewn un cip fod yna fwy i'r gweinidog na'r hyn oedd ar yr wyneb, a bod ei eiriau a'i ymddiried yn cynhesu a chyfeirio bywydau briw fel y Bardd.

Cerddai Sybil i'w gwaith ar y trac boreol o ben draw Heol y Llan, gan chwerthin wrthi ei hun ger Wern y Mynach. Roedd hi'n methu â rheoli ei hun bron. Y camargraffiad yn y *Barmouth Times* yr wythnos honno oedd wrth fodd ei chalon, oherwydd yn ôl yr adroddiad, ar ôl ailagor y bont droed dros y rheilffordd, '*Major Horracks J.P., C.B.E., O.B.E. cut the tape and then progressed to piss over the bridge.*' 'Gythral! dim ond un lythyren fach bwysig o'i lle,' meddyliodd Sybil, gan glip-clopio dros ystyllod pren newydd y bont. A'r cwbl oedd yr hen gariad wedi ei wneud oedd 'pasio' dros y bont. 'O wel, safio fo reit, uffe'n. Dim ond dipyn o gachu 'di bolishio ydy o wedi'r cyfan. Does 'na ddim byd gwaeth, ffŵl, na rhwfun o Rhos 'di codi yn y byd. Fase neb yn fy hoffi i taswn i wedi codi. *Give 'em power and it goes to their heads, every time, every time.* Diolch byth 'mod i heb gael y cyfle. Taswn i wedi codi yn y byd,

Rhos fysa'r lle olaf i fynd yn d'ôl iddo. 'Merch pwy wyt ti? Be sy'n bod efo ti?' Dyna fysai'n gael, felly waeth i mi aros yn normal.'

Roedd Meg oedd yn gweithio yn *Rendezvous* yn dathlu un mlynedd ar hugain yno y diwrnod hwnnw, ac roedd Sybil wedi trefnu syrpreis. Roedd hi wedi clywed si fod yr hen Meg yn ofni mai 'Dim ond paned o de ga' i ganddyn nhw fan hyn.' Ond roedd Sybil yn gwybod yn wahanol. Roedd Meg yn nabod Mam Gareth — yn arfer mynd i'r Ysgol Sul a'r *Band of Hope* efo'i gilydd erstalwm.

'*Band of Hope* ffŵl — y Gobeithlu yntê? Dwi'n cofio lle yn tŷ ni — Mam yn towlu'r cadach llestri ata' i i 'nghael i fynd.'

Ar ddiwrnod mor boeth roedd pawb drwy gantref Ardudwy mewn chwysfa gymunedol — o'r pwll nofio i'r glannau.

Roedd Brian Walls yn ôl yn cerdded strydoedd y Bermo er mawr syndod i fam Rhosyn Bach Carnifal y Bermo.

'Ma 'na rywbeth 'di digwydd yn y *Costas*.'

Ar ôl i'r ysgol gau roedd Brian, ei fam ac Yncl Brendan wedi mynd i ffwrdd i *villa* yn Sbaen am dipyn, a gadael y gwesty a hithau'n bentymor! Ond cyn pen chwincied roedden nhw'n ôl. A'r hogyn oedd wedi dianc droeon o'r ysgol yn mwynhau rhyddid y dref bellach, yn hytrach nag ysgrifennu geiriau *The Policeman* allan yn ddestlus. 'Chafodd sgwennu'r llyfr hwnnw fawr o effaith arno, ac eto roedd osgoi plismyn yn weithred reddfol rywsut iddo fo a'i frawd Nicky. Daeth Brian i de un diwrnod efo Gareth, ac roedd wedi bod wrthi'n syllu ar y platiau am hir pan ofynnodd Gareth beth oedd o'n ei weld yn y cynllun ar y blât?

'Mae'n fyd hardd ar y blât yn tydi? Mi hoffwn i fyw yno, a chael eistedd ar y fainc yna wrth yr eglwys yn fanne. Mae'n edrych yn braf iawn.' Tosturiodd Gareth; roedd o'n gymaint o ffrindiau efo'r hen Brian ddrwg. Drwg oherwydd amgylchiadau rywsut, nid oherwydd ei gymeriad, achos roedd o'n annwyl. Mae'n wir ei fod o wedi hoffi Katie Cheedle, arwres Gareth, ond dyna fo; yn y dyddiau braf pan oedd caru yn hawdd roedden nhw wedi penderfynu ei rhannu hi. Rhuthrodd Brian y bore hwnnw dros gledrau'r rheilffordd mewn pryd cyn i'r gatiau ynghanol y dref gael eu cau gan dad Gerallt ym mocs y gard.

* * *

Bu'r arwydd y tu allan i siop Heulwen yn destun cryn drafod a
thwt-twtian ar y ffordd yn ôl o'r capel un bore. Mr a Mrs Morriston
Davies o'r busnes groser sefydliedig i fyny'r ffordd fu wrthi efo
mam Gareth:

'Drychwch arno fi wir! *"Nid ar fara yn unig y bydd byw dyn. Dan
ni'n gwerthu ffrwythau a llysiau hefyd."* Wel am arwydd
di-chwaeth.' Dyna oedd y gonsensws gyffredinol.

'*Alright darlin,*' a gawsai pawb gan Beti Bog. '*Alright pet?*' Wedi
iddi holi am Mam a Dad a'i chwaer, daeth cnoc sydyn ar y drws y tu
ôl i Gareth a daeth gŵr i mewn yn gafael yn anfoddog mewn
gwrthrych a edrychai'n debyg i un o bastai tatws a chig siop
Heulwen.

'*I wanna compain,*' meddai'r dyn.

'*About what?*' meddai'r ochr arall i gymeriad Beti Bog fel bwled o
wn.

'*He can't find no meat in that there pastie he bought, and he wants 'is
money back,*' ebychodd yr hoeden wrth ochr Al Capone.

'*Hasn't he got a tongue of his own?*' yr un mor gyflym â'r fwled
gyntaf.

'*I could have you in court because it says 'Meat and Potato' on that
sign there. All he 'ad in 'is was potato.*'

'*And I could have you in hospital as well, so wind your neck in.*'
Cipiodd Beti Bog y bastai o'i ddwylo'n sydyn a'i hollti fel John
Wayne.

'*So what's that then? Scotch mist?*' meddai Beti gan fyseddu
darnau o gig yn y bastai.

'*Well I think it's disgusting,*' ebe'r ferch.

'*Don't strain yourself darlin.*' Digalonnodd y gŵr, a phwdodd.

'*Well you can stuff your meat and potato pie up your bleedin'* . . .'
Cyn iddi fedru gorffen y frawddeg delynegol daeth y sgrech
ganlynol:

'*Get out of my shop . . . Out . . . out . . . Get out . . . Go on.*
Fydda i'n falch o gael gwared ar y diawled pan fydd yr haf drosodd.
Brummies ddiawl.'

Cyfeiriwyd y sylw olaf at wraig leol a oedd wedi bod yn aros ei
thro ers hydoedd, ac a oedd erbyn hyn rhwng dau feddwl a oedd hi
am brynu'r ddwy bastai gig a thatws oedd yn weddill yn ginio iddi
hi a'i gŵr ym Murmur y Morfa.

* * *

Deuai'r haf a'i anwylderau gydag o. 'Dan ni'n cael y *bugs* i gyd lawr
fan hyn. *Anything that's going,*' chwedl Hughes. 'Sybil, ro'n i'n aros
efo Beryl ni yn Worthing dros y penwythnos. Ond glywsoch chi?'

'Be? Am Neil Armstrong yn cerdded ar y lleuad ti'n feddwl?'

'Nage, nage, am y Gw'nidog druan yn dal y *bug*. Sôn am Apollo o
Space Mission Control, mi saethodd y Gw'nidog druan allan o'r
pulpud fel roced yn ôl yr hanes. *Talk about a big leap for mankind*,
mi ddaru o ddiflannu a gadael pawb *in the lurch* ynghanol y
casgliad. Ar ddiwedd y miwsic — dim byd o gwbl. *Not a dicky bird*,
a 'run o'r blaenoriaid yn gwybod beth i'w wneud. Roedd y
Gw'nidog yn rhydd y ddau ben.'

'Wel, mi ro'n i yno Aintoinette yn digwydd bod yn y galeri,'
meddai Sybil, 'ac mi wnaeth o ddiflannu, ond ofynnodd neb pam,
dim ond derbyn nad oedd o'n medru cario 'mlaen. Doedd o ddim
yn dda.'

'*Well I've heard on the grapevine it was the squits*. Sobor o beth.
Roedd 'na *mess* ofnadwy yn y cefn — gorfod cael y gofalwr i glirio i
fyny.'

'Be? Ddaru o redeg i'r tŷ bach?'

'*I don't think he made it* Sybil,' 'nath y cradur ddim cyrraedd.'

'Wel, druan, does dim rhyfedd iddo daranu allan os oedd o ar fin
gollwng llwyth.'

'Sybil, *you've got such a way with words*. Ta waeth, ers i mi
glywed am hyn i gyd, dwi 'di bod yn cael y poenau mwyaf
dychrynllyd *down below*. A neithiwr 'ron i'n rhoi potel ddŵr poeth

157

ar y poen ac roedd o'n symud — *yes, up the spine* — ac mi aeth o allan o dop fy mhen i.'

'Allan yn y lle gwannaf ia?'

'O paid wir, wnes i chwerthin yng ngwyneb Dai Awyr Iach pan ddeudodd o fod ei boen o wedi diflannu drwy fys bach ei droed o. *Staggering isn't it, but I can well believe it now.* Gobeithio na cha' i wynt fel hwnnw ge's i pan oedd fy nhroed i ar yr *accelerator* yn y car beth bynnag.'

'A thithe'n gwneud 90 drwy Dyffryn. Fatha'r Lone Ranger, ffŵl.'

★ ★ ★

Y peth olaf a glywodd Gareth am ddiet Anti Meleri oedd iddi falu tun *corned beef* un noson heb ei agor o yn iawn efo'r goriad, gan nad oedd tamaid o fwyd arall yn y tŷ. Y tactic diweddaraf oedd gwneud yn siŵr bod ei chypyrddau yn wag. Ta waeth; roedd Gareth wedi cael presant gan Anti Meleri a'r teulu o Sbaen — rhywbeth syml iawn a'i llonnodd yn fawr — Llyfr Llofnodion. Am y dyddiau nesaf, doedd neb yn saff o grafangau'r llyfr bach a'r cwestiwn anorfod 'Ga' i eich llofnod chi?' Cafodd bresant o record y gerddoriaeth paffio teirw hefyd. Er na ddeallai Gareth y cyfan sgrifennwyd yn y llyfr hoffai ddarllen doethinebau ei berthnasau a'i gyfeillion. Dyna neges Dad:

'Cenedl heb iaith, cenedl heb galon,' yn yr ysgrifen honno y byddai'n siŵr y byddai'r athro yn yr ysgol yn ei galw'n flêr, a Mam yn dwt a syml:

'Cymru fach i mi
Bro y llus a'r llynnoedd,
Corlan y mynyddoedd
Hawdd ei charu hi.' Cofion anwylaf, Mam.

A dyna'i chwaer yn rhoi dau bennill:

'*Roses are red,*
Violets are blue,

158

Sugar is sweet
And so are you. Lots of luv, Ceri.'

Pennill annwyl, ac yna un arall efo rhyw fygythiad ynddi. Roedd ganddo ofn hwn weithiau:

'Your future lies before you
Clean as untrodden snow
Be careful how you tread it
For every step will show.'

Un o'r rheini oedd yn rhy anodd iddo ddeall ar y pryd oedd y cyfraniad canlynol: 'Rhydd i bob meddwl ei barn, ac i bob barn ei mynegiant.' Ond mynnodd Yncl Gwyn y byddai'n gyfeirnod pwysig iddo ar lwybr bywyd. Hoffai un Mrs Gwenllian Evans a sgrifennwyd ar ddiwrnod ei barti pen-blwydd. Deuai holl fwrlwm a llawnder y dydd hapus hwnnw yn ôl wrth edrych ar yr ysgrifen gain.

Roedd enwau actorion a phobl enwog maes yr Eisteddfod yno hefyd ond ni wyddai yn iawn pwy oeddynt, er i Mam bwyntio at y sgrin unwaith neu ddwy i geisio esbonio pwy oedd y dyn 'na a arwyddodd y llyfr. Ond hen bobol ffals oedden nhw bob un yn llygad Mam: *'Charlatans.'* Ni wyddai Gareth ystyr hynny ond fe ddywedai hi o dro ar ôl tro am bobl y teledu: 'Pobl hunanol.'

Coron y casgliad o lofnodion oedd un Anti Ada. Roedd wedi ysgrifennu'n ofalus a chydag argyhoeddiad: *'Kindness is a language the deaf can hear and the dumb can understand.'* Ac mi esboniodd Mam fod Anti Ada wedi cysegru ei hoes i helpu pobl oedd heb fod yn ddigon ffodus i glywed sŵn y glaw ar y to, neu donnau'r Bermo'n torri ar noson o ddrycin. Gwyn, ei mab, oedd y dyn annwyl a dorrai walltiau plant y dref i gyd, oni bai am steiliau mwy modern y bobol ddŵad i lawr y ffordd. Cafodd ei eni yn fyddar ac eto roedd yn rhadlon bob amser ac ar ben ei ddigon. Byddai'n darllen gwefusau a chariad gwynebau pobl, a chofiai Gareth wastad am hyn ar ôl cael esboniad ar lin Mam. Gwenai ar Gwyn a deuai'r wên yn ôl yn fwy lluosog, ac ambell dro yn ei lawenydd clywid ebychiadau a oedd yn ymdrech i geisio ffurfio geiriau.

Ond er y digalondid a'r cwestiynu a fu ym mywyd Anti Ada fe gafodd ateb i bob gweddi pan fu i Gwyn briodi â merch oedd yn fyddar hefyd; ganwyd iddynt ddau o blant bendigedig a gafodd eu bendithio â'r synhwyrau llawn. Er na chlywai Gwyn unrhyw beth, gwyddai yn iawn os oeddech yn drist — gwnâi wyneb fel clown o'ch blaen a gofyn pam â'i ddwylo. A buan iawn yr oedd pawb yn chwerthin eto. Edrychai'r plant ymlaen at gael eistedd ar y gadair bren fach — y fainc a gâi ei gosod ar freichiau'r gadair fawr. Roedd rhyw urddas yn y ffordd y taenwyd y clogyn gwyn amdanoch. Y prif anfantais oedd gorfod syllu arnoch chi eich hun yn y drych — yn enwedig pan oedd Gwyn wrthi'n cwblhau gwallt yr hen ŵr yn y gornel a oedd eisiau *Brillcream* dros ei gorun. Hongiai tystysgrifau medrusrwydd Gwyn efo'r siswrn mewn fframiau pwrpasol ar y mur. Rhwng y lle torri gwallt yn y cefn a'r siop fferins yn y tu blaen, fe geid stribedi o ddefnydd yn lle'r drws yn gweu trwy'i gilydd i roddi naws egsotig i'r profiad. Byddai'r plant wrth eu bodd yn llithro drwy'r rhain a'u teimlo ar eu wynebau. Roedd fel bod yn y rhaglen *Timeslip* yn llithro o un cyfnod amser i'r llall.

Ac wedi cyrraedd y cyfnod arall ar y ffordd adre, ceid bob math o fferins — llygod siocled gwyn, bob math o ddeunydd cnoi, hir, licris a'r *gobstoppers* mwyaf a allai atal llif parabl unrhyw blentyn. Weithiau byddai Anti Ada yno a'i sgwrs a'i sylw cyflawn i bob plentyn a'r ddefod o gael y prês a'i osod o ar y gwydr arddangos a chael y newid yn ôl o'i llaw gynnes. Weithiau byddai ei gŵr yno, a'i urddas a'i wisg bob amser yn drwsiadus. Fynychaf, byddai'n smocio ei bibell, a byddai'r arogl yma yn tywys rhywun i rywle pell yn y dychymyg. Roedd yn hysbyseb fyw i'r holl amrywiaeth tybaco yn y cwpwrdd arddangos. Byddai'n dangos rhyw sioncrwydd, ac anwyldeb efo'r plant a gâi ei guddio 'dan gwmwl o'i fŵg sigarét efo rhai oedolion. Siaradai yn ei Gymraeg gofalus, graenus efo Gareth.

Rhain oedd pobl y llyfr llofnodion.

* * *

Diwrnodau hawddgar yn ymestyn y naill ar ôl y llall oedd rhai yr haf a thinc o dragwyddoldeb ynddynt. Ymestynnai'r bae yn batrymwaith o dywyll a golau yn unol â chysgod y cymylau uwchben. Roedd Tom a Dylan efo Gareth yn dringo'r eangderau uwchlaw Bro Mynach a rhyddid mawr y mynydd. Yn eu dwylo oedd hen sachau o gefn Pen Parc, a hynny at ddiben arbennig iawn.

Cyn pen hir syllent i lawr ar Frynawel gan durio'u llwybr llychlyd drwy'r rhedyn, eu traed yn curo'r ddaear galed a Chraig y Gigfran uwchlaw yn gwylio. Tom oedd y cyntaf i ddod i lawr ochr y llethr ar gefn ei sach, gan wasgaru'r tyfiant sych, esmwyth, a'r baw defaid peletaidd. Yr hyn a'i ataliodd ymhen hir a hwyr oedd y clwstwr o eithin, ond buan iawn y dychwelodd ac ailanelu ei sach at ei gefnder ofnus.

Roedd Tom a Dylan yn eofn ac yn barod i drio popeth, ac yn hynny o beth cawsant hyfforddiant da gan eu tad Yncl Aelwyn. Pan ddeuent i Gymru ar wyliau draw o Hong Kong bell lle gweithiai Aelwyn, byddai gofyn i Gareth ei siapio hi a gwneud rhyw lun o ymdrech i gydymffurfio. Gorffennodd y miri ar y mynydd pan ddaeth Yncl Aelwyn i chwilio amdanynt a phan faglodd Tom ar draws ei dad a syrthio ar ei ben.

Bu'r prynhawn hwnnw'n arteithiol. Gan fod y teulu'n aros yn Erw, Llanfair, trefnwyd i fynd i rwyfo i Bensarn.

'Sgen ti dy *windsheeter*?' Cyfarthodd Yncl Aelwyn, a Gareth heb glywed am un o'r rheina o'r blaen. *Anorak* o Hong Kong mae'n rhaid oedd *windsheeter*. Bu Tom a Dylan eisoes yn cael gwersi rhwyfo yn nyfroedd pell Hong Kong, a bu'n rhaid i Gareth geisio meistroli hyn oll mewn amrantiad. Go brin y gwelodd afon Artro erioed y fath berfformans, gydag Yncl Aelwyn yn ddiamynedd ar lan ei hen afon:

'*Come on, come on* . . . i mewn i'r dŵr a gwthio . . . Naci, ffor' *rong*.'

Wedi'r ffiasgo honno, o leiaf cafodd Tom, Dylan a Gareth lonydd i gerdded dros y caeau a'r cloddiau a'r ffosydd o Erw at y Maes, Llandanwg. Ond daeth y tri wyneb yn wyneb â tharw ar yr union adeg pan oedd Gareth yn breuddwydio am y sleid enfawr yr hoffai o ei hadeiladu er mwyn i Tom gael mwynhau mynd ar gefn ei sach. Sleid fawr o'r mynydd yn troi'n orfoleddus oducha tref y Bermo cyn eich dadlwytho i'r môr. Cyrhaeddodd y tarw a

chrafangodd Gareth am y wal a'i dringo am y tro cyntaf erioed.
Dyna i chi wyrthiau a gyfyd o reidrwydd. Ni chyrhaeddwyd pen y
daith, sef yr Eglwys oedd wedi ei chuddio gan y twyni yn sibrwd ei
hynafiaeth yn wyneb yr ugeinfed ganrif.

Ond dim ond am gyfnod byr di-stop, fel ras gyfnewid, y deuai
criw perthnasau Hong Kong i ysgwyd ei fyd yn anturus i gyd.

* * *

Ceid nosweithiau trwchus o haf, yn hwyr, hwyr a'r düwch yn lapio
amdanoch yn araf deg dyner fel wadin rhyfeddodau. Byddai
lleisiau'r dorf yn furmuron awgrymog ar hyd y cei a'r strydoedd,
bron fel pe bai pawb yn cynllunio rhywbeth dirgel. Teimlai Gareth
yn anturus yn mentro drwy hyn i gyd. Roedd pawb yn ddigon pell a
chymylog rywsut fel y medrai redeg drwyddynt a dim yn ei
gyffwrdd. A phopeth yn ddedwydd ac yn gorffen fel ffilm Judy
Garland a welodd ar y teledu — *Meet Me in St Louis*.

Bryd hynny, gellid gwenu ar ymwelwyr yn bwyta eu pecynnau
sglodion, ac ar hapchwaraewyr yn taflu ceiniogau gobaith i'r
peiriannau yn y neuadd ddifyrrwch fyglyd. Gorchuddiwyd
byrddau allanol y gwestai gan sibrwd pobl, eu diodydd a'u clecs, a
byddai siopau Lôn y Traeth yn agor yn hwyr rŵan i ddenu pobl at
eu cynnyrch gwyliau. *My Girl, My Girl* oedd ar y disgo yn lledu'n
awgrymog hyd y traeth. Cyn cyrraedd adre byddai Gareth yn siŵr o
weld Lynne efo'i chi. Merch annwyl oedd Lynne yn gweithio yn
siop ei thad, heb arfer Cymraeg coeth Ardudwy am fod ei mam yn
Saesnes — neu dyna oedd esgus y Bermo. Gofynnai bob tro y
gwelai Gareth sut oedd ei deulu, gofyn llawn ac agored a'i llygaid
yn disgleirio. Byddai ei llwybr wrth fynd â'r ci am dro yn weddol
geidwadol a synnai Gareth y noson honno ei gweld yn crwydro o'r
siop. Ond i ferch ifanc sengl, efallai bod tipyn o wefr mewn gadael
i'w hun loetran gerbron yr amrywiaeth ymwelwyr ambell dro —
addewid am rhywbeth amgenach na sleisio bacwn ac estyn caniau
drwy'r dydd yn y siop gyfarwydd. Byddai bob amser yn hael ei
chroeso yn y siop, ac yn gwenu a chodi llaw o du ôl y bara pan âi

Gareth heibio. Sgwrsio efo merched diarth o Essex oedd hogia'r ffair heno a'u haddewid i'w cyfarfod nhw eto nos fory. Cerddai Lynne a'i chi heibio i hyn oll.

Roedd Mama Menna â drws ei garej ar agor bob awr, ac yn ei Saesneg bratiog byddai'n 'tynnu'r *stops* allan' i gael eu cwsmeriaeth. Ac i'r gŵr lleol ambell dro ceid 'Wnewch chi witsiad?' A'r gath yn bygwth bwyta ei chinio. 'Fisitors druan.' Ac os y clustfeiniech medrech glywed yr hen senario: 'O! Jyst drosodd,' ac os oeddech yn lwcus fe gaech winc. Ond gweithwraig galed haf a gaeaf oedd Ma Menna, a'r sgwrs a'r pympiau petrol oedd ei bywyd. Dyma oedd ei gwaredigaeth rhag y bedd, y cyfryngydd rhyngddi hi a'r byd mawr. Fe ellid ei dychmygu wrth bwmp petrol mawr y nefoedd yn cyflenwi moduron yr arch angylion. Roedd tipyn o wytnwch a mêr hen hil Ardudwy yn ei phryd a'i gwedd. Roedd Beti Bog hyd yn oed yn sôn amdani yn siop Heulwen.

'Dydy Ma Menna ddim isio *fuss* pan wnaiff hi farw. Na finnau. Dwi 'di deud pan a' i, jyst gwnewch dwll yn rhywle a 'nghladdu i — yr un diwrnod os fedrwch chi — dim ffwdan. Dwi'n gwbod nad ydy'n chwaer yn cytuno, ond dyna fo.'

'Mae Evan Jones Glandwr 'di deud fod o isio mynd allan mewn cwch ar ôl iddo fo farw, a rhywun i roi tân ar y cwch,' meddai Mrs Bow-wow.

'Fel y *Vikings*. Iawn, os na ddaw o'n ôl efo'r llanw, a stincio'r dref i gyd. Dyna be 'swn i'n 'i ddeud wrtho fo. Na, dim *fuss* dwi isio. Roedd 'y ngŵr i'n arfer deud 'Anifeiliaid yden ni wedi'r cyfan — a rhai sâl ar y diawl.'

★ ★ ★

A fyddai Katie yn ei garu? Dyna oedd y cwestiwn mawr a gorddai y tu mewn i Gareth wrth iddo sefyll wrth y sleid yn y parc. Beth oedd hi'n feddwl ohono? Fe roddai un gusan y cydbwysedd yn ôl yn ei le ac fe gai'r amserau da unwaith eto eu penrhyddid ar drampolinau'r dychymyg. Ond ni ddaeth y gusan. Erbyn meddwl doedd o ddim yn credu bod digwyddiadau'r dyddiau diwethaf wedi helpu llawer. Fe fu'n brysur yn ysgrifennu nodyn rhamantus iawn ati yn dweud ei fod o'n ei charu. Ond yr hyn oedd wrth wraidd ei amheuaeth oedd ei ôl-nodyn twp. Erbyn hyn roedd o'n difaru sgrifennu: 'A gafodd dy dad ei eni cyn i'r ffôn cyntaf gael ei greu?' Dim ond oherwydd iddo gofio gweld un o gymeriadau *T.V. Comic* yn gofyn hynny unwaith.

Pam difetha'r holl beth efo hynny? Roedd gan Gareth ofn ei gweld hi rhag i'w thad fod yn lloerig. A doedd y ddimai ddu ddim wedi helpu — pam cynnwys y fath beth yn y llythyr? Rhywsut doedd y daith i lawr ar sleid y parc ddim mor bleserus wrth feddwl am yr holl bethau yma, ac roedd methu a chyrraedd y gwaelod un yn brawf digamsyniol fod rhywbeth yn pwyso ar feddwl a thraed Gareth, a hithau mor sych a heulog!

Dynesodd sŵn fel gwenyn yn heidio oddi wrth y siglenni, ac erbyn iddo ddod at risiau'r sleid roedd y merched eraill wedi gwthio'r frenhines allan — Katie Cheedle. Rhedodd Gareth ar ei hôl hi i fyny'r sleid yn ei nerfusrwydd ac yna i lawr a thipyn mwy o asbri yr ochr arall gan geisio rhoi sws iddi. Clywid sgrech Katie dros y cae chwarae.

'Mae Dadi fi yn deud mai ti ydy'r hogyn mwyaf digywilydd yn y byd. Ac mae ganddo fo neges i ti, yn ateb i dy gwestiwn di — "Meindia dy fusnes". A dyma dy hanner ceiniog fudur di yn ôl.' Estynnodd Katie ei llaw dyner, feddal allan, a theimlai Gareth fel cusanu'r llaw.

'A rŵan dwi'n mynd.' *Exit* Katie i gymeradwyaeth torf y Diflannodd su'r gwenyn o amgylch cyrion y cwrt tenis, a safodd Gareth a'i freuddwydion ysgafn yn yfflon am ryw funud neu ddau. Yna taflodd ei hun ar y rowndabowt a'i dynged unwaith eto yn nwylo gwynt haf y Bermo yn rhydd, rhydd. Byddai'n rhaid trio tacteg arall i'w hennill rhywdro eto.

* * *

Haf Ardudwy yn Llanfihangel y Traethau, Siambar Wen, Bwlch y

Gwynt, Gallt yr Heddwch a Chraig Mynach, ond doedd yr ymwelwyr hyd yn oed ddim wedi cyrraedd Gell Fawr a Chastell Carreg y Saeth. Dyddiau cysgodi yn nrws y neuadd ddifyrrwch rhag y gawod, ac ogla pres yn chwyslyd yn eich llaw. Byddai rhai yn cael te bach jeli a brechdan, ceid eisteddfod ar un o wersylloedd Tal-y-bont a chlywid acenion Birmingham yn cymell 'Have a doughnut son' ac yn diolch i bob duckie dan haul. Crwydrai'r cŵn y promenâd a'u tafodau'n hongian, neu anelu am y môr ar ôl pêl. Byddai henwyr y cei ar feranda Caffi Fflat Huw Puw yn gweld gwerth paned dda ac yn synnu nad oedd y weinyddes ifanc yn cael yr un wefr o weld y cwpanau clir.

'Pryd 'dach chi'n dod i lawr eto?' 'Brysia i fyny.' Cyfarchion diymdrech braf, a thaith hanfodol yn ôl i lawer. Byddai gwraig Wil Bingo ar lwth ar y gadair siglo y tu allan i flaen y tŷ yn y prynhawniau, a chlywid bolltau'r bad achub yn ysgwyd y dref, yr ergydion yn creu cynnwrf ymhlith y gwylanod. Chwiliai'r plant am gysgod y rowndabowt dan y coed lle y crewyd cysgodion bore oes yn llawn siffrwd dail ac awelon y môr.

Y tai cownsil ar y ffrynt oedd â'r olygfa odidocaf ac onestaf yn y Bermo, yn syth i lygaid y môr. Roedd Sybil wrth y drws yn gwrando ar gân y ferch o Woolworths ar ei llwybr adre. Loetran a chanu Got Your One and Only Walking Talking Living Doll. Cân yn erbyn ei diddymdra. 'Never mind love,' gwaeddodd Sybil 'Nearly Friday. Life's a bitch.'

Gadewid i wres y prynhawniau oeri'n awel braf dan ganghennau Pont y Glyn a'i gysgodion gwyrdd, sgleiniog o ddail. Ac yna'r min nos a'i hawel fel y gwin ar ben y cei. Plentyn bach yn pwyntio at luniau yn hysbysebu taith mewn llong bysgota. 'Oes ganddyn nhw siarcs y maint yna yn y dŵr 'ma?'

'Oes,' medda Mam a Dad i gau ei cheg am heno.

Bu'r gweinidog yn pregethu ar waethaf y gwyliau, a Sybil hyd yn oed yn crwydro i'r capel i'w glywed. 'Mae bywyd fel brechdan. Y mwyaf rhowch chi ynddi, y gorau 'di'r blas.'

'Uffe'n, I could have thought of that,' meddyliodd yn ddistaw wrthi ei hun.

Daeth y syrcas i aros dros dro yn nhir Hendre Mynach, a bu'n rhaid i Dad sefyll ar ben y dyn oedd ar wely hoelion. Ni hoffai Dad gael unrhyw sylw fel hyn, ac wedi deall fe gafodd ei ddewis gan mai ef oedd y trymaf. Roedd Anti.Meleri ar ben ei digon efo Gwilym Glyn yn y gynulleidfa, yn cuddio'r *popcorn* cynnes.

Y prynhawn hwnnw roedd y babell yn ysgwyd yn yr awel, y *generator* trydan yn boddi'r holl siarad, y candifflos yn rhy binc, a'r arweinydd wedi cael llond bol ar ei lais ei hun, a'r clown yn cosi'r plant.

'Gythrel, drycha arno fo,' meddai Sybil pan welodd hi Emyr Lewis. 'Mae o wedi hamgofio amdano'i hun heddiw.'

Rhoddodd Aintoinette Hughes ei barn yn ystod yr egwyl:

'Wel mae hwn yn *real* Fred Carno. Does ganddyn nhw ddim anifeiliaid gwerth sôn amdanyn nhw. Ddim fel y syrcas yn yr hen ddyddie.'

'Iesgyn, beth oedd yr holl bonsh? Beti Bog yn sôn am brinder tocynnau. Fyse Joe Soap wedi medryd dod i mewn ffŵl.'

Bu Osian yn crwydro ar Gyfandir Ewrop yn ystod ei wyliau o'r Coleg, a bellach dychwelodd yn ôl i gorlan y *Rendezvous* i ymarfer ei Ffrangeg.

'Iesgyn, mae'r *pits* 'di cerdded mewn drwy'r drws. Uffe'n ti 'di dod yn d'ôl i'r *flea pit* yma. Dyna be mae hedumacation yn ei roi i ti felly fachgen.' Roedd rhai ymwelwyr yn ceisio am ei sylw i gael ordro, rhai'n codi llaw.

'*You may all leave the room,*' meddai hi cyn mynd ar flaenau'i thraed i nôl y pad. Dychwelodd Sybil at Osian yn nes ymlaen.

'Ti'n gweld 'y mhroblem i cariad, fedra i ddim fffordio gadael y gegin. Ond pan ddechreuais i yma 'on i'n *six foot*, rŵan dwi ombla pum troedfedd. Pan dwi'n cyrraedd *four foot eight*, dwi'n gadael.' Yr hen drawiadau sicr. 'Paid â gwrando ar fy mhonsio i cariad — dos di a gweld y byd — mi fyddwn ni dal yma i ti — yn dal i bonsio. Hei, wyt ti'n mynd i'r holl ddansys 'ma yn y coleg?'

Daeth y Bardd i mewn i'r caffi. Roedd ganddo ddigon o blwc i ddychwelyd.

'Hei yp, ma' Shakespeare yn ôl. Mae o yn ei fôn efo fi.'

Am unwaith, roedd Sybil yn deud y gwir, gan i un o'i delynegion mwyaf addawol gael ei chwalu i'r pedwar gwynt pan ddaeth Sybil i ganu ato ynghanol un o ymweliadau'r Awen: '*Dinah, Dinah, show us your leg* . . . ' a rhywsut ni ddychwelodd y gennad ddwyfol honno, fel tasa'r gŵr drwg yng nghoes Sybil. Y gwir oedd fod y Bardd braidd yn nerfus yn bwyta'i *Florentine Slice* ar ben y cei a'r gwylanod yn dartio o gwmpas ei ben, ac yn agor eu cegau'n awchus am ddarn o'r sleisen. Tybiai fod ganddo lai o ofn Sybil.

'*How are you doin' cock?* Paid â bod 'yn ofn i.' Ysgydwai'r Bardd ei ben, a winciai Sybil ei hwyl a'i chymod tuag ato.

'Ti'm yn cofio gwneud y *shake* yn fwy na finna yn nag wyt Cynan? A'r *Locomotion* efo *Little Eva* uffe'n.'

'Na, *Drink a Drink a Drink to Lilly the Pink a Pink a Pink* ydy hi rŵan,' atebodd Osian.

'Ond Elvis oedd yr un i mi. Cliff Richard yn weddol ond Elvis yn *spot on*. Dwi'n cofio crio efo ffilmiau Elvis bob un yn y Stiwt, ffŵl. *I'm in Love, I'm All Shook Up*. O! a *Fever* — den ti gân. A Billy Fury, roedd o'n bishyn. Rhaid i mi gyfadde i mi jeifio dipyn i Cliff efo *Living Doll*, ond roeddwn i'n ifanc iawn ar y pryd; doedd neb i'w gymharu â'r *King*. Ac mae o'n dal yn Frenin. Drycha dwi fatha peiriant yn fan hyn, dim ond pwyso'r botwm. A ti 'di galw fi'n Anti Sybil hefyd — maw'n gwneud i mi deimlo'n dda hynny. *Made my day*! Wel, dwi'n gobeithio'r gore i ti,' a rhoddodd Sybil glamp o gusan o'r galon ar ei foch.

'Hei,' meddai hi efo winc, 'nid pawb sy'n cael un o'r rheina.' A diflannodd y tu ôl i'r cownter yn dal i hymian *There'll Never Be Anyone Else But You For Me*. Deg o'r gloch ar fore arall yn y *Rendezvous*.

Ar yr un adeg ym Mhen Parc, rhwygwyd llenni llofft Gareth yn agored. Penderfynodd ei bod hi'n mynd i fod yn ddiwrnod i'r brenin wrth deimlo'r awel ffres o'r môr yn llenwi'i ysgyfaint. Brysiodd i daflu ei ddillad chwarae amdano. Dillad glan y môr. Os âi'n ddigon pell heibio i'r bibell garthffosiaeth a heibio gwylwyr y glannau, ac ymlaen heibio Ro Ddu, efallai y gwelai rhai o'r ysgol a oedd wedi digwydd cael yr un syniad ag yntau ar fore mor braf. Câi fynd i'r dŵr bâs os byddai'n ofalus, hyd yn oed heb lygaid barcud Mam yn eistedd wrth y prom fel yr arferai wneud pan aent yno ar ôl ysgol. Roedd Dad wedi mynd i ffwrdd i drafod busnes i rywle. Addawodd Gareth fod yn ofalus wrth fynd â mwg â chaead arno yn llawn sudd oren efo fo, rhag iddo orfod talu am gán o rywbeth o'r ciosg ar ben y prom. Dim ond gollwng caniau yn y môr a wnâi fel arfer, gan fethu â gorffen y *Coke* hallt wedyn, er smalio nad oedd o'n ddim gwahanol.

Croesodd y rheilffordd yn ofalus efo'r tywel a'r diod yn y bag coch straplyd tros ei ysgwydd, ac wrth gyrraedd pen lôn Ystrad Morfa teimlai'r awel gynnes ond benderfynol yn ysgubo'n ysgafn o'i ôl o'r mynydd a'r haul yn disgleirio o gyfeiriad Cader Idris. Aeth heibio i rai o'r llochesau haul ar y prom lle'r oedd llygaid profiadol rhai o'r hen bobl yn syllu ar y môr yn heddychlon. Roedd y glas pell yn falm i'w llygaid llesg, a gwelent luniau ddoe ynddo.

Ceisiodd Gareth neidio ar wal newydd y prom er mwyn cael cerdded ar ei hyd yn dalog, a phwysicach fyth, er mwyn cael gweld maint y tonnau. Dilynai'r tonnau o un i un heb eiliad fud i'w miwsig, a rhedai'r plant bach oedd ofn tonnau yn ôl ac ymlaen ar fin y dŵr, a blas yr heli'n sychu ar eu gwefusau. Llwyddodd Gareth ar ôl ymdrech galed i grafangu'n lwmp i ben y wal, a phetrusodd ar ei hyd am sbel gan drio'i orau i gadw ei gydbwysedd. Yn yr agoriad pellaf lawr at y tywod, cafodd gyfle i weld os oedd rhai o'i ffrindiau yno, ond gwag oedd hi ar ddiwrnod mor heulog. Nid oedd llawer o ymwelwyr yno chwaith o feddwl fod y Bardd wedi bod yn chwarae *spot the native* ychydig ddyddiau ynghynt. Roedd hi fel mis Mai ynghanol mis Awst.

Yr ochr arall i'r brêcar roedd amryw o gymeriadau'r dref yn cuddio, bron ar eu traeth preifat eu hunain, fel petaent ofn yr ymwelwyr a ddeuai'n llif i geisio'r haul. Gwelodd Gareth Anti Ada yn yfed *Coke*, ac ni allai ddygymod â'r darlun ohoni yn ei rhyddid ymhell o'r siop fferins efo diod o *Coke*, o bopeth. Roedd pawb yn adnabod ei gilydd yn y llecyn hwn, a thorri rheolaidd y tonnau ar y tywod melyn yn fiwsig i'r glust. Synnodd Gareth at faint y tonnau erbyn hyn, ac mai ychydig a fentrodd i'r dŵr. Cymerai'r tonnau amser i dorri a phan droent yn wyn roeddent yn nerthol; ac eto, edrychai'r ewyn mor ysgafn â hufen.

Dechreuodd Gareth ddadwisgo'n wyliadwrus rhag ofn bod yna

ferched o gwmpas yn barod i fanteisio ar y digwyddiad, yn enwedig merched o'i ddosbarth o. Daeth dillad y top i ffwrdd yn ddigon hwylus gan ddatgelu'i groen gwyn i belydrau'r haul; ond gofalus yw'r gair i ddisgrifio cwymp y trowsus, ac yna'r estyn am y lliain i amgylchynu'i gorff cyn disgyn y trons gwyn fel fflag yr ildiad i'r tywod cynnes. Am broses boenus! Yna'r tryncs i fyny'n wyliadwrus, ond teimlai'n siŵr iddo roi cip ar din noeth i rywun cyn gollwng y lliain i'r llawr. O leiaf doedd ganddo fo ddim craith apendics fawr i'w dangos i bawb, fel Brian Walls.

Yna rasiodd Gareth efo fo'i hun at lan y dŵr a synnu at ei gynhesrwydd, er iddo ddarllen yn rhywle fod y môr yn cadw'i gynhesrwydd yn well na'r tir ar adegau. Gwelodd griw o ferched o'i ddosbarth yn arddangos diffyg hyder ar fin y dŵr, a phenderfynodd yn groes i'w anian arferol mai hwn oedd yr amser iddo swancio dipyn o'u blaenau. Ffrindiau Katie Cheedle oeddynt, er nad oedd eu brenhines yno. Ond byr iawn fu parhad y swancio — daeth ton anferth drosto gan roi trochfa lwyr iddo, a phan gafodd ei draed 'dano eto rhuthrodd am y lan gan boeri'r halltddwr o'i geg. Ciliodd yn araf oddi wrth y dŵr, a chwerthin y merched yn ddisgord aflafar yn ei glustiau; a dyna lle'r oedd o'n pwdu'n dawel, a'r lliain yn dynn amdano pan ddaeth Osian a'i groen brown ato.

'Dy hun wyt ti?'

'Ia,' atebodd Gareth.

'Sut mae dy chwaer?'

'Yn brysur yn y Dafarn Laeth.'

'O, fe fydd raid i mi alw i mewn i'w gweld hi. Wyt ti isio gweld y tonnau 'ne'n iawn? Wyt ti isio cyffwrdd y môr? Alla i roi reiden i ti ar fy nghefn i os liciet ti.'

Wrth wthio allan i'r tonnau gwynion gafaelai dwy law gawraidd, ond tyner, Osian am ysgwyddau Gareth a'i godi bob tro y deuai ton fawr. Câi ei hyrddio i lawr, ac yna ei godi gan y breichiau cryfion, yn uwch na phen Osian, ac yno'n ôl i'r dyfnderoedd a chwerthin mawr ar ôl i'r don fynd heibio. Pan ddiflannodd yr haul dan gwmwl penderfynodd y ddau adael y dŵr.

'Wyt ti isio sip o'r diod 'ma Osian?'

'Wel, ro'n i 'di meddwl prynu can o *Coke* i ti, be amdani? Dwi ddim yn dy weld di yn aml.'

'Iawn. Mi a' i nôl fy sandals er mwyn croesi'r cerrig.'

'Does dim eisiau — mae 'na reiden i'w chael ar gefn y ceffyl.' Ac ar hynny plygodd y taldra mawr o flaen Gareth a chamodd yntau arno fel dringo ar gefn ceffyl urddasol.

'Pan dwi yn Ysgol Bermo, be wyt ti'n neud?'

'Dwi'n debyg i dy chwaer di, yn y Coleg ym Mangor yn dysgu sut i fod yn athro.'

'*Ugh*, chdi hefyd!'

'Ia.'

'Ddaeth 'yn chwaer â chath fach heb gartre yn ôl efo hi o Fangor, ac mi wnaeth hi ymosod ar goes Dad pan oedd o'n bwyta'i *Weetabix*.'

'Dwi'm yn gweld dy chwaer o gwbl — achos mod i'n gwneud cwrs gwahanol ar hyn o bryd.'

'Pa mor bell 'di Bangor?'

'Rhyw awr go dda yn y car.'

'Dwi'n siŵr mai i Fangor aeth un o hogia ysgol ni. Roeddwn i'n ffrindia efo fo, ond mae o 'di mynd i ffwrdd i ysgol arbennig. Dwi'n ei golli o. Roeddwn i 'di arfer gwneud hwyl am ei ben o, ond mi wnaeth hynny stopio ar ôl i mi wneud iddo fo grio unwaith, ac mi ddisgynnodd ar ochr twyni'r cae ysgol yn y glaswellt gwlyb, a'i geg o'n rhedeg i gyd.'

'Fe fydd raid i ti fod yn ffrindia efo fo y tro nesa y gweli di o. Dyden ni ddim i gyd yr un fath yn yr hen fyd 'ma. Ma' rhai ohonom ni'n brifo'n haws na'r lleill. Stedda di ar y wal am funud. Fe a 'i i nôl y pethau.'

Dychwelodd Osian efo hufen iâ, a *flake* a sudd mefus yn diferu drosto'i gyd a'r caniau diod yn ei bocedi.

'Brysia . . . dim protestio, neu fe fydd yr hufen iâ 'di llithro i ffwrdd.' Ni wyddai Gareth sut i ddiolch yn fawreddog ond dangosai'r cyfan yn y wên hapus. Bu'n rhaid iddo frwydro i gadw'r dagrau'n ôl. Cafodd yfed y cán ar y siwrne'n ôl ar ysgwyddau Osian yn ôl at ei fag dillad ar y traeth.

'Wel . . .' yn anorfod gan Osian, 'mae'n rhaid i mi fynd rŵan . . . dwi'n trio ysgrifennu llyfr yn fy oriau rhydd. Llyfr o farddoniaeth.'

'Roedd Taid Dyffryn yn ysgrifennu barddoniaeth.'

'Oedd siŵr iawn. Wyt ti'n hoffi sgwennu?'

'Yndw, weithiau. Mi sgwennais i un a roddodd fraw i Mrs Alaw yn yr ysgol am *The Ivy*, ac mi ddeudis i falle y buasai'r eiddew yn rheoli'r byd un diwrnod. Roedd hi'n licio honna.'

'Gareth, wnei di sgwennu rhywbeth i mi rywbryd? Erbyn y Nadolig. Fe fydd y Nadolig yma toc.'

Ni allai Gareth ddirnad y Nadolig pan oedd hi'n ganol haf, a deuai llanw Medi i'w gyffroi cyn unpeth arall. 'Sgwenna rywbeth gwir.'

'Be?'

'Teimlad ydy sgwennu fwyaf — cofia di hynny. Beth bynnag ddywedan' nhw wrthat ti, cofia sgwennu pan wyt ti'n hapus a thrist, a chofia am deimlada'r bobl ti'n sgwennu amdanyn nhw. Cofia sgwennu be wyt ti isio, a ddim be mae bobl eraill isio. Dy sgwennu di fydd yr un peth all neb arall yn y byd gael gafael arno a'i newid. Does na ddim bod yn gywir neu anghywir ynglŷn â'r peth. Mae o yn bod ar ei ben ei hun.'

Honno oedd yr her a adawodd Osian i Gareth.

'Hwyl i ti. Wela i ti. Paid â gadael i ddim byd fygu'r sgwennu. Dim.'

Gwyliodd Gareth Osian yn camu dros y wal fechan, at y stad dai cownsil lle'r oedd o'n byw ac yn plethu'i eiriau cain. Dyma lle'r oedd o'n teimlo'r holl deimladau y soniodd amdanynt. Dyma lle'r oedd Gareth yn chwarae efo Gerallt hefyd, ac roedd Mam yn nabod Mam Gerallt flynyddoedd yn ôl ac yn dal yn ffrindiau. Ac roedd Anti Sybil yr ysgol yn byw yno, yn y tŷ agosaf at y môr.

Teimlai Gareth yn gynnes drwyddo wrth gasglu ei bethau at ei gilydd. Hoffai fod yn nosbarth Osian pe deuai i Ysgol y Bermo i ddysgu, er na ddywedodd hynny wrtho chwaith. Doedd o ddim mor siŵr a hoffai fod yn nosbarth ei chwaer. Mi fasa hi'n rêl draig!

Cododd ei law ar Anti Ada, a brasgamodd ar hyd wal y prom ar ei ffordd adre yn llawer mwy hyderus ac yn gynnes drwyddo.

* * *

Diwedd haf, a suddai'r dref yn ôl i'w swildod tymhorol. Roedd arwyddion diwedd Awst a dechrau Medi o'r datgymalu ar gyfer yr hydref diddrwg didda wedi prysurdeb yr haf yn amlwg yn barod. Aeth Llyn Cwm Bychan, a fu'n tawelu clwy, a Dolwreiddiog lle bu te ar dripiau Ysgol Sul, bellach yn fannau anghysbell. Lleihaodd y galw am *banana split* ar bendraw'r prom, a chiliodd chwiban trên y Friog a fu'n glir a herfeiddiol yn yr awel dwym. Roedd siop esgidiau'r dref a'i bocsys ar bennau ei gilydd ar gyfer sêl ddiwedd haf. Esgidiau drudfawr yn bendramwnwgl. Deuai tawelwch lôn gefn y Cambrian yn ôl i'r heolydd oll yn y cyfnod ffarwelio. Dychwelodd rhybudd i lais Dad ynglŷn â diet Anti Meleri: 'Mae dy fol di wedi chwalu i bob cyfeiriad fel tasa gen ti fol cwrw mawr. Ond ti'm yn yfed cwrw. Ond dwi 'di dy weld di ambell waith yn awchus oducha platied o *chips* yn y *Rendezvous*. Fedri di ddim gwadu'r ymweliadau yma.'

Byddai'r athrawon ar ddiwedd y gwyliau haf yn yr *Olde Tea Shoppe* yn ceisio cadw bore Llun rhag dod, ac ymestyn eu rhyddid cyn i'w meddyliau gael eu meddiannu'n llwyr gan waith unwaith eto. Ac roedd y gwenoliaid hwythau yn cymdeithasu uwch Ardudwy, yng Nghoed Ystumgwern, ac yn paratoi i hel eu pac yn giwed gytûn. A dychwelodd y bygythiad o oerni yng ngwên y machlud a miri i liwiau'r dydd.

Fel arfer byddai gan Gareth wyneb llawn ar ddiwedd haf wedi'r holl awyr iach, fel rhosyn ola'r haf yn dal ei geinder ym Medi yng Ngardd Eglwys Dewi Sant. Ond nid heno.

Roedd yn rhaid i'r teulu symud. Daeth y newyddion yn ddisymwth pan ddigwyddodd glywed Mam a Dad yn siarad un noson ac yn sôn am 'Wrecsam'. Lle mawr dros y bryn lle nad oedd yna fôr. Symud. Rhwygo'r gwreiddiau. Fe soniodd Mrs Alaw yn yr ysgol ei bod hi'n symud tŷ i Port, ond nid yn newid ysgol — rhywbeth ynglŷn â gwaith ei gŵr yn y Banc. Roedd Osian wedi sôn am orfod symud i fflat ym Mangor pan fyddai'r Coleg yn ailddechrau. Ac wedi meddwl, roedd symud yn rhan o fywyd naturiol y Bermo hefyd. Ond roedd Gareth yn gorfod mynd oddi yno'n llwyr.

Pan ddaeth cadarnhad swyddogol o'r newyddion, dyna ddiwrnod du, a Dad yn derbyn pob newid hefo: 'Wel dyna fo'. Dywedodd nifer y byddai pawb yn ei gofio, ac y câi ddod yn ôl ar ei wyliau. Symud cyn y Nadolig i Wrecsam; gadael bro. Fe fu Gareth yn bwrw bol hyd yn oed wrth y dyn yn y caban *Coke* ar y ffrynt. Ateb y dyn oedd na allai ddeall sut y buasai tad rhywun eisiau symud oddi yno i le fel Wrecsam pan oedd 'hwn i gyd ganddo'. Byddai'n rhaid gadael machlud Ardudwy a'i ogoniant am rywle gwastad, mawr, ymhell i ffwrdd, lle na fyddai'n 'nabod neb, a lle na châi fynd i grwydro ar ei ben ei hun.

'Dod yn ôl rhyw ddydd efallai, ia?' Dyna oedd ateb tirion pobl Caersalem, ond roedd y golled yn brifo yn ei fol, ac yn boen llythrennol iddo.

Heno roedd cwmwl du enfawr yn gorchuddio'r dref uwchben, yn union fel ei boen meddwl ac ansicrwydd. Byddai ei chwaer yn gorfod gadael y cyfeillion ym mhenwythnosau hydref Caffi Fflat Huw Puw, ond efallai ei bod hi hanner ffordd yno a hithau wedi mynd i'r Coleg.

'Fe fydd bywyd yn mynd yn ei flaen yn fan hyn. Peidiwch â phoeni am hynny.' Aintoinette Hughes oedd yn mesur a phwyso efo Dad, 'Fydd 'na ddim byd rhy drastic yn digwydd yma. Gobeithio y cewch chi a'r teulu oleuni yn yr hwyr megis.'

Y bore wedyn yn y *Rendezvous*, wedi i Aintoinette a Sybil drafod y *staggering news* bodlonwyd ar sgwrs fach efo'r coffi, a Sybil yn cael eistedd efo hi ar un o'r byrddau gan fod y tyrfaoedd yn llai niferus. Teimlai Aintoinette yr hoffai ddilyn dosbarth nos *Ballroom and Sequence Dancing* yng Ngwesty Min y Don.

'O ia wir, fedra i weld fy hun *tripping the light fantastic* fel yr hen Ginger Rogers erstalwm efo Fred.'

'Fred?'

'Fred Astaire cariad. A beth am tango fach. *Is it* 'fach' *or* bach? *You can see Valentino and me, I'll take a tango.*'

173

'Dwi'n disgwyl o leia'r *fandango* neu'r *hokey cokey*.'

'*Olé*,' meddai Aintoinette.

'O Poncie. Hei, na, dim ond dawnsio gwerin rô'n i'n ei wneud yn yr Aelwyd erstalwm.'

'Sybil, mi fydda i yn gwneud y *pasadena* erbyn mis Ionawr, nid ryw scipio a rompio o gwmpas,' ac ar hynny dawnsiodd meddwl Aintoinette at y *chutneys* yr oedd wrthi ynghanol eu berwi a'u trin. 'Dwi 'di gadael fy mag siopa efo olwynion adre heddiw, a dwi'n teimlo 'mod i 'di gadael rhywbeth ymhobman — fel gadael ci yn rhywle.'

'Neu un o dy ddynion ar hyd y byd.'

'Paid â sôn *on that note*. Mae Sacha'n mynd i landio un o'r dyddie 'ma yng Nghraig y Nos, fel eryr yr holl ffordd o Bordeaux. Ti'n cofio fi'n sôn am fy ffrindiau yn Ffrainc a finne'n mynd draw i'r briodas, ac yn canu 'Hen Wlad Fy Nhadau' allan o diwn o flaen meic? Wel, roedd o mor uffernol dwi'n siŵr fod pawb yn fy nghofio i. *They loved it, the silly morons*. Ti'n gwybod am fy nghanu i. Ond ta waeth mi roedd o'n well ar ôl glasied neu dri o win. Wel, mae Sacha, oedd hefyd yn y gynulleidfa, yn bygwth dod yma i 'ngweld i. *"But vere shall I find you?"* medde fo. *"Oh just look for Dracula's castle,"* meddwn i. Ac mae Boris Florida yn bygwth dod draw rhywbryd hefyd.'

Yna crwydrodd y sgwrs at Gina Lollobrigida, 'Hei dwi 'di clywed fod yr 'eth yn rhoi melynwy rownd ei llygaid bob nos cyn mynd i gysgu — den ti'r *height of vanity* yntê?'

'Wel i fod yn onest, *I've gone off her*.' Dyfarniad terfynol Aintoinette.

'A sôn am *glamour*, mae Beti Le Bog 'di bod yma. Gais i mi gael twtch yn y fan a'r lle. Mi gerddodd hi i mewn yn 'llond bob lle', ac ar ôl rhyw fân siarad medde hi, 'Rhaid i ni fynd allan ryw noson Sybil. Dan ni reit debyg yn dyden?' Uffe'n am insult. '*Not quite*,' medde fi. Ma *Le Bog* isio nicled yn ei thin os oes rhywun. Ac mae ganddi lais fel hwter yr Hafod ar hyd y Caffi.'

'Mi aeth y trydan i ffwrdd ynghanol y ffilm ar HTV neithiwr. Craig y Nos mewn düwch ynghanol *The Woman Who Knew Too Much*.'

'Fi 'di honno,' meddai Sybil yn chwareus.

'Wel ro'n i'n dechrau meddwl mai fi oedd hi erbyn hynny. *I groped my way to bed*. Dwn i'm sut a deud y gwir. A finne'n licio hen James Stewart.'

'Maw'n gocls yntydi?'

'Dyn hen ffasiwn, neis. Ddim llawer ohonyn nhw ar ôl yn nac oes? Dim ond rhyw *whizz kids* a phethau'r ffair yn credu eu bod nhw'n gwybod be ydy cariad, ond byth yn meiddio colli'u cŵl i ddangos peth. Ewch yn ôl a stydiwch lyfr James Stewart ddeuda i wrth y bali lot. Maen nhw'n poeni cymaint amdanyn nhw eu hunain rŵan, dydyn nhw'n hidio dim amdanom ni. Ma' dynion wedi chwythu'u plwc. '*Changing the subject somewhat* Sybil, mae gen i *production* yn *looming*, fel yr Albatross am wddw'r *Ancient Mariner* druan. Fydd o yma cyn i mi fedru dweud *I've got a lovely bunch of coconuts*.'

'Paid â deud wrth bawb neu fe fydd pawb isio un.'

'Na, o ddifri Sybil, yn eu doethineb neu eu hanoethineb mae'r pwyllgor yn mynd i lwyfanu *South Pacific* y gaeaf yma.'

'*I'm gonna wash dat man right out of my hair*' ia? Reit dda.'

'Ond mae angen cantoresau cariad, *and I was thinking . . .*'

'Uffe'n na fedraf. Roedd bod yn un o'r *nuns* yn *The Sound of Music* yn ddigon o straen i mi. *I know I pulled it off*, ond roedd pawb yn meddwl ei bod hi'n ddiwygiad yn Arafa Don. Roedd hynny flynyddoedd yn d'ôl wedi meddwl. Dwi'n gwbod ein bod ni i gyd i fod yn medryd canu yn Rhos, neu o leiaf yn meddwl ein bod ni'n medryd canu, ond am wneud *solo* — does gan Dr Jones ddim digon o *tranquilisers* i 'nghael i fyny fanne. Na, Aintoinette, dwi'n gadael y canu i Gôr Meibion y Rhos.'

'Am wastraff o dalent cynhenid, *you know*.'

'Na, gwranda. Mae 'na amser yn dy fywyd di pan ti'n cael llond lle o syniadau *sparkling* — ti'n meddwl dy fod ti'n iwsio dy ben. Mwya sydyn mae o'n stopio, ac mae bywyd yn *re-hash* o'r rheiny a deud y gwir. Dyna mywyd i. Dwi dal yma ond dwi'm isio canu rŵan.'

'Na dwi'n gwbod cariad. Mae bywyd yn frwydr i gadw'r du i ffwrdd. *Democracy rules* at Craig y Nos, cariad. Piti. A rŵan ein bod ni'n ffrindiau da, cofia di alw heibio. Mae'r drws yn agored i ti bob amser — ar agor led y pen. *But Bill the Director,* mae o'n poeni ei hun i *frazzle* yn barod, ac mae 'na fisoedd i fynd. Mae o'n cymryd y peth mor ddifrifol, a ti'n gorfod edrych mor broffesiynol efo fo — fel taset ti'n gwybod be sy'n mynd ymlaen. *No passengers there,* ac mae 'na gyfrifoldeb. *I'd be a bit more Bohemian if I was somewhere else I'm sure. The most Bohemian thing I do here is* talu pres catalog. Dyna fo cariad, 'dan ni gyd yn ein carcharau, carchar ein hofnau, carchar ein ffaeleddau a charchar ein *image. My image is going to the dogs as well* Sybil. Rhaid i ni 'i newid o — er mwyn i ni ysgwyd yr hen dref 'ma i'w seiliau — y Nadolig neu'r Pasg neu'r carnifal neu drwy'r haf. Pwy a ŵyr pryd? Ond rhaid i ni wneud rhywbeth *drastic.*

'*You're on.* Ma' pobl yn ein cymryd ni'n ganiataol, ond mi ga'n nhw weld fod 'na fwy i ni'n dwy na be maen nhw'n 'i weld.'

'Be am y *Ballroom and Sequence Dancing* yna?'

'Olreit *twinkle toes.*'

'Na Sybil, rhaid i ni fod o ddifrif. Heddiw yn fwy nag erioed mae'n rhaid inni fod yn *hip, hop and happening.*'

'Wyddwn i ddim dy fod ti'n gwybod am bethau fel ene.'

'*The bop that won't stop.*'

A chyda'r penderfyniad hynny clywyd y ddwy yn chwerthin oducha eu paneidiau, ac wedi golchi pob dyn allan o'u gwalltiau am y tro beth bynnag! Eisteddai'r Bardd yn y gornel efo'i frechdan gaws a *Branston,* ei ffefryn. Ac roedd o wrthi'n rhoi llinellau i lawr ar bapur. Aeth Sybil ato:

'Hei, Cynan — mae ganddi hi ddyn yn rhywle, wyddost ti? Wedi'i guddio yn y Bahamas medda rhai. Fasa'n well i ti sgrifennu hynny i lawr hefyd, mae 'na ddeunydd nofel efo helyntion carwriaethol Aintoinette Hughes. A phan mae hi'n mynd allan yno, maen nhw'n ei galw hi'n *Bahama Mama.*'

'Na, wir?'

'Yden, uffe'n o ddynes, faset ti byth yn meddwl. Mae hi'n edrych fel tasa menyn ddim yn toddi yn ei cheg, ond *Bahama Mama . . . .*'

'Wel, be mae hi'n mynnu dweud amdana i rŵan?'

176

'Dim byd Aintoinette. Ti'n gwbod be maen nhw'n fy ngalw i yn Ponciau?' gan edrych yn awgrymog. *'Big Barmouth Mama.'*

Prysurodd y Bardd i adael ei goffi a hel ei nodiadau i'w boced — cofiodd beth wnaeth rhyw ddynes iddo fo yn y gorffennol ac roedd yn ormod i'w feddwl bach ystyried un arall. Doedd o byth eisiau cael ei frifo i'r byw fel'na eto.

'Iesgyn un, *look at the effect my jokes have on the customers*. Uffe'n mi gymra i'r rhan 'na yn *South Pacific* wedi'r cyfan. Does 'ne ddim pwynt ponsio efo dynion. Ac fe aeth Sybil ymlaen â'i gwaith o fwrdd i fwrdd, *'wash that man right out of my hair,'* rhwng coffi a the a sgwrs, *'wash that man right out of my hair.'*

Byddai'n anodd iawn i Gareth ddileu Anti Sybil o'i gof. Yn wir, byddai'r bobl o hyd ynghlo yng ngwlad plentyndod yn y Bermo rhwng dau lanw Medi. A dyna le bendigedig oedd o i gael bod yn blentyn i'r cread cyflawn.

* * *

Roedd yr wythnos cyn ymadael yn arbennig o siriol a llachar — y môr a'r foryd yn lliwiau glas-wyrdd tywyll, a phob man yn sgleinio cyn dyfod llwydni'r hydref. Er i'r dref wagio a'r mwyafrif o'i hymwelwyr gilio, daeth ffresni ryw Ha' Bach Mihangel i'r tir, fel pe bai'r harddwch yn gwrthod am unwaith dynged anochel yr hydref a'r gaeaf. Bron fel Gareth yn ceisio dal yn dynn at yr hyn oedd ganddo, a gwrthod gollwng gafael.

Roedd pendraw'r prom unwaith eto yn eiddo i'r trigolion a rhyw newydd-deb hyd fin y môr. Tra tyrrai'r aeron coch am harddwch pren y griafolen, deuai'r ieuenctid hwythau'n ôl i ymgynnull yng Nghaffi Fflat Huw Puw. Ceid ambell i blentyn afradlon hyd y traethau, yn cael rhyddid answyddogol gwyliau hwyr yn ddigon pell oddi cartref. Weithiau ceid pysgota am grancod oddi ar y cei a'r plant yn dweud wrth ei gilydd 'Dychmygwch tasa ni'n byw yn fan 'ma. Fysa ni'n gallu chwarae yn y tywod o hyd.'

Roedd Gareth wedi edrych ymlaen at lanw Medi — y llanw uchel ffyddlon, oherwydd, bryd hynny, câi fynd efo'i chwaer i fyny'r prom ac osgoi toriad y don a'i boeriad gwyn hyd wal y môr. Roedd y rhan fwyaf o'r ffair wedi ei chau, wedi ei pharselu yn ei gwisg gaeaf, bron 'run fath â phresant Dolig i rywun. Ar wahân i ambell eithriad ar Sadyrnau, doedd dim golau yn y neuadd ddifyrrwch ychwaith. Cofiodd Gareth fel y bu iddo gael ei yrru oddi yno unwaith am ddweud wrth ymwelwyr am beidio â rhoi eu ffydd yn y gwyn ar y *Roulette*. O'i brofiad helaeth ef o'r lle, ni welodd o erioed y gwyn yn talu. Cafodd gerydd arall gan Cilla Sue am feiddio honni nad oedd *Wheel' Em In* wedi talu ei ddyled. Roedd y jiwc bocs y tu mewn yn y pen pellaf yn canu ei donc olaf am y flwyddyn erbyn hyn hefyd, a doedd yr un o'r bobl wynebgaled a arferai eistedd arno yn smocio yno o gwbl. *Good golly Miss Molly, There she was just a walkin' down the street, Singing da wah diddy, diddy dum diddy day* a Buddy Holly a ddiflannodd o'r einioes hwn ddeng mlynedd ynghynt yn dal i ganu *True Love Ways* mor fytholwyrdd â'r glaswellt.

Anaml y crwydrai Gareth at diriogaeth y jiwc bocs yn yr haf, dim ond yn gyflym i geisio cael gêm yn rhad ac am ddim ar y *bagatelles* anferthol. Weithiau byddai ambell un wedi anghofio eu gêm ychwanegol. Maes caled oedd maes y ffair, ond maes oedd wrth fodd calon plentyn bach na welai'r bryntni, y manteisio. Heddiw syllu i mewn drwy'r ffenestr roedd y cyfan mor dirion a thynerwch ei hun yn yr adeilad. Y tu allan roedd y *waltzer* yn troi i grŵp o bobl ifanc a ddaethai yno o bell mewn bws, ac i gyd-fynd â'u troi daeth corn y disgo yn ôl am sbel fel hiraeth haf. Neidiodd Gareth ar y *waltzer* yn rhan o'r bwrlwm mawr annisgwyl — hon fyddai ei daith olaf. Ac wedi llwyr fwynhau cael ei droi unwaith neu ddwy'n ychwanegol gan un o ffrindiau Ceri, daeth i lawr y grisiau pren simsan yn bur sigledig.

Seiniai *Oh Yes, I'm the Great Pretender* yn uchel, ac eisteddai'r Bardd ar fainc gerllaw yn ysgwyd ei ben. Pam na allai pobl fod yn nhw eu hunain. Dyna oedd ei genhadaeth fawr ef. Yn addas i feddyliau Gareth, heb yn wybod iddo fo, daeth *That'll Be the Day, When You Say Goodbye* dros y corn. Tawelodd y caneuon ac fe dynnai'r nosweithiau eu du at y dref yn gynt a chynt.

Erbyn hyn sylwai Gareth ar wincio goleuadau'r pellter dros y bae, ac yfodd y tangnefedd o'i gwmpas. Daeth y sylweddoliad sydyn, wedi diwrnod o geisio cuddio'r ffaith, bod yn rhaid iddo adael y cyfan; ac roedd cloc cyson Eglwys Sant Ioan yn deffro'r distawrwydd fel petai'r awr yn agos. Byddai'n rhaid gadael y min nosau lleuad olau a'r tonnau'n sisial yn y bae a goleuadau Pwllheli yn cymysgu â'r lloer olau. Byddai'r un lloer yn Wrecsam, mae'n siŵr. Byddai'n rhaid iddo adael pen y cei a'r min nosau tawel hynny lle byddai ef a'r gwylanod yn cadw gwyliadwriaeth wrth iddi fachludo'n ddiogel. Gadael y wlad a gysgodir gan fryniau a môr, lle roedd popeth rywfaint cleniach a breuddwydion yn dal i fod, a gorfod mudo i'r tir llwyd bygythiol y tu hwnt i'r Garn a welodd ar fapiau yn yr ysgol.

Er na ddeallai feddwl plentyn bopeth, byddai'n colli yr hyn y bu Mr Williams yn sôn amdano yn yr Ysgol Sul — fod Duw mor fawr ac wedi gwneud gwaith mor rhyfeddol yn y Bermo.

Fan yma oedd adre. Fan hyn y bu ei deulu yn Ardudwy yn gysgodion amser, yn cymdeithasu, yn creu cyfeillach, yn addoli ac yn crafu bywoliaeth — yn gweu eu chwedlau rhwng y Drws a'r Morfa. Er gwaethaf popeth byddai'r môr o hyd yn lân yn y Bermo, a llanw a thrai yn ffurf gain i'r dyddiau. Byddai bob amser yn gwybod am oleuadau'r tai cyfarwydd yn goleuo'r nos, ac yn cofio eu safle a'u sicrwydd ar fap y cof. Pan ddoi rhywun i fyw yn y Bermo doi rhywun i fyw yn y di-amser, lle hedai'r blynyddoedd mewn gwynfyd a lle nad ai unrhyw beth yn hen. Roedd deddfau gwahanol yma. Bermo. Bydd y lle yn denu unigolion drwy'r oesau, ac yn eu helpu nhw i ddod o hyd i'w llais eu hunain.

'Dwi fath â pysgodyn wedi dengyd o'i bowlen mewn rhai llefydd, ond yn Bermo 'ma dwi'n iawn.'

'Ti'n iawn Sybil,' myfyriodd Aintoinette, 'nid lle yw Bermo ond pobl.'

'Hei, *come off it*. Ti 'di dygyd y dywediad ene. Deud nene am bobol Rhos ma nhw. *Credit where credits due*. Cer i'r haul. Dwi'n gwbad fod y lle'n edrych fel warin gwningod ond ma 'na bobol ecstra ene.'

'*Granted*.'

'A rhag ofn ti ddechre meddwl, dwi'n dal yn gallu clywed cloc y Stiwt yn taro. Dim ond dros y mynydd o Rhos ydw i deud y gwir ynte?'

'Cer ditha i'r haul rŵan!'

Daeth dyddiau llanw Medi yn eu hôl. Dyddiau o syllu a gweld cymaint o artist yw'r môr. Dyddiau pan fyddai'r dref wedi'i thorri i ffwrdd rhag y byd mawr, a thyrfa o edmygwyr yn caru'r tonnau. Byddai halen gwyn yr ewyn yn cael ei gipio gan y gwynt fel candi fflos yr haf yn ei beiriant. Dyddiau pan fyddai ymbarél yn ddibwys a dibwynt yn nannedd y gwynt, a'r cerbydau *waltzer* wedi eu cludo i ffwrdd i ryw warws i freuddwydio am California a *Surfin' U.S.A.* dros y gaeaf. Ciliodd holl swanc a ffalsder y ffair dros nos, a bellach yn gyfeiliant i'r llanw uchel, y gwynt a'r glaw fyddai'n teyrnasu, ac yn cael y gair olaf. Y gair olaf bob amser. A cheid yr hen ryddhad cyntefig hwnnw o gael cyrraedd penllanw arall heb niwed i unrhyw un; a sŵn y tonnau yn gyson, gyson, gyson. Dyna fwynhad oedd cael cynhesu uwchben paned yn *Rendezvous* a deall edrychiad sy'n ddyfnach na geiriau — y ddealltwriaeth o berthyn. Er i ardd gefn y Bardd gael ei chlirio yn wyllt gan drefnusrwydd perthynas pell o'r Clwb Garddio, gwenodd yntau wrth weld clwstwr swil o rosynnod pinc wedi ymagor yn annisgwyl fel rhyw fath o obaith wrth wynebu dyddiau du y gaeaf. Âi allan bob bore i'w harogli cyn mynd at y môr, a chyn i'r petalau gael eu chwalu i'r hydrefwynt mynnai eu cyffwrdd yn dyner, dyner fel y parchai ei ddyddiau ar y ddaear.

Ar brynhawn y ffarwelio, wedi llwytho creulon y bore, teimlai Gareth ei obeithion fel coelcerth parti traeth mis Medi yn ceisio cynnau yn y glaw. Cyn cefnu, fe aeth y modur drwy ganol y dref. Codai rhai eu llaw arnynt heb wybod eu bod yn eu colli. Roedd sŵn y gwylanod yn llenwi'r meddyliau heddiw wrth gornel Murmur y Morfa, fel petaent wedi cynhyrfu. Byddai Gareth fel gwylan sy'n methu hedfan mewn cynefin newydd. Llanwyd y tanc â phetrol yn y garej ac yno'r oedd Mama Menna yn ei chryfder — roedd rhywbeth o'r tu hwnt i'w weld yn ei threm, rhywbeth o du hwnt i'r Morfa.

'Mynd? Wel i ble yr ewch chi?'

Fe fu Gareth yn rhy brysur i weld y môr y diwrnod olaf hwnnw — rhy brysur i weld ei ffrind mawr. Dringodd y car i fyny'r ffordd am Fro Gyntun ac edrychodd yn ei ôl, ac yno'n ddrych i'w ddagrau rhwydd roedd llanw Medi ucha'r flwyddyn yn sgleinio'n benllanw yn y cei. Diffoddodd yr enfys yn ei lygaid wrth iddo suddo i'r sedd gefn ac edrych i'r dwyrain, ac roedd y ffordd ag adlewyrchiad yr haul arno fel llinyn bogail ar fin cael ei dorri. Ac roedd y ffordd mor hir.